OCÉANO ATLÁNTICO

cho de Florida

Las Bahamas

nzas

nfuegos

CUBA

•Camagüey

Guantánamo

REPÚBLICA DOMINICANA

PUERTO RICO

Santiago
de Cuba

HAITÍ

Mayagüez ★

Ponce •

★San
Juan

Islas Vírgenes

Antigua

Port-au-Prince

★
Santo
Domingo

Kingston ★

JAMAICA

Guadalupe

Dominica

Martinique
Santa Lucía

MAR DEL CARIBE

San
Vicente

Barbados

Granada

Antillas Menores

Aruba

Bonaire

Curaçao

Isla de
Margarita

Trinidad

Tobago

★ Port-of-Spain

Caracas ★

*Canal de
Panamá*

•Colón

★
Panamá

R. Orinoco

R. Magdalena

VENEZUELA

GUYANA

**GUAYANA
FRANCESA**

ANAMÁ

*Golfo
de
Panamá*

SURINAM

AMÉRICA DEL SUR

• Bogotá

COLOMBIA

BRASIL

MOSAICOS

SPANISH 3

SECOND CUSTOM EDITION

Taken from:
Mosaicos: Spanish as a World Language, Third Edition
by Matilde Olivella de Castells, Elizabeth Guzmán,
Paloma Lapuerta, and Carmen García

Cover Photograph: *Benches at Parc Guell in Barcelona*, courtesy of Corbis Images.

Taken from:

Mosaicos: Spanish as a World Language, Third Edition
by Matilde Olivella de Castells, Elizabeth Guzmán, Paloma Lapuerta, and Carmen García
Copyright © 2002, 1998, 1994 by Pearson Education, Inc.
Published by Prentice Hall
Upper Saddle River, New Jersey 07458

This special edition published in cooperation with Pearson Custom Publishing.

Printed in the United States of America

10 9 8 7 6 5 4 3 2 1

ISBN 0-536-08907-8

2007320073

JK/MR

Please visit our web site at *www.pearsoncustom.com*

PEARSON CUSTOM PUBLISHING
501 Boylston Street, Suite 900, Boston, MA 02116
A Pearson Education Company

Contents

mosaicos

GRAMMAR REVIEW

¿Qué dice usted?

B-6 ¿Cómo se escribe? Ask your classmate how to spell these Spanish last names.

MODELO: Zamora
                E1: ¿Cómo se escribe Zamora?
                E2: Con z.

1. Celaya
2. Montalvo
3. Salas
4. Bolaños
5. Henares
6. Velázquez

B-7 Los nombres. Ask three of your classmates their names. Write down their names as they spell them.

MODELO: E1: ¿Cómo te llamas?
                E2: Me llamo David Montoya.
                E1: ¿Cómo se escribe Montoya?
                E2: M-o-n-t-o-y-a

Identificación y descripción de personas

CARLOS: ¿Quién es ese chico?
SANDRA: Es Julio.
CARLOS: ¿Cómo es Julio?
SANDRA: Es romántico y sentimental.

LUIS: ¿Quién es esa chica?
ENRIQUE: Es Carmen.
LUIS: ¿Cómo es Carmen?
ENRIQUE: Es activa y muy seria.

SER (to be)			
yo	soy	I	am
tú	eres	you	are
usted	es	you	are
él, ella	es	he, she	is

- Use **ser** to describe what someone is like.

- To make a sentence negative, place the word **no** before the appropriate form of **ser**. When answering a question with a negative statement, say **no** twice.

Ella es inteligente.	→	Ella **no** es inteligente.
¿Es rebelde?	→	**No, no** es rebelde.

Cognados

Cognates are words from two languages that have the same origin and are similar in form and meaning. Since English shares many words with Spanish, you will discover that you already recognize many Spanish words. Here are some that are used to describe people.

The cognates in this first group use the same form to describe a man or a woman.

arrogante	importante	optimista	rebelde
competente	independiente	paciente	responsable
eficiente	inteligente	parcial	sentimental
elegante	interesante	perfeccionista	terrible
idealista	liberal	pesimista	tradicional
imparcial	materialista	popular	valiente

The cognates in the second group have two forms. The **-o** form is used to describe a male and the **-a** form to describe a female.

atlético/a	creativo/a	introvertido/a	romántico/a
atractivo/a	dinámico/a	lógico/a	serio/a
agresivo/a	extrovertido/a	moderno/a	sincero/a
ambicioso/a	generoso/a	pasivo/a	tímido/a
cómico/a	impulsivo/a	religioso/a	tranquilo/a

There are also some words that appear to be cognates, but do not have the same meaning in both languages. These are called false cognates. **Lectura** (*reading*) and **éxito** (*success*) are examples of this kind. You will find more examples in future lessons.

¿Qué dice usted?

👤👤 **B-8 Conversación.** With a partner, ask each other about your classmates. Describe them using cognates from the lists above.

MODELO: E1: ¿Cómo es… ?
            E2: Es…

Explicación y expansión

1. Subject pronouns

SINGULAR		PLURAL	
yo	*I*	nosotros, nosotras	*we*
tú	*you*	vosotros, vosotras	*you* (familiar)
usted	*you* (formal)	ustedes	*you* (formal/familiar)
él	*he*	ellos	*they* (masculine)
ella	*she*	ellas	*they* (feminine)

■ In Spain, the plural of **tú** is **vosotros** or **vosotras**. In other Spanish-speaking countries, the plural of both **tú** and **usted** is **ustedes**.

■ Except for **ustedes**, the plural pronouns have masculine and feminine endings. Use **-as** for a group composed only of females; use **-os** for a mixed group or one composed only of males.

■ Because the endings of Spanish verbs indicate the subject (the doer of the action), subject pronouns are generally used only for emphasis, clarification, or contrast.

Practice activities for each numbered grammar point are provided on the CD-ROM and website (www.prenhall.com/mosaicos)

¿Qué dice usted?

1-12 ¿Qué pronombre usa usted? Indicate which pronoun you would use in these situations:

1. You're talking <u>about</u> the following people:
   - a. el Sr. Martínez
   - b. la Sra. Gómez
   - c. Alicia y Susana
   - d. Alfredo y Juana
   - e. usted (*yourself*)
   - f. Ana y usted

2. You're talking <u>with</u> the following people:
   - a. su profesor de historia
   - b. su amigo íntimo
   - c. dos doctores
   - d. una senadora
   - e. dos compañeros
   - f. una niña (*a child*)

 **1-13 Mis compañeros.** Working with a small group, ask questions to find out what your classmates are like. One student will take notes and share answers with the class.

MODELO: E1: ¿Quién es optimista?
           E2: Yo (or él, ella, etc.)
           RESULTADO FINAL: Hay tres estudiantes optimistas, *o*
                            No hay estudiantes optimistas en el grupo.

hiperactivo/a	responsable	pesimista	hipocondríaco/a
estudioso/a	perfeccionista	tolerante	…

RESULTADO FINAL: _____

2. Present tense of regular -ar verbs

HABLAR		
yo hablo	nosotros/as	hablamos
tú hablas	vosotros/as	habláis
Ud., él, ella habla	Uds., ellos, ellas	hablan

■ Use the present tense to express what you and others generally or habitually do or do not do. You may also use the present tense to express an ongoing action. Context will tell you which meaning is intended.

Ana trabaja en la oficina.   *Ana works in the office.*
Ana is working in the office.

■ Here are some expressions you may find useful when talking about what you and others habitually do or do not do.

siempre	*always*	muchas veces	*often*
todos los días/meses	*every day/month*	a veces	*sometimes*
todas las semanas	*every week*	nunca	*never*

¿Qué dice usted?

👥 **1-14 Preferencias.** Rank the following activities from 1 to 8, according to your preferences (1=more interesting, 8= the least interesting). Compare your answers with those of your classmates.

_____ bailar en una discoteca		_____ montar en bicicleta los fines	
_____ mirar televisión en casa		de semana	
_____ conversar con amigos		_____ escuchar música rock	
en los cafés		_____ comprar casetes y videos	
_____ caminar en la playa		_____ hablar por teléfono con amigos	

👥 **1-15 Intercambio.** Ask a classmate about the following people and activities.

MODELOS: E1: ¿Quién estudia por la tarde?   ¿Cuándo estudia Marta?
          E2: Marta (estudia por la tarde).   *o*   Estudia por la tarde.

PERSONA	ACTIVIDAD	CUANDO/DONDE
Marta	estudia español	por la tarde
	mira televisión	por la noche
Asunción	llega a la universidad	a las 9:30 a.m.
	escucha música clásica	en su casa los domingos
David y Andrea	practican español con sus amigos	en la universidad
	trabajan en una oficina	los martes y jueves

3. Articles and nouns: gender and number

Nouns are words that name a person, place, or thing. In English all nouns use the same definite article, *the*, and the indefinite articles *a* and *an*. In Spanish, however, masculine nouns use **el** or **un** and feminine nouns use **la** or **una**. The terms masculine and feminine are used in a grammatical sense and have nothing to do with biological gender.

Gender

	MASCULINE	FEMININE	
SINGULAR DEFINITE ARTICLES	**el**	**la**	*the*
SINGULAR INDEFINITE ARTICLES	**un**	**una**	*a/an*

- Generally, nouns that end in **-o** are masculine and require **el** or **un**, and those that end in **-a** are feminine and require **la** or **una**.

el/un libro	**el/un** cuaderno	**el/un** diccionario
la/una mesa	**la/una** silla	**la/una** ventana

- Nouns that end in **-d**, **-ción**, **-sión** are feminine and require **la** or **una**.

la/una universidad	**la/una** lección	**la/una** televisión

- Some nouns that end in **-a** and **-ma** are masculine.

el/un día	**el/un** mapa
el/un programa	**el/un** problema

- In general, nouns that refer to males are masculine and require **el/un** while nouns that refer to females are feminine and require **la/una**. Masculine nouns ending in **-o** change the **-o** to **-a** for the feminine; those ending in a consonant add **-a** for the feminine.

el/un amigo	**la/una** amiga
el/un profesor	**la/una** profesora

- Nouns ending in **-e** normally share the same form (**el/la estudiante**), but sometimes they have a feminine form ending in **-a** (**el dependiente, la dependienta**).

- Use definite articles with titles (except **don** and **doña**) when you are talking about someone. Do not use definite articles when addressing someone directly.

La señorita Andrade trabaja en el Departamento de Lenguas Extranjeras.	*Miss Andrade works in the Department of Foreign Languages.*
Cuando **el** profesor Jones llega por la mañana, ella dice: "Buenos días, profesor Jones", y él contesta: "Buenos días, señorita Andrade".	*When Professor Jones arrives in the morning, she says, "Good morning, Professor Jones," and he answers, "Good morning, Miss Andrade."*

Number

	MASCULINE	FEMININE	
PLURAL DEFINITE ARTICLES	los	las	*the*
PLURAL INDEFINITE ARTICLES	unos	unas	*some*

- Add **-s** to form the plural of nouns that end in a vowel. Add **-es** to nouns ending in a consonant.

la silla	las silla**s**	el cuaderno	los cuaderno**s**
la actividad	las actividad**es**	el señor	los señor**es**

- Nouns that end in **-z** change the **z** to **c** before **-es**.

el lápiz	los lápi**ces**

- To refer to a mixed group, use masculine plural forms.

los chic**os**	*the boys and girls*

¿Qué dice usted?

👥 **1-21 Conversaciones incompletas.** Complete the following dialogs as indicated.

A. Supply the appropriate definite articles (**el, la, los, las**).

E1: ¿Dónde está María?

E2: Está en _____ clase de _____ profesora Sánchez.

E1: ¡Qué lástima! Necesito hablar con ella. Es urgente.

E2: Bueno, ella está en _____ salón de clase hasta _____ una, y por _____ tarde trabaja en _____ laboratorio.

E1: ¿Y a qué hora llega?

E2: Llega a _____ dos, más o menos.

B. Supply the appropriate indefinite articles (**un, una, unos, unas**).

E1: Necesito comprar _____ grabadora y _____ lápices.

E2: Y yo necesito _____ bolígrafo y _____ diccionario, pero no sé qué diccionario comprar.

E1: Para el primer curso, _____ profesores usan _____ diccionario pequeño y otros usan _____ diccionario grande. Habla con tu profesor.

C. Supply the appropriate definite or indefinite articles.

E1: Tengo _____ examen de matemáticas mañana y necesito sacar _____ buena nota en esa clase.

E2: ¿Quién es _____ profesor?

E1: Es _____ doctora Solís.

E2: ¡Ah! Es _____ profesora excelente.

E1: Sí, pero _____ clase es muy difícil. Estudio y reviso _____ tareas todos _____ días, pero no saco buenas notas.

E2: ¡Vaya! Lo siento mucho.

👥 **1-22 ¿Qué necesitan?** With your partner, take turns to say what these students need, according to each situation.

MODELO: Alicia tiene que escuchar unos casetes.
          Necesita una grabadora.

1. Mónica tiene que tomar apuntes en la clase de historia.
2. Blanca y Lucía tienen que buscar dónde está Salamanca.
3. Carlos y Ana tienen que hacer (*to do*) la tarea de matemáticas.
4. Alfredo tiene que estudiar para el examen de geografía.
5. Isabel tiene que escribir una composición para su clase de inglés.
6. David tiene que copiar un programa de su computadora para un compañero.

---

1. **Role A.** You have missed the first day of class. Ask one of your classmates a) at what time the class is, b) who the professor is, and c) what you need for the class.

   Role B. Tell your classmate a) the time of the class, and if the class is in the morning, afternoon or evening, b) the name of the professor and what he/she is like, and c) at least three items that your classmate will need for the class.

2. **Role A.** You work for the student newspaper at your college/university and you have been asked to interview students to find out what they typically do on weekends. After introducing yourself, find out if the person interviewed a) works, b) what he/she studies, and c) what he/she does on Saturdays and Sundays.

   Role B. Tell the interviewer a) if you work and where you work, b) the classes you take, and c) the things you do on weekends, where you do them, and with whom you do them.

SITUACIONES

---

4. Present tense of the verb *estar*

ESTAR			
yo	**estoy**	*I*	*am*
tú	**estás**	*you*	*are*
Ud., él, ella	**está**	*you are, he/she*	*is*
nosotros/as	**estamos**	*we*	*are*
vosotros/as	**estáis**	*you*	*are*
Uds., ellos, ellas	**están**	*you are, they*	*are*

■ Use **estar** to express the location of persons or objects.

   ¿Dónde **está** el gimnasio?   *Where is the gym?*
   Está al lado de la cafetería.   *It is next to the cafeteria.*

■ Use **estar** to talk about states of health.

   ¿Cómo **está** el señor Mora?   *How is Mr. Mora?*
   Está muy bien.   *He is very well.*

1. Role A. You are the university representative who has to give directions to a graphic designer for the new students' handbook. Explain to him/her the location of the various buildings below, according to a campus map that you have previously drawn.

cafetería	librería
Facultad de Ciencias	Facultad de Humanidades
biblioteca	gimnasio

Role B. You are the graphic designer for the campus map. Ask questions, clarification, etc. as you draw the new map. When you have finished, compare your map with that of the university representative to verify that they are alike.

2. Role A. You are a new student at the university and you don't know where the bookstore is. Introduce yourself to one of your classmates. Then, a) tell him/her that you need to go (**ir**) to the bookstore and b) ask where it is.

Role B. A new student will greet you and ask you questions. Your answers should be as complete and specific as possible.

5. Question words

cómo	*how/what*	cuál(es)	*which*
dónde	*where*	quién(es)	*who*
qué	*what*	cuánto/a	*how much*
cuándo	*when*	cuántos/as	*how many*

■ If a subject is used in a question, it normally follows the verb.

¿Dónde trabaja Elsa?　　　　*Where does Elsa work?*

■ Use **por qué** to ask *why*. The equivalent of *because* is **porque**.

¿**Por qué** está Pepe en la biblioteca?　*Why is Pepe at the library?*
Porque necesita estudiar.　　　　　　*Because he needs to study.*

■ Use **qué + ser** when you want to ask for a definition or an explanation.

¿**Qué** es la sardana?　　　*What is the sardana?*
Es un baile típico de Cataluña.　*It's a typical dance of Catalonia.*

■ Use **cuál(es) + ser** when you want to ask which one(s).

¿**Cuál** es tu mochila?　　*Which (one) is your backpack?*
¿**Cuáles** son tus papeles?　*Which (ones) are your papers?*

■ Questions that may be answered with **sí** or **no** do not use a question word.

¿Trabajan ustedes los sábados?　*Do you work on Saturdays?*
No, no trabajamos.　　　　　　*No, we don't.*

■ Another way to ask a question is to place an interrogative tag after a declarative statement.

Tú hablas inglés, ¿**verdad?**　　　*You speak English, don't you?*
David es norteamericano, ¿**no?**　*David is an American, isn't he?*

43

Some regular *-er* and *-ir* verbs

The verb form found in dictionaries and in most vocabulary lists is the infinitive: **hablar, estudiar**, etc. Its equivalent in English is the verb preceded by *to: to speak, to study*. In Spanish, most infinitives end in **-ar**; other infinitives end in **-er** and **-ir**.

So far you have practiced the present tense of regular **-ar** verbs. Now you will practice the **yo, tú**, and **usted/él/ella** forms of some **-er** and **-ir** verbs: **leer**–*to read*, **comer**–*to eat*, **aprender**–*to learn*, **escribir**–*to write*, **vivir**–*to live*.

■ As you did with **-ar** verbs, use the ending **-o** when talking about your daily activities.

Leo y **escribo** en la clase todos los   *I read and I write in class*
días.   *everyday.*

■ For the **tú** form, use the ending **-es**.

¿**Comes** en la cafetería o en tu casa?   *Do you eat in the cafeteria or*
                                                                        at home?

■ For the **usted/él/ella** form, delete the final **-s** of the **tú** form.

Ella **vive** en la calle Salud.   *She lives on Salud Street.*

¿Qué dice usted?

👥 **1-30 ¿Conoce usted a su profesor/a?** With a classmate, discuss whether the following information about your instructor is true (**cierta**) or false (**falsa**). Then ask your instructor to verify the information.

1. _____ Escribe poemas.
2. _____ Come en restaurantes los fines de semana.
3. _____ Enseña cuatro clases todos los días.
4. _____ Vive en un condominio.
5. _____ Toma mucho café.
6. _____ Consulta la Internet para sus clases.

Explicación y expansión

1. Adjectives

- Adjectives are words that describe people, places, and things. Like articles (**el, la, un, una**) and nouns (**chico, chica**), they generally have more than one form. In Spanish an adjective must agree in gender (masculine or feminine) and number (singular or plural) with the noun or pronoun it describes. Adjectives that describe characteristics of a noun usually follow the noun.

- Many adjectives end in **-o** when used with masculine words and in **-a** when used with feminine words. To form the plural these adjectives add **-s**.

Practice activities for each numbered grammar point are provided on the CD-ROM and website (www.prenhall.com/ mosaicos)

	MASCULINE	FEMININE
SINGULAR	chico alto	chica alta
PLURAL	chicos altos	chicas altas

- Adjectives that end in **-e** and some adjectives that end in a consonant have only two forms, singular and plural. To form the plural, adjectives that end in **-e** add **-s**; adjectives that end in a consonant add **-es**.

	MASCULINE	FEMININE
SINGULAR	amigo interesante	amiga interesante
	chico popular	chica popular
PLURAL	amigos interesantes	amigas interesantes
	chicos populares	chicas populares

- Other adjectives that end in a consonant have four forms. This group includes some adjectives of nationality.

	MASCULINE	FEMININE
SINGULAR	alumno español	alumna española
	alumno trabajador	alumna trabajadora
PLURAL	alumnos españoles	alumnas españolas
	alumnos trabajadores	alumnas trabajadoras

- Adjectives that end in **-ista** have only two forms, singular and plural.

Pedro es muy optim**ista**, pero Alicia es pesim**ista**.	*Pedro is very optimistic, but Alicia is pessimistic.*
Ellos no son material**ista**s.	*They are not materialistic.*

2. Present tense and some uses of the verb *ser*

SER (*to be*)			
yo	soy	nosotros/as	somos
tú	eres	vosotros/as	sois
Ud., él, ella	es	Uds., ellos/as	son

You have practiced some forms of the verb **ser** and have used them for identification (**Ese señor es el dependiente**) and to tell time (**Son las cuatro**). Below you will learn other uses of the verb **ser**.

■ **Ser** is used with adjectives to describe what a person, a place, or a thing is like.

¿Cómo **es** ella?	*What is she like?*
Es inteligente y simpática.	*She's intelligent and nice.*
¿Cómo **es** la casa?	*What is the house like?*
La casa **es** grande y muy bonita.	*The house is big and very beautiful.*

■ **Ser** is used to express the nationality of a person; **ser + de** is used to express the origin of a person.

NATIONALITY

Luis **es** chileno.	*Luis is Chilean.*
Rosa **es** argentina.	*Ana is Argentinean.*

ORIGIN

Luis **es de** Chile.	*Luis is from Chile.*
Ana **es de** Argentina.	*Ana is from Argentina.*

■ **Ser + de** is also used to express possession. The equivalent of the English word *whose* is **¿de quién?**

¿De quién es la casa?	*Whose house is it?*
La casa **es de** Marta.	*The house is Marta's.*

■ **De + el** contracts to **del. De + la**(s) or **los** does not contract.

El diccionario **es del** profesor, no **es de la** estudiante.	*The dictionary is the professor's, not the student's.*

■ **Ser** is used to express the location or time of an event.

El baile **es** en la universidad.	*The dance is (takes place) at the university.*
El examen **es** a las tres.	*The test is (takes place) at three.*

3. *Ser* and *estar* with adjectives

■ **Ser** and **estar** are often used with the same adjectives. However, the choice of verb determines the meaning of the sentence.

■ As you already know, **ser** + *adjective* states the norm, what someone or something is like.

Manolo **es** delgado.	*Manolo is thin. (He is a thin boy.)*
Sara **es** muy nerviosa.	*Sara is very nervous. (She is a nervous person.)*
El libro **es** nuevo.	*The book is new. (It's a new book.)*

■ **Estar** + *adjective* comments on something. It expresses a change from the norm, a condition, and/or how one feels about the person or object being discussed.

Manolo **está** delgado.	*Manolo is thin. (He lost weight recently.)*
Sara **está** muy nerviosa.	*Sara is very nervous. (She has been nervous lately.)*
El libro **está** nuevo.	*The book is new. (It seems like a brand new book.)*

■ The adjectives **contento/a, cansado/a, enojado/a** are always used with **estar**.

Ella **está contenta** ahora.	*She is happy now.*
El niño **está cansado**.	*The boy is tired.*
Carlos **está enojado**.	*Carlos is angry.*

■ Some adjectives have one meaning with **ser** and another with **estar**.

Ese señor **es** malo.	*That man is bad/evil.*
Ese señor **está** malo.	*That man is ill.*
El chico **es** listo.	*The boy is clever.*
El chico **está** listo.	*The boy is ready.*
La manzana **es** verde.	*The apple is green.*
La manzana **está** verde.	*The apple is not ripe.*
Ella **es** aburrida.	*She is boring.*
Ella **está** aburrida.	*She is bored.*

¿Qué dice usted?

👤👤 **2-12 ¿Cómo somos?** Read the following descriptions and write an X under the appropriate heading. Then, compare your answers with those of a classmate. You may ask each other questions to expand the conversation.

	SI	NO
1. Soy muy responsable y trabajador/a.	——	——
2. A veces soy un poco rebelde.	——	——
3. Mi familia es muy religiosa y tradicional.	——	——
4. Mi mejor amigo es muy creativo y dinámico.	——	——
5. Él y yo somos agradables.	——	——
6. Las clases de este semestre son interesantes.	——	——

SITUACIONES

1. **Role A.** A new student from Argentina has joined your class. Introduce yourself and find out the following information from him/her: a) name; b) country and city of origin; c) size and location of city/town; d) characteristics of people from his country (what they are like, what they do, etc.).

   Role B. You are a foreign student from Buenos Aires, Argentina, who has recently joined this class. Answer your classmate's questions with as much detail as possible. Then ask him/her questions in order to get the same information he/she obtained from you.

2. **Role A.** You are trying to set up your classmate on a blind date with a friend. Answer your classmate's questions trying to tailor your answers to what you think he/she would like in a person since you want them to meet.

   Role B. Your classmate is trying to set you up on a blind date. Ask as many questions as possible to get the information you would like to know before deciding what to do.

4. Possessive adjectives

mi(s)	*my*
tu(s)	*your* (familiar)
su(s)	*your* (formal), *his, her, its, their*
nuestro(s), **nuestra**(s)	*our*
vuestro(s), **vuestra**(s)	*your* (familiar plural)

■ These possessive adjectives always precede the noun they modify.

   mi casa   **tu** bicicleta

■ Possessive adjectives change number (and gender for **nosotros** and **vosotros**) to agree with the thing possessed, not with the possessor.

   mi casa, **mis** casas
   nuestro profesor, **nuestros** amigos; **nuestra** profesora, **nuestras** amigas

■ **Su** and **sus** have multiple meanings. To ensure clarity, you may use **de** + the name of the possessor or the appropriate pronoun.

su compañera = la compañera **de usted**
   de ella (la compañera de Elena)
   de él (la compañera de Jorge)
   de ustedes
   de ellos (la compañera de Elena y Jorge)
   de ellas (la compañera de Elena y Olga)

Expressions with *gustar*

■ To express what you like to do, use **me gusta** + *infinitive*. To express what you don't like to do, say **No me gusta** + *infinitive*.

Me gusta bailar.   *I like to dance.*
No me gusta mirar la televisión.   *I don't like to watch television.*

■ To express that you like something, use **me gusta** + *singular noun* or **me gustan** + *plural noun*.

Me gusta la música clásica.   *I like classical music.*
Me gustan las fiestas.   *I like parties.*

■ To ask a classmate what he/she likes, use **¿Te gusta/n...?** To ask your instructor, use **¿Le gusta/n...?**

¿Te gusta/Le gusta tomar mate?   *Do you like to drink mate?*
¿Te gustan/Le gustan los chocolates? *Do you like chocolates?*

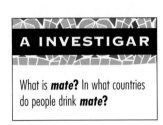

A INVESTIGAR

What is *mate*? In what countries do people drink *mate*?

¿Qué dice usted?

 **2-22 Mis preferencias.** Fill in the following chart based on your preferences. Compare your answers with those of a classmate.

ACTIVIDAD	ME GUSTA MUCHO	ME GUSTA	NO ME GUSTA
escribir en español			
hablar por teléfono			
bailar tango			
leer libros de ciencia-ficción			
...			

2-23 ¿Te gusta...? Ask a classmate if he/she likes the following things.

1. la biblioteca de la universidad
2. las discotecas
3. la informática
4. los autos de este año

2-24 ¿Qué te gusta hacer? Interview two classmates and ask each of them what he/she likes to do a) on a weekday morning/afternoon/evening, b) on Saturday afternoons, and c) on Sunday mornings. Compare their responses and be prepared to share your conclusions with the rest of the class or another group.

Explicación y expansión

1. Present tense of regular -er and -ir verbs

COMER (to eat)			
yo	como	nosotros/as	comemos
tú	comes	vosotros/as	coméis
Ud., él, ella	come	Uds., ellos/as	comen

VIVIR (to live)			
yo	vivo	nosotros/as	vivimos
tú	vives	vosotros/as	vivís
Ud., él, ella	vive	Uds., ellos/as	viven

■ The endings for -er and -ir verbs are the same, except for the **nosotros** and **vosotros** forms.

■ The verb **ver** has an irregular **yo** form.

   ver: veo, ves, ve, vemos, veis, ven

■ Use **deber** + *infinitive* to express what you *should* or *ought* to do.

   Debes beber mucha agua.   *You should (must) drink lots of water.*

¿Qué dice usted?

👤👤 3-11 Mi profesor/a modelo. Primera fase. Indicate which of the following activities are or are not part of an ideal instructor's routine.

	SI	NO
1. Lee el periódico en la clase.	____	____
2. Nunca está en su oficina.	____	____
3. Siempre prepara sus clases.	____	____
4. Saca libros de la biblioteca y lee mucho.	____	____
5. Comprende los problemas de los estudiantes.	____	____
6. Bebe café en la clase todo el tiempo.	____	____

Segunda fase. Compare your answers with those of a classmate. Do both of you agree? Finally, write two more activities/features of an ideal instructor's academic life and ask your instructor if they are part of his/her real routine.

2. Present tense of *ir*

IR *(to go)*		
yo **voy**	nosotros/as	**vamos**
tú **vas**	vosotros/as	**vais**
Ud., él, ella **va**	Uds., ellos/as	**van**

- Use **a** to introduce a noun after the verb **ir**. When **a** is followed by the article **el**, they contract to form **al**.

Voy **a la** fiesta de María.	*I'm going to María's party.*
Vamos **al** gimnasio.	*We're going to the gymnasium.*

- Use **adónde** when asking *where to* with the verb **ir**.

¿**Adónde** vas ahora?	*Where are you going now?*

3. *Ir* + *a* + infinitive to express future action

- To express future action, use the present tense of **ir** + **a** + the *infinitive* form of the verb.

Ellos **van a nadar** después.	*They're going to swim later.*
¿**Vas a ir** a la fiesta?	*Are you going to go to the party?*

4. The present tense to express future action

- You may also express future action with the present tense of the verb. The context shows whether you are referring to the present or the future.

Ellos **nadan** después.	*They'll swim later.*
¿**Vas** a la fiesta esta noche?	*Are you going to the party tonight?*

- The following expressions denote future time:

después	*afterwards, later*
más tarde	*later*
esta noche	*tonight*
mañana	*tomorrow*
pasado mañana	*the day after tomorrow*
la próxima semana	*next week*
el próximo mes/año	*next month/year*

5. Numbers 100 to 2.000.000

100	cien/ciento	1.000	mil
200	doscientos/as	1.100	mil cien
300	trescientos/as	2.000	dos mil
400	cuatrocientos/as	10.000	diez mil
500	quinientos/as	100.000	cien mil
600	seiscientos/as	150.000	ciento cincuenta mil
700	setecientos/as	500.000	quinientos mil
800	ochocientos/as	1.000.000	un millón (de)
900	novecientos/as	2.000.000	dos millones (de)

■ Use **cien** to say 100 used alone or followed by a noun, and **ciento** for numbers from 101 to 199.

100	cien
100 chicos	cien chicos
120 profesoras	ciento veinte profesoras

■ Multiples of 100 agree in gender with the noun they modify.

200 periódicos	**doscientos** periódicos
1.400 revistas	**mil cuatrocientas** revistas

■ Use **mil** for *one thousand.*

1.000	**mil alumnos, mil alumnas**

■ Use **un millón** to say *one million.* Use **un millón de** when a noun follows.

1.000.000	**un millón, un millón de personas**

■ Spanish normally uses a period to separate thousands, and a comma to separate decimals.

$1.000	$19,50

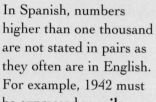

LENGUA

In Spanish, numbers higher than one thousand are not stated in pairs as they often are in English. For example, 1942 must be expressed as **mil novecientos cuarenta y dos**, whereas in English it is often given as nineteen forty-two.

¿Qué dice usted?

3-23 Para identificar. Your instructor will say a number from each of the following series. Identify each one.

a. 114	360	850	524
b. 213	330	490	919
c. 818	625	723	513
d. 667	777	984	534
e. 1.310	1.420	3.640	6.860
f. 10.467	50.312	100.000	2.000.000

Some uses of *por* and *para*

In previous activities, you used **para** as an equivalent of *for*, with the meaning *intended* or *to be used for*: **Necesito un diccionario para la clase.** *I need a dictionary for the class.* You used **por** in expressions such as **por favor**, **por teléfono**, and **por la mañana/tarde/noche**. Other fixed expressions with **por** that you will find useful when communicating in Spanish follow:

por ejemplo	*for example*	**por lo menos**	*at least*
por eso	*that's why*	**por supuesto**	*of course*
por fin	*finally, at last*	**por ciento**	*per cent*

Por and **para** can also be used to express movement in space and time.

- Use **para** to indicate movement toward a destination.

Caminan **para** la playa.	*They walk toward the beach.*
Vamos **para** el túnel.	*We are going toward the tunnel.*

- Use **por** to indicate movement through or by a place.

Caminan **por** la playa.	*They walk along the beach.*
Vamos **por** el túnel.	*We are going through the tunnel.*

- You may also use **por** to indicate length of time or duration of an action/event. Many Spanish speakers omit **por** in this case, or use **durante**.

Necesito el auto (**por**) tres días.	*I need the car for three days.*

¿Qué dice usted?

3-26 ¿Para dónde van? Read the following and guess where these persons are going. Compare your guesses with those of your classmate. Are they similar? Then, find out where your classmate is going after class, and why.

MODELO: Jorge busca su uniforme de fútbol.
          Va para el estadio.

1. Es la una de la tarde y Pedro desea comer.
2. Sebastián lleva una mochila con sus libros de química y una calculadora.
3. Magdalena y Roberto van a consultar unos libros porque tienen un examen.
4. Gregorio está muy enfermo y necesita ver al doctor.
5. Ana María va a ver una película de su actor favorito.
6. Amanda y Clara están muy elegantes y contentas. En este momento llegan Arturo y Felipe.

3-27 Caminante. Your classmate likes to walk. Ask him/her where, when, with whom, and why he/she enjoys walking. Reverse roles.

Explicación y expansión

1. Present tense of stem-changing verbs (e → ie, o → ue, e → i)

PENSAR (E → IE) (*to think*)			
yo	pienso	nosotros/as	pensamos
tú	piensas	vosotros/as	pensáis
Ud., él, ella	piensa	Uds., ellos/as	piensan

VOLVER (O → UE) (*to return*)			
yo	vuelvo	nosotros/as	volvemos
tú	vuelves	vosotros/as	volvéis
Ud., él, ella	vuelve	Uds., ellos/as	vuelven

PEDIR (E → I) (*to ask for, to order*)			
yo	pido	nosotros/as	pedimos
tú	pides	vosotros/as	pedís
Ud., él, ella	pide	Uds., ellos/as	piden

Practice activities for each numbered grammar point are provided on the CD-ROM and website (www.prenhall.com/ mosaicos)

- These verbs change the stem vowel **e** to **ie**, **o** to **ue**, and **e** to **i** except in the **nosotros** and **vosotros** forms.[1]

- Other common verbs and their vowel changes are:

e → ie	o → ue	e → i
cerrar (*to close*)	almorzar (*to have lunch*)	servir (*to serve*)
empezar (*to begin*)	costar (*to cost*)	repetir (*to repeat*)
entender (*to understand*)	dormir (*to sleep*)	
pensar (*to think*)	poder (*to be able to, can*)	
preferir (*to prefer*)		
querer (*to want, to love*)		

- Use **pensar** + *infinitive* to express what you or someone else is planning to do.

Pienso estudiar esta noche.	*I plan to study tonight.*
Pensamos comer a las ocho.	*We're planning to eat at 8:00.*

[1]Stem-changing verbs are identified in vocabulary lists as follows: **pensar (ie); volver (ue); pedir (i).**

The Spanish equivalent for *to think of /about* someone or something is **pensar en.**

Piensas en tu familia cuando estás fuera de casa? *Do you think of your family when you are away from home?*

Sí, **pienso** mucho **en** ellos. Y también **pienso en** mi casa *Yes, I think about them a lot. And I also think of my home.*

Pensar de is used to inquire for an opinion about someone or something. **Pensar que** is normally used to answer these questions.

¿Qué **piensas de** los planes de ayuda familiar? *What do you think of the plans to help families?*

Pienso que son excelentes. *I think they are excellent.*

■ Note the irregular **yo** form in the following **e → ie** and **e → i** stem-changing verbs.

tener (*to have*)	**tengo,** tienes, tiene, tenemos, tenéis, tienen
venir (*to come*)	**vengo,** vienes, viene, venimos, venís, vienen
decir (*to say, tell*)	**digo,** dices, dice, decimos, decís, dicen
seguir (*to follow*)	**sigo,** sigues, sigue, seguimos, seguís, siguen

■ The verb **jugar** (*to play* a game or a sport) changes **u** to **ue.**

Mario **ju**ega muy bien, pero nosotros **ju**gamos regular.

¿Qué dice usted?

4-9 Preferencias de la familia. Dígale a su compañero/a qué prefieren tomar o comer usted y otro miembro de su familia en las situaciones indicadas. Después pregúntele a su compañero/a cuáles son sus preferencias.

MODELO: Por la mañana: jugo, café o té
        E1: Yo prefiero tomar té, pero mi hermano prefiere tomar café. ¿Y tú?
        E2: Pues yo prefiero té.

1. En el almuerzo: leche, chocolate o café
2. Después de correr: jugo, refresco o agua mineral
3. Para celebrar un cumpleaños: vino, cerveza o champaña
4. Los domingos: comida mexicana, comida italiana o comida española

4-10 ¿Qué piensan hacer estas personas? Túrnese con su compañero/a para decir qué piensa hacer cada persona en las situaciones siguientes. Cada uno debe dar una respuesta diferente.

MODELO: Mi hermano desea estar delgado.
        E1: Él piensa correr mucho.
        E2: Él piensa empezar una dieta.

1. Mi hermana tiene un examen de matemáticas mañana.
2. Ella no entiende muchos de los problemas.
3. Mi tía está muy enferma.
4. Mis abuelos están de vacaciones en Colombia.
5. Yo voy a ir a Cartagena para visitar a mis abuelos.

4-11 Comidas y bebidas. Pregúntele a su compañero/a qué pide para comer y beber en estos lugares. Él/Ella debe hacerle las mismas preguntas.

MODELO: en un partido de béisbol
        E1: ¿Qué pides en un partido de béisbol?
        E2: Pido un perro caliente y un refresco.

1. en un restaurante español muy elegante
2. en un McDonald's si quieres estar delgado/a
3. durante un partido de fútbol americano
4. en un restaurante de una playa de Colombia
5. en una pizzería

2. Adverbs

■ Adverbs are used to describe when, where or how an action/event is done/takes place. You have used Spanish adverbs when expressing time (**mañana, siempre, después**) and place (**detrás, debajo**). You have also used adverbs when expressing how you feel (**bien, muy mal, regular**). These same adverbs can be used when expressing how things are done.

Rafael nada **muy bien**.   *Rafael swims very well.*

■ Spanish also uses adverbs ending in **-mente**, which corresponds to the English *-ly*, to qualify how things are done. To form these adverbs, add **-mente** to the feminine form of the adjective. With adjectives that do not have a special feminine form, simply add **-mente**.

Cantan **alegremente**.   *They sing happily.*
María lee **lentamente**.   *María reads slowly.*

■ Some commonly used adverbs ending in **-mente** are:

generalmente	normalmente	frecuentemente
realmente	básicamente	simplemente
tranquilamente	regularmente	perfectamente
relativamente	tradicionalmente	lógicamente

ACENTOS

Adjectives with a written accent retain it when forming adverbs ending in **-mente**: **difícil → difícilmente**.

¿Qué dice usted?

4-15 ¿Lenta o rápidamente? ¿Qué hace usted rápidamente y qué hace usted lentamente? Prepare una lista y compárela con la de un/a compañero/a. Puede usar los verbos que aparecen más abajo o usar otros verbos.

MODELO: Nado lentamente pero corro rápidamente.

almorzar	beber	estudiar
bailar	caminar	nadar
hablar español	tomar apuntes	leer el periódico
escribir composiciones		

4-16 ¿Está de acuerdo o no? Indique si está de acuerdo (**Sí**) o no (**No**) con las siguientes afirmaciones. Después usted y su compañero/a deben comparar sus respuestas y decir por qué están o no están de acuerdo.

1. _____ Los padres deben hablar frecuentemente con sus hijos adolescentes.
2. _____ Los nietos deben visitar regularmente a sus abuelos.
3. _____ Normalmente los hijos solteros viven con sus padres.
4. _____ Los padres siempre hablan lentamente cuando están enojados con sus hijos.
5. _____ Generalmente las familias grandes son más felices que las familias pequeñas.
6. _____ Los padres deben tener reuniones con los profesores de sus hijos regularmente.

👥 **4-17 Entrevista.** Hágale estas preguntas a su compañero/a. Después él/ella le debe hacer las mismas preguntas a usted.

1. ¿Qué haces normalmente por la tarde?
2. ¿A qué lugares vas regularmente y con quién?
3. Generalmente, ¿adónde vas por la noche?
4. ¿Adónde vas para conversar tranquilamente con tus amigos?
5. ¿A quiénes llamas por teléfono más frecuentemente, a tus amigos o a tu familia?

SITUACIONES

1. Your class is conducting a survey regarding students' movie habits. Ask a classmate a) how many times a month he/she goes to the movies; b) with whom he/she generally goes; c) the type of movies he/she normally prefers (romantic, dramas, science fiction, etc.); d) if he/she eats or drinks at the movies, and what; e) the name of his/her favorite movie theater.

3. Present tense of *hacer, poner, salir, traer,* and *oír*

El padre pone la mesa.

La madre oye música y las noticias.

La hija trae las tostadas a la mesa.

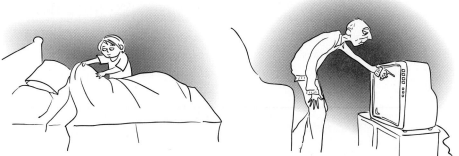

El hijo hace la cama.

El abuelo pone la televisión.

La familia desayuna y sale.

137

HACER (*to make, to do*)			
yo	hago	nosotros/as	hacemos
tú	haces	vosotros/as	hacéis
Ud., él, ella	hace	Uds., ellos/as	hacen

PONER (*to put*)			
yo	pongo	nosotros/as	ponemos
tú	pones	vosotros/as	ponéis
Ud., él, ella	pone	Uds., ellos/as	ponen

- **Poner** normally means *to put*. However, with some electrical appliances, **poner** means *to turn on*.

Yo **pongo** los platos y los vasos en la mesa y mi abuelo **pone** la televisión.	*I put the plates and the glasses on the table and my grandfather turns on the T.V.*

SALIR (*to leave*)			
yo	salgo	nosotros/as	salimos
tú	sales	vosotros/as	salís
Ud., él, ella	sale	Uds., ellos/as	salen

- **Salir** can be used with several different prepositions: to express that you are leaving a place, use **salir de**; to express the place of your destination, use **salir para**; to express with whom you go out or the person you date, use **salir con**; to express what you are going to do, use **salir a**.

Yo **salgo de** mi cuarto ahora.	*I'm leaving my room now.*
Mi hermana **sale con** Mauricio.	*My sister goes out with Mauricio.*
Ellos **salen** a bailar los sábados.	*They go out to dance on Saturdays.*

TRAER (*to bring*)			
yo	traigo	nosotros/as	traemos
tú	traes	vosotros/as	traéis
Ud., él, ella	trae	Uds., ellos/as	traen

OÍR (*to hear*)			
yo	oigo	nosotros/as	oímos
tú	oyes	vosotros/as	oís
Ud., él, ella	oye	Uds., ellos/as	oyen

4. *Hace* with expressions of time

■ To say that an action/state began in the past and continues into the present, use **hace** + *length of time* + **que** + present tense.

> **Hace dos horas que juegan.**   *They've been playing for two hours.*

■ If you begin the sentence with the present tense of the verb, do not use **que**.

> **Trabajan hace dos horas.**   *They've been working for two hours.*

■ To find out how long an action/state has been taking place, use **cuánto tiempo + hace que** + *present tense.*

> **¿Cuánto tiempo hace que juegan?** *How long have they been playing?*

¿Qué dice usted?

4-23 Para conocernos mejor. Complete las siguientes oraciones según sus experiencias personales. Después compare sus respuestas con las de su compañero/a.

1. Estudio español hace. . .
2. Mi programa favorito de televisión es. . .
   Veo ese programa hace. . .
3. Hace. . . que tengo un gato/perro
4. Tengo un auto/bicicleta/motocicleta hace. . .
   Mi auto/bicicleta/motocicleta es. . .

4-24 Entrevista. Hágale las siguientes preguntas a su compañero/a. Comparta la información con la clase.

1. ¿Dónde vives? ¿Cuánto tiempo hace que vives allí?
2. ¿Dónde trabaja tu padre/madre? ¿Cuánto tiempo hace que trabaja allí?
3. ¿Cuánto tiempo hace que estudias en esta universidad?
   ¿Y por qué estudias español?
4. ¿Practicas algún deporte *(sport)*? ¿Cuánto tiempo hace que juegas al. . . ?
   ¿Juegas bien?

SITUACIONES

You are a new student at the university and your parents are coming to visit you. Since you are not familiar with the area, ask your friend about the good Colombian restaurant where he/she usually goes. Ask a) how long he/she has been going to this restaurant, b) what Columbian dishes they serve (**ajiaco de pollo, papas chorreadas, arroz con coco**) and how much they cost, and c) thank him/her for the information. Your friend will answer giving as much information as possible.

Some reflexive verbs and pronouns

REFLEXIVES		
yo	**me lavo**	*I wash myself*
tú	**te lavas**	*you wash yourself*
Ud.	**se lava**	*you wash yourself*
él/ella	**se lava**	*he/she washes himself/herself*

■ Reflexive verbs are those that express what people do to or for themselves.

REFLEXIVE
Mi hermana **se lava**.   *My sister washes herself.*
(She is the doer and the receiver.)

NON-REFLEXIVE
Mi hermana **lava** el auto.   *My sister washes the car.*
(She is the doer and the car is the receiver.)

■ A reflexive pronoun refers back to the subject of the sentence. In English this may be expressed by pronouns ending in *-self* or *-selves*; in many cases, Spanish uses reflexives where English does not.

Yo **me levanto, me baño, me seco y me visto** rápidamente.   *I get up, take a shower, dry myself, and get dressed quickly*

■ Place reflexive pronouns after the word **no** in negative constructions.

Tú **no te peinas** por la mañana.   *You don't comb your hair in the morning.*

■ The pronoun **se** attached to the end of an infinitive shows that the verb is reflexive:

lavar   *to wash*
lavarse   *to wash oneself*

Explicación y expansión

1. Present progressive

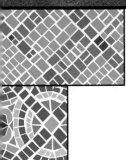

	ESTAR (*to be*)	PRESENT PARTICIPLE (*-ando/-iendo*)
yo	estoy	
tú	estás	hablando
Ud., él, ella	está	comiendo
nosotros/as	estamos	escribiendo
vosotros/as	estáis	
Uds., ellos/as	están	

Practice Activities for each numbered grammar point are provided on the CD-ROM and website (www.prenhall.com/mosaicos)

■ Use the present progressive to emphasize an action in progress at the moment of speaking, as opposed to a habitual action.

Marcela **está limpiando** la casa.   *Marcela is cleaning the house.* (at this moment)

Marcela **limpia** la casa.   *Marcela cleans the house.* (normally)

■ Spanish does not use the present progressive to express future time, as English does; Spanish uses the present tense instead.

Salgo mañana.   *I'm leaving tomorrow.*

■ Form the present progressive with the present of **estar** + *the present participle*. To form the present participle, add **-ando** to the stem of **-ar** verbs and **-iendo** to the stem of **-er** and **-ir** verbs.

hablar	→	hablando
comer	→	comiendo
escribir	→	escribiendo

■ When the verb stem of an **-er** or an **-ir** verb ends in a vowel, add **-yendo**.

| leer | → | leyendo |
| oír | → | oyendo |

■ Stem-changing **-ir** verbs (**ou → e, e → ie, e → i**) change **o → u** and **e → i** in the present participle.

dormir	(duermo)	→	durmiendo
sentir	(siento)	→	sintiendo
pedir	(pido)	→	pidiendo

2. Expressions with *tener*

■ You have already seen the expression **tener. . . años**. Spanish uses **tener +** *noun* in many cases where English uses *to be + adjective*. These expressions always refer to people or animals but never to things.

	hambre		*hungry*
	sed		*thirsty*
	sueño		*sleepy*
	miedo		*afraid*
tener	calor	*to be*	*hot*
	frío		*cold*
	suerte		*lucky*
	cuidado		*careful*
	prisa		*in a hurry/rush*
	razón		*right, correct*

■ With these expressions use **mucho(a)** to indicate very.

Tengo **mucho** calor.   *I am very hot.*
   (frío, miedo, sueño, cuidado)   *(cold, afraid, sleepy, careful)*
Tienen **mucha** hambre.   *They are very hungry.*
   (sed, suerte)   *(thirsty, lucky)*

■ Use **tener + que +** *infinitive* to express obligation.

Tengo que terminar hoy.   *I have to finish today.*

■ Use **hay que +** *infinitive* to express obligation without emphasizing the subject.

Hay que terminar hoy.   *It's necessary to finish today.*

¿Qué dice usted?

5-10 Asociaciones. Asocie las oraciones de la izquierda con las expresiones de la derecha.

1. ___ Mi hermano va a comer mucho.   a. Tienen sed.
2. ___ Mi hermana duerme 10 horas.   b. Tengo prisa.
3. ___ Mis primos están en el Polo Norte.   c. Tiene mucha suerte.
4. ___ Mis abuelos toman mucha agua.   d. Tiene sueño.
5. ___ Mi mamá siempre gana cuando juega a la lotería.   e. Tienen mucho frío.
6. ___ Son las 8:00 y necesito estar en casa a las 8:10.   f. Tiene hambre.

3. Direct object nouns and pronouns

¿Qué hacen estas personas?

¿Quién lava **el auto**?
Juan **lo** lava.

¿Quién saca **la basura**?
Alicia **la** saca.

Miguel corta el césped y su hija
recoge las hojas.
¿Quién ayuda **a Miguel**?
Su hija **lo** ayuda.

- Direct object nouns and pronouns answer the question **what?** or **whom?** in relation to the verb.

¿Qué lava Pedro?	*What does Pedro wash?*
(Pedro lava) **los platos**.	*(Pedro washes) the dishes.*

- When direct object nouns refer to a specific person, a group of persons, or to a pet, the word **a** precedes the direct object. This **a** is called the personal **a** and has no equivalent in English. The personal **a** + **el** contracts to **al**.

Amanda seca **los platos**.	*Amanda dries the dishes.*
Amanda seca **a la niña**.	*Amanda dries off the girl.*
¿Ves la piscina?	*Do you see the swimming pool?*
¿Ves **al** niño en la piscina?	*Do you see the child in the swimming pool?*

- Direct object pronouns replace direct object nouns. These pronouns refer to people, animals, or things already mentioned, and are used to avoid repeating the noun.

170

DIRECT OBJECT PRONOUNS	
me	*me*
te	*you* (familiar, singular)
lo	*you* (formal, singular), *him, it* (masculine)
la	*you (formal, singular), her, it* (feminine)
nos	*us*
os	*you* (familiar plural, Spain)
los	*you* (formal and familiar, plural), *them* (masculine)
las	*you* (formal and familiar, plural), *them* (feminine)

- Place the direct object pronoun before the conjugated verb form.

¿Limpia Mirta **el baño**?	*Does Mirta clean the bathroom?*
No, no **lo** limpia.	*No, she doesn't clean it.*
¿Quieres mucho **a tu perro**?	*Do you love your dog a lot?*
Sí, **lo** quiero mucho.	*Yes, I love him a lot.*

- With compound verb forms, composed of a conjugated verb and an infinitive or present participle, a direct object pronoun may be placed before the conjugated verb, or be attached to the accompanying infinitive or present participle. When a direct object pronoun is attached to a present participle, a written accent is needed over the stressed vowel (the vowel before **-ndo**) of the participle.

¿Vas a ver **a Rafael**?	*Are you going to see Rafael?*
Sí, **lo** voy a ver./Sí, voy a ver**lo**.	*Yes, I'm going to see him.*
¿Están limpiando **la casa**?	*Are they cleaning the house?*
Sí, **la** están limpiando.	*Yes, they're cleaning it.*
Sí, están limpiándo**la**.	

- Since the question word **quién(es)** refers to people, use the personal **a** when **quién(es)** is used as a direct object.

¿**A quién(es)** vas a ver?	*Whom are you going to see?*
Voy a ver **a** Pedro.	*I'm going to see Pedro.*

¿Qué dice usted?

👥 **5-13 Mis responsabilidades en casa.** Averigüe si su compañero/a es responsable de las siguientes tareas domésticas en su casa. Comparen después sus respuestas.

MODELO: sacar la basura
E1: ¿Sacas la basura?
E2: Sí, la saco./No, no la saco. ¿Y tú?

1. limpiar la cocina
2. lavar los platos
3. secar los platos
4. tender las camas
5. lavar la ropa
6. pasar la aspiradora

ACENTOS

You have learned that words that stress the next-to the last syllable do not have a written accent if they end in a vowel: **lav<u>a</u>ndo**. If we attach a direct object pronoun, the stress falls on the third syllable from the end and a written accent is needed: **lav<u>á</u>ndo<u>lo</u>**.

Segunda fase. Usted y su compañero/a deben decir ahora qué hacen por las siguientes personas. Indiquen en qué circunstancias.

MODELO: su esposo/a

        E1: Lo/La ayudo cuando está cansado/a.

        E2: Y yo lo/la escucho cuando tiene problemas en el trabajo.

1. su papá
2. su mamá
3. su mejor amigo/a
4. su novio/a
5. sus vecinos *(neighbors)*

Role A. You are at a furniture store buying a sofa. Tell the salesperson which sofa you want and ask him/her when they can deliver (**entregar**) it. Tell the salesperson you are not going to be home at that time, but that you can be home in the afternoon. Agree to the time and thank the salesperson.

Role B. You are a salesperson at a furniture store. Tell the customer that the sofa he/she wants is a very good one and that you can deliver it next Monday morning. Since the convenient time for the customer is the afternoon, tell him/her that you can deliver it between three and five.

4. Demonstrative adjectives and pronouns

Demonstrative adjectives

Esta silla tiene que estar aquí y esa mesa allí.

Los otros muebles están allá, en aquel edificio.

- Demonstrative adjectives agree in gender and number with the noun they modify. English has two sets of demonstratives (*this, these* and *that, those*), but Spanish has three sets.

this	**este** cuadro **esta** butaca	*these*	**estos** cuadros **estas** butacas	
that	**ese** horno **esa** casa	*those*	**esos** hornos **esas** casas	
that (over there)	**aquel** edificio **aquella** casa	*those* (over there)	**aquellos** edificios **aquellas** casas	

■ Use **este, esta, estos,** and **estas** when referring to people or things that are close to you in space or time.

Este escritorio es nuevo.	*This desk is new.*
Traen el sofá **esta** semana.	*They'll bring the sofa this week.*

■ Use **ese, esa, esos,** and **esas** when referring to people or things that are not relatively close to you. Sometimes they are close to the person you are addressing.

Esa lámpara es muy bonita.	*That lamp is very pretty.*

■ Use **aquel, aquella, aquellos,** and **aquellas** when referring to people or things that are more distant.

Aquel edificio es muy alto.	*That building (over there) is very tall.*

Demonstrative pronouns

■ Demonstratives can be used as pronouns. A written accent mark may be placed on the stressed vowel to distinguish demonstrative pronouns from demonstrative adjectives.

Compran este espejo y **ése**.	*They are buying this mirror and that one.*

■ To refer to a general idea or concept, or to ask for the identification of an object, use **esto, eso,** or **aquello.**

Trabajan mucho y **eso** es muy bueno.	*They work a lot and that is very good.*
¿Qué es **esto**?	*What is this?*
Es un espejo.	*It's a mirror.*

¿Qué dice usted?

 **5-17 En una mueblería en Managua.** Usted y su compañero/a van a hacer los papeles de cliente/a y dependiente/a. El/La cliente pregunta los precios de algunos muebles y accesorios (usando los demostrativos correctos). El/La dependiente/a le hace preguntas para saber a qué se refiere.

MODELO:	CLIENTE/A:	¿Cuánto cuesta esa mesa?
	DEPENDIENTE/A:	¿Cuál? ¿La mesa que está al lado de la silla?
	CLIENTE/A:	No, la mesa que está entre la butaca y la silla pequeña. *o* Sí, ésa.
	DEPENDIENTE/A:	Cuesta 750 córdobas. *o* Cuesta 2.150 córdobas.

A INVESTIGAR

¿Managua es la capital de qué país? ¿Cuál es la unidad monetaria de ese país? ¿A cuánto está el cambio (*rate of exchange*) en estos momentos?

Role A. You are planning to buy a larger place. A real estate agent has already shown you pictures of a house and is now showing you pictures of a second one. Discuss with him/her a) the price, b) the number of rooms, and c) facilities such as laundry room (**lavandería**), garage, and pool, of both houses. Tell him/her which of the two houses you want to see and say why.

Role B. You are a real estate agent. You already showed your client pictures of one house and now are showing him/her pictures of a second house. Answer his/her questions by saying a) that the first house is $145,000 dollars and the second one is $150,000, b) that both houses have three bedrooms, and c) that the first house has a one-car garage while this one has a two-car garage. Also tell him/her the advantages of each of the two houses.

5. *Saber* and *conocer (to know)*

Both **saber** and **conocer** mean *to know*, but they are not used interchangeably.

ACENTOS

Sé, the **yo** form of the verb **saber**, has a written accent to distinguish it from the pronoun **se**.
Yo **sé** que su hermano **se** llama José.

	SABER	CONOCER
yo	sé	conozco
tú	sabes	conoces
Ud., él, ella	sabe	conoce
nosotros/as	sabemos	conocemos
vosotros/as	sabéis	conocéis
Uds., ellos/as	saben	conocen

■ Use **saber** to express knowledge of facts or pieces of information.

Él **sabe** dónde está el edificio.   *He knows where the building is.*

■ Use **saber** + *infinitive* to express that you know how to do something.

Yo **sé** jugar al tenis.   *I know how to play tennis.*

■ Use **conocer** to express acquaintance with someone or something. **Conocer** also means *to meet*. Remember to use the personal **a** when referring to people.

Conozco a mis vecinos.   *I know my neighbors.*
Conozco bien ese libro.   *I am very familiar with that book.*
Ella quiere **conocer a** Luis.   *She wants to meet Luis.*

More on adjectives

- Ordinal numbers are adjectives and agree in gender and number with the noun they modify (e.g., **la segunda casa, el cuarto edificio**). **Primero** and **tercero** drop the final **o** when used before a masculine singular noun.

    el **primer** cuarto   el **tercer** piso

- When **bueno** and **malo** precede masculine singular nouns, they are shortened to **buen** and **mal**.

    Es un **buen** edificio.   *It's a good building.*
    Es un **mal** momento para comprar. *It's a bad time to buy.*

- **Grande** shortens to **gran** when it precedes any singular noun. Note the meaning associated with each position.

    Es una casa **grande**.   *It's a big house.*
    Es una **gran** casa.   *It's a*
        great house.

¿Qué dice usted?

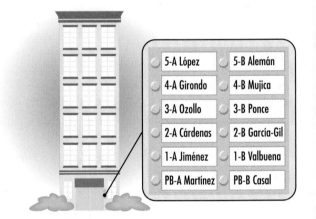

👥 **5-25 ¿En qué piso viven?** Pregúntele a su compañero/a dónde viven las diferentes personas. Su compañero/a debe contestarle de acuerdo con el dibujo.

MODELO: E1: ¿Dónde viven los Girondo?
           E2: Viven en el cuarto piso, en el
               apartamento 4-A.

👥 **5-26 Opiniones.** Usted y su compañero/a deben turnarse para explicar qué son o quiénes son las siguientes personas y lugares. Después deben dar su opinión sobre ellos. Usen algunas de las palabras siguientes.

    buen   bueno/a   gran   grande   mal   malo/a   primer   primero/a

MODELO: el Parque El Imposible
           Es una gran reserva natural donde hay muchos animales en
           peligro de extinción. El Parque El Imposible está en El Salvador.
           Es muy grande y es una reserva natural muy importante de
           América Central.

1. el Parque Central   4. Violeta Chamorro
2. Antonio Banderas   5. el lago Nicaragua

Explicación y expansión

1. Preterit tense of regular verbs

Spanish has two simple tenses to express the past: the preterit and the imperfect (**el pretérito y el imperfecto**). Use the preterit to talk about past events, actions, and conditions that are viewed as completed or ended.

	HABLAR	COMER	VIVIR
yo	hablé	comí	viví
tú	hablaste	comiste	viviste
Ud., él, ella	habló	comió	vivió
nosotros/as	hablamos	comimos	vivimos
vosotros/as	hablasteis	comisteis	vivisteis
Uds., ellos/as	hablaron	comieron	vivieron

Practice activities for each numbered grammar point are provided on the CD-ROM and website (www.prenhall.com/ mosaicos)

- Note that the **nosotros** form of the preterit of **-ar** and **-ir** verbs is the same as the present **nosotros** form. Context will help you determine if it is present or past.

    Llegamos a la tienda a las tres.   *We arrive at the store at three.*
    We arrived at the store at three.

- Stem-changing **-ar** and **-er** verbs in the present do not change in the preterit.

    pensar: pensé, pensaste, pensó, pensamos, pensasteis, pensaron
    volver: volví, volviste, volvió, volvimos, volvisteis, volvieron

- Verbs ending in **-car** and **-gar** have a spelling change in the **yo** form to show how the word is pronounced. The spelling change of verbs ending in **-zar** (**empecé**) shows that Spanish rarely uses a **z** before **e** or **i**.

    sacar: saqué, sacaste, sacó. . .
    llegar: llegué, llegaste, llegó. . .
    empezar: empecé, empezaste, empezó. . .

- Some expressions that you can use with the preterit to denote past time are:

anoche	*last night*
anteayer	*day before yesterday*
ante(a)noche	*night before last*
ayer	*yesterday*
el año/mes pasado	*last year/month*
la semana pasada	*last week*

2. Preterit of *ir* and *ser*

IR AND SER	
yo	**fui**
tú	**fuiste**
Ud., él, ella	**fue**
nosotros/as	**fuimos**
vosotros/as	**fuisteis**
Uds., ellos/as	**fueron**

Ir and **ser** have identical forms in the preterit. Context will determine the meaning.

Ernesto **fue** a la tienda.	*Ernesto went to the store.*
Él **fue** vendedor en esa tienda.	*He was a salesman at that store (for some time).*

¿Qué dice usted?

👥 **6-7 Ayer yo. . .** Marque cuáles fueron sus actividades ayer y añada una actividad en cada grupo. Después compare sus respuestas con las de su compañero/a.

1. Por la mañana:	2. Por la tarde:	3. Por la noche:
desayuné	almorcé en la cafetería	preparé la cena
escribí una composición	saqué libros de la biblioteca	miré televisión
tomé el sol en la playa	lavé unas camisas	planché unos pantalones
estudié español	fui al cine	salí con mis amigos
. . .	. . .	. . .

👥 **6-8 Ayer fue diferente.** Intercambien roles para explicarse entre ustedes qué hacen siempre los vendedores y qué hace Marta normalmente cuando hay rebajas. Después, digan qué hicieron ayer. Sigan el modelo.

MODELO: llegar a la tienda a las ocho de la mañana
      E1: Los vendedores siempre llegan a la tienda a las ocho de la mañana.
      E2: Sí, pero ayer no llegaron a las ocho. Llegaron a las ocho y media.

LOS VENDEDORES	MARTA
1. ordenar la ropa rebajada	1. levantarse temprano
2. trabajar hasta la una	2. caminar durante media hora
3. ir a la cafetería a la una	3. bañarse y desayunar enseguida
4. almorzar entre la una y las dos	4. llegar a la tienda a las diez
5. salir de la tienda a las seis	5. probarse y comprar muchos vestidos

1. You went to a party last Saturday. Your friend would like to know a) where the party was, b) what time the party started, c) with whom you went, d) what clothes you wore, d) what time the party ended, and f) where you went after the party. Answer his/her questions in as much detail as possible.

2. **Role A.** You are at the store trying to get your best friend the same kind of sweat suit you wear for your exercise class, but you don't see it among the sports clothes. Explain to the salesperson a) when you bought it, b) what it looks like, and c) the brand name (**marca**) and size of the product.

   Role B. After listening to the customer, explain that a) you don't have that brand any more, b) that you received a similar one that costs less, c) that you have all sizes and colors, and d) ask if he/she would like to try it on.

3. Indirect object nouns and pronouns

Ana María le da un regalo
a su amigo.
¿Qué le dice su amigo?
¿Qué le contesta Ana María?

INDIRECT OBJECT PRONOUNS	
me *to/for me*	**nos** *to/for us*
te *to/for you* (familiar)	**os** *to/for you* (familiar)
le *to/for you* (formal), *him, her, it*	**les** *to/for you* (formal), *them*

■ Indirect object nouns and pronouns tell *to whom* or *for whom* an action is done.

| El profesor **me** explica la lección. | *The professor explains the lesson to me.* |
| Yo **te** presto el dinero ahora. | *I'll lend you the money now.* |

■ Indirect object pronouns have the same form as direct object pronouns except in the third person: **le** and **les**.

| ¿El niño? Yo **lo** veo por la mañana. (direct object) | *I see him in the morning.* |
| ¿El niño? Yo **le** leo cuentos por la mañana. (indirect object) | *I read him stories in the morning.* |

- Place the indirect object pronoun before the conjugated verb form. It may be attached to an infinitive or to a present participle. Note the written accent mark when attaching an indirect object pronoun to the present participle.

Te voy a comprar un regalo. Voy a comprar**te** un regalo.	*I'm going to buy you a present.*
Juan **nos** está preparando la cena. Juan está preparándo**nos** la cena.	*Juan is preparing dinner for us.*

- Use indirect object pronouns even when the indirect object noun is stated explicitly.

Yo **le** compré un regalo a **Victoria**.	*I bought Victoria a present.*

- To eliminate ambiguity, **le** and **les** are often clarified with the preposition **a** + *pronoun*.

Le hablo **a usted**.	*I'm talking to you.* (not to him)
Siempre **les** compro algo **a ellos**.	*I always buy them something.* (not you)

- For emphasis, use **a mí**, **a ti**, **a nosotros/as**, and **a vosotros/as** with indirect object pronouns.

Pedro **te** habla a **ti**.	*Pedro is talking to you.* (not to someone else)

4. The verb *dar*

DAR *(to give)*		
	PRESENT	PRETERIT
yo	**doy**	**di**
tú	**das**	**diste**
Ud., él, ella	**da**	**dio**
nosotros/as	**damos**	**dimos**
vosotros/as	**dais**	**disteis**
Uds., ellos, ellas	**dan**	**dieron**

- **Dar** is almost always used with indirect object pronouns. Notice the difference in meaning between **dar** (*to give*) and **regalar** (*to give as a gift*).

Ella le **da** la camisa a Pedro.	*She gives (hands) Pedro the shirt.*
Ella le **regala** la camisa a Pedro.	*She gives Pedro the shirt (as a gift).*

- In the preterit, **dar** uses the endings of -**er** and -**ir** verbs.

5. *Gustar* and similar verbs

¿Le gusta esta camisa?
No, no me gusta.

Me gustan éstas. ¿Y a usted?
Me gustan mucho.

■ In previous lessons you have used the verb **gustar** to express likes and dislikes. As you have noticed, **gustar** is not used the same way as the English verb *to like*. **Gustar** is similar to the expression *to be pleasing* (to someone).

> **Me gusta** ese vestido.

> *I like that dress.*
> (That dress is pleasing to me.)

■ In this construction, the subject is the person or thing that is liked. The indirect object pronoun shows to whom something is pleasing.

Me			*I*	
Te			*You* (familiar)	
Le	}	gusta el traje.	*You* (formal), *He/She*	} like/s the suit.
Nos			*We*	
Os			*You* (familiar)	
Les			*They, You* (formal and familiar)	

■ Generally, only two forms of **gustar** are used for the present (**gusta, gustan**) and two forms for the preterit (**gustó, gustaron**). If one person or thing is liked, use **gusta/gustó**. If two or more persons or things are liked, use **gustan/gustaron**. To express what people like or do not like to do, use **gusta** followed by infinitives.

Me **gusta** ese **collar**.	*I like that necklace.*
No me **gustaron** los anillos.	*I didn't like the rings.*
Nos **gusta caminar** por la mañana.	*We like to walk in the morning.*
¿No te **gusta correr** y **nadar**?	*Don't you like to run and swim?*

■ Some other Spanish verbs that follow the pattern of **gustar** are **encantar** (*to delight, to love*), **interesar** (*to interest, to matter*), **parecer** (*to seem*), and **quedar** (*to fit, to have something left*).

- To express that you like or dislike a person, you may also use **caer bien** or **caer mal**, which follow the pattern of **gustar**.

<table>
<tr><td>Les cae bien Miriam.</td><td>They like Miriam.</td></tr>
<tr><td>La dependienta me cae mal.</td><td>I don't like the salesclerk.</td></tr>
</table>

- To emphasize or clarify to whom something is pleasing, use **a + mí, a + ti, a + él/ella,** etc. or **a** + *noun*.

<table>
<tr><td>A mí me gustaron mucho los zapatos, pero a Pedro no le gustaron.</td><td>I liked the shoes a lot, but Pedro didn't like them.</td></tr>
</table>

¿Qué dice usted?

6-15 Mis preferencias en la ropa. Complete la siguiente tabla según sus preferencias. Después compare sus preferencias con las de su compañero/a, y finalmente, explíquenles a otros/as compañeros/as en qué coinciden sus gustos.

MODELO: E1: A nosotros nos gustan los colores fuertes.
            E2: Y también nos encanta la ropa deportiva.

ROPA	ME ENCANTA/N	ME GUSTA/N	NO ME GUSTA/N
la ropa deportiva			
los colores fuertes			
las chaquetas de cuero			
los suéteres de lana			
las blusas/camisas de seda			
los vaqueros			
los pantalones cortos			

6-16 Problemas. En parejas, lean estos problemas y busquen la solución.

MODELO: Pilar tiene $50.000 bolívares. Paga 25.000 bolívares por una blusa y $10.000 por unos aretes. ¿Cuánto dinero le queda?
            15.000 bolívares.

1. Ernesto tiene 75.000 bolívares. Le da 15.000 a su hermano. ¿Cuánto dinero le queda?
2. Érica tiene 25.000 bolívares. Va al cine y a cenar con una amiga. El cine cuesta 5.000 bolívares y la cena 12.000. ¿Cuántos bolívares le quedan?
3. Gilberto tiene $40.000 bolívares. Compra un suéter por 39.000 bolívares. ¿Cuánto dinero le queda?
4. Mis amigos tienen 30.000 bolívares. Van a la playa y almuerzan en un restaurante por $25.000 bolívares. ¿Cuántos bolívares les quedan?

Some more uses of *por* and *para*

■ Use **por** to indicate the reason or motivation for an action.

> No le compra el collar **por** el precio. *He is not buying her the necklace*
> *because it is too expensive*
> *(because of the price).*

■ If you use a verb to express the reason or motivation, then you must use **porque**.

> No le compra el collar **porque** *He is not buying her the necklace*
> **es** muy caro. *because is very expensive.*

■ Use **para** to indicate for whom something is intended or done.

> Compró otro collar **para** su novia. *He bought another necklace for*
> *his girlfriend.*

¿Qué dice usted?

👥 **6-19 ¿Cuál es el motivo?** Con su compañero/a, use **por** o **porque** para terminar las oraciones de la columna de la izquierda con un motivo lógico de la columna de la derecha.

MODELO: Pedro compró un traje el examen del lunes
Pasamos el fin de semana preocupados lo invitaron a una fiesta

Pedro compró un traje porque lo invitaron a una fiesta.
Pasamos el fin de semana preocupados por el examen del lunes.

1. Pepito quiere una bicicleta   a. le queda grande
2. Isabel prefiere comprar en un mercado   b. sus buenas notas
3. Rebeca va a cambiar el vestido   c. el tráfico
4. Ellos llegaron tarde   d. la ropa es más barata
5. Voy a ir de compras hoy   e. son muy cortos
6. No va a comprar los pantalones   f. las rebajas

6-20 Unos regalos. Usted fue a Caracas la semana pasada y su compañero/a quiere saber para quién son los regalos que compró.

MODELO: una pulsera
E1: ¿Para quién es la pulsera?
E2: Es para mi hermana.

1. los libros de español   4. el collar
2. la billetera   5. los discos compactos del Puma
3. las camisetas   6. ...

Explicación y expansión

1. Preterit tense of *-er* and *-ir* verbs whose stem ends in a vowel

LEER			
yo	leí	nosotros/as	leímos
tú	leíste	vosotros/as	leísteis
Ud., él, ella	leyó	Uds., ellos/as	leyeron

OIR			
yo	oí	nosotros/as	oímos
tú	oíste	vosotros/as	oísteis
Ud., él, ella	oyó	Uds., ellos/as	oyeron

The preterit endings of verbs whose stem ends in a vowel are the same as those of regular -er and -ir verbs, except for the **usted, él, ella** form and the **ustedes, ellos, ellas** form, which end in **-yó** and **-yeron**.

2. Preterit tense of stem-changing *-ir* verbs (e → i) (o → u)

PREFERIR			
yo	preferí	nosotros/as	preferimos
tú	preferiste	vosotros/as	preferisteis
Ud., él, ella	prefirió	Uds., ellos/as	prefirieron

DORMIR			
yo	dormí	nosotros/as	dormimos
tú	dormiste	vosotros/as	dormisteis
Ud., él, ella	durmió	Uds., ellos/as	durmieron

- The preterit endings of stem-changing -ir verbs are the same as those for regular -ir verbs.

- Stem-changing -ir verbs (e → ie, e → i, o → ue) change e → i and o → u in the **usted, él, ella** and **ustedes, ellos, ellas** preterit forms.

   Marta prefirió salir temprano.   *Marta preferred to leave early.*
   José durmió tranquilamente.   *José slept calmly.*

1. **Role A.** You had to work late last night and missed a very important basketball game at your college/university. Call a friend and after greeting him/her a) explain why you did not go, b) say that you know he/she went to the game, c) ask as many questions as possible about the game, d) answer your friend's questions, and e) accept his/her invitation.

   Role B. A friend calls you to find out about last night basketball game. Answer his/her questions giving as many details as possible. Then a) tell him/her that there is another game on Saturday, b) find out if he/she is free that evening, and d) if free, invite him/her to go with you.

2. One of you read in today's newspaper that a famous football player is going to be interviewed on TV tonight. The other should find out a) in which newspaper you read about the interview, b) the time of the interview, c) the channel (**el canal**), and d) who will do the interview.

3. Reflexive verbs and pronouns

REFLEXIVES		
yo	**me lavo**	*I wash myself*
tú	**te lavas**	*you wash yourself*
Ud.	**se lava**	*you wash yourself*
él/ella	**se lava**	*he/she washes himself/herself*
nosotros/as	**nos lavamos**	*we wash ourselves*
vosotros/as	**os laváis**	*you wash yourselves*
Uds.	**se lavan**	*you wash yourselves*
ellos/ellas	**se lavan**	*they wash themselves*

■ In **Lección 4** you learned that reflexive verbs express what people do *to* or *for* themselves. You also practiced the **yo, tú,** and **usted, él, ella** forms of some reflexive verbs, placing the reflexive pronouns before the conjugated verb. Now you will learn more about reflexives and practice other verb forms.

> Alicia **se levanta** a las siete y media. *Alicia gets up at seven thirty.*
> Nosotros **nos vestimos** rápidamente. *We get dress quickly.*

■ With verbs followed by an infinitive, place reflexive pronouns before the conjugated verb or attach them to the infinitive.

> Yo **me** voy a acostar a las diez. *I'm going to go to bed at ten.*
> Yo voy a acostar**me** a las diez.

■ With the present progressive (**estar + -ndo**), place reflexive pronouns before the conjugated form of **estar** or attach them to the present participle. When attaching a pronoun, add a written accent mark to the stressed vowel (the vowel preceding -**ndo**) of the present participle.

> Amelia **se** está maquillando ahora. *Amelia is putting on make up now.*
> Amelia está maquillán**dose** ahora.

ACENTOS

The verb form **maquillándose** has an accent mark. Do you know why?

- When referring to parts of the body and articles of clothing, use definite articles rather than possessives with reflexive verbs.

Me lavo **los** dientes.	*I brush my teeth.*
Me pongo **la** sudadera.	*I put on my sweatshirt.*

- Some verbs change meaning when used reflexively.

acostar	*to put to bed*	acostarse	*to go to bed, to lie down*
dormir	*to sleep*	dormirse	*to fall asleep*
ir	*to go*	irse	*to go away, to leave (for)*
levantar	*to raise, to lift*	levantarse	*to get up*
llamar	*to call*	llamarse	*to be called*
quitar	*to take away*	quitarse	*to take off*

¿Qué dice usted?

👥 **7-14 ¿Qué hacemos? Primera fase.** Su compañero/a va a hablar sobre el horario de sus actividades. Conteste diciendo cuándo las hace usted. ¿Son similares o diferentes sus horarios?

MODELO: E1: Yo me despierto a las siete.
          E2: Y yo (me despierto) a las ocho.

1. Yo me levanto _____.
2. Después me lavo _____.
3. Me visto _____.
4. Me siento a desayunar _____.
5. Me voy a la universidad _____.
6. Yo me baño _____.
7. Me acuesto _____.
8. Me duermo _____.

Segunda fase. Cambien de pareja. Después, hable con su nuevo/a compañero/a sobre su propio horario y el de su compañero anterior. Comenten cuáles son sus horarios los fines de semana y compárenlos.

MODELO: E1: Juan y yo nos levantamos a las ocho. También nos
              bañamos por la tarde. ¿Y tú?
          E2: Yo me levanto a las siete.

👥 **7-15 Mis actividades ayer.** Haga una lista de sus actividades ayer, desde que se levantó hasta que se acostó. Después compárela con la de su compañero/a.

1. **Role A.** You are a well-known sportsperson, highly admired by youngsters in your country. (You may choose to play the role of your favorite sportsperson). The reporter of a TV network is going to interview you to prepare a special on your life. Answer the reporter's questions as completely as possible. Remember that you are considered a role model by young people.

   Role B. You are a reporter for a major TV network. Today you are interviewing a well-respected and admired sports figure. After introducing yourself and greeting him/her, find out a) when he/she started to play, b) what his/her daily routine is, and c) how he/she copes with the rigor of daily practice.

2. **Role A.** You would like your younger brother to attend a summer camp. Ask the camp director questions to find out a) what time the children get up, b) what sports they play, c) what they do in the evenings, d) what time they go to bed, and e) how many children there are per counselor (**monitor/a**).

   Role B. You are the director of the summer camp. Answer your prospective client's questions and add more information regarding the variety of activities and the quality of the food.

4. Pronouns after prepositions

Voy a la reunión del equipo ahora. ¿Quieres ir conmigo?

Sí, voy contigo.

- In **Lección 6**, you used a + **mí**, **ti**, etc. to clarify or emphasize the indirect object pronoun: **Le di el suéter a él.** These same pronouns are used after other prepositions, such as **de**, **para**, and **sin**.

Siempre habla **de ti**.	*He's always talking about you.*
El boleto es **para mí**.	*The ticket is for me.*
No quieren ir **sin nosotros**.	*They don't want to go without us.*

- In some cases, Spanish does not use **mí** and **ti**. After **con**, use **conmigo** and **contigo**. After **entre**, use **yo** and **tú**.

¿Vas al partido **conmigo**?	*Are you going to the game with me?*
Sí, voy **contigo**.	*Yes, I'm going with you.*
Pedro va a sentarse **entre tú** y **yo**.	*Pedro is going to sit between you and me.*

¿Qué dice usted?

 **7-19 Las prácticas de tenis.** En grupos de tres, identifíquense con un número y hagan preguntas para saber quién va a practicar tenis con quién. Contesten según la tabla.

MODELO: E1: ¿Con quién practica Jorge el sábado?
                E3: Practica conmigo. (o E2: Practica con él/ella.)

LUNES	MARTES	MIERCOLES	JUEVES	VIERNES	SABADO
Pedro	Alicia	Carmen	Jorge	Carmen	Jorge
E1	E2	E3	E1	E2	E3

7-20 Antes de ir a un partido de fútbol en Montevideo. Complete el siguiente diálogo con su compañero/a usando pronombres.

E1: Yo salgo ahora. ¿Vienes conmigo?

E2: No, no puedo ir _____. Tengo que trabajar media hora más en la tienda.

E1: ¡Cuánto lo siento! Entonces, ¿vas a ir con Roberto?

E2: Sí, voy a ir con _____.

E1: Seguro que él no quiere ir sin _____. Tú eres su mejor amigo/a.

E2: Sí, somos muy buenos amigos. ¿Y tú sabes dónde te vas a sentar?

E1: Sí, voy a sentarme entre _____ y _____.

SITUACIONES

Role A. Your friend, the coach, gave you two tickets for today's football game, but you have no transportation. Call a friend and after greeting him/her, a) explain how you got the tickets for the game, b) invite him/her to go with you, and c) explain that you have no transportation.

Role B. A friend calls you to invite you to a football game. After exchanging greetings, a) thank him/her for the invitation, b) say that you would be delighted to go with him/her, c) that you can pick him/her up in your car, and d) agree on a time and place.

---

5. Some irregular preterits

■ Some irregular verbs do not stress the last syllable in the **yo**, and **usted, él, ella** preterit forms.

■ The verbs **hacer, querer,** and **venir** have an **i** in the preterit stem.

INFINITIVE	NEW STEM	PRETERIT FORMS
hacer	hic	hice, hiciste, hizo, hicimos, hicisteis, hicieron
querer	quis	quise, quisiste, quiso, quisimos, quisisteis, quisieron
venir	vin	vine, viniste, vino, vinimos, vinisteis, vinieron

- The verbs **decir**, **traer**, and all verbs ending in **-ducir** (e.g., **traducir**-*to translate*) have a **j** in the stem and use the ending **-eron** instead of **-ieron**. **Decir** also has an **i** in the stem.

INFINITIVE	NEW STEM	PRETERIT FORMS
decir	**dij**	dije, dijiste, dijo, dijimos, dijisteis, dijeron
traer	**traj**	traje, trajiste, trajo, trajimos, trajisteis, trajeron
traducir	**traduj**	traduje, tradujiste, tradujo, tradujimos, tradujisteis, tradujeron

- The verbs **estar**, **tener**, **poder**, **poner**, and **saber** have a **u** in the preterit stem.[1]

INFINITIVE	NEW STEM	PRETERIT FORMS
estar	estuv	estuve, estuviste, estuvo, estuvimos, estuvisteis, estuvieron
tener	tuv	tuve, tuviste, tuvo, tuvimos, tuvisteis, tuvieron
poder	pud	pude, pudiste, pudo, pudimos, pudisteis, pudieron
poner	pus	puse, pusiste, puso, pusimos, pusisteis, pusieron
saber	sup	supe, supiste, supo, supimos, supisteis, supieron

¿Qué dice usted?

👤👥 **7-21 ¿Qué hizo el sábado pasado?** Usted fue de compras a un centro comercial y después tuvo que reunirse con los jugadores de su equipo, así que sólo pudo hacer dos o tres cosas de la lista que aparece más abajo. Marque las cosas que hizo y las que no pudo hacer, y después conteste las preguntas de su compañero/a.

MODELO:　　comprar el trofeo para el campeonato
　　　　　　　E1: ¿Compraste el trofeo para el campeonato?
　　　　　　　E2: Quise comprarlo, pero no pude./ Sí, pude comprarlo.

	SI	NO
1. cambiar la chaqueta	_____	_____
2. comprar los zapatos tenis	_____	_____
3. probarse el uniforme nuevo	_____	_____
4. conocer al nuevo entrenador	_____	_____
5. ver el video del último partido	_____	_____
6. discutir las estrategias del próximo partido	_____	_____

---

[1]The verb **querer** in the preterit followed by an infinitive normally means *to try (but fail) to do something.*

　　　　Quise hacerlo ayer.　　　　　　　*I tried to do it yesterday.*

[2]**Poder** used in the preterit usually means *to manage to do something.*

　　　　Pude hacerlo esta mañana.　　　　*I managed to do it this morning.*

[3]**Saber** in the preterit normally means *to learn or to find out.*

　　　　Supe que llegaron anoche.　　　　*I learned that you arrived last night.*

Hace meaning *ago*

■ To indicate the time that has passed since an action was completed, use **hace** + *length of time* + **que** + *preterit tense*. If you begin the sentence with the preterit tense of the verb, do not use **que**.

> **Hace** dos horas que llegaron.
> Llegaron **hace** dos horas.
> *They arrived two hours ago.*

¿Qué dice usted?

👥 **7-24 ¿Cuánto tiempo hace... ?** Su compañero/a quiere saber cuánto tiempo hace que usted hizo estas cosas. Complete su respuesta con detalles adicionales.

MODELO: ganar el campeonato
          E1: ¿Cuánto tiempo hace que ganaste el campeonato?
          E2: Hace dos años. Fue un día extraordinario. Todos mis amigos
              me felicitaron y después fuimos a un café a celebrar.

1. conocer a tu novio/a (esposo/a)   4. ir a la playa con tus amigos
2. jugar tenis, golf, etc. por primera vez 5. visitar una gran ciudad
3. leer una buena revista de deportes   6. ver un partido de la Copa Mundial

👥 **7-25 Figuras del mundo de los deportes.** Uno/a de ustedes va a hacer de reportero/a de una revista deportiva y otro/a va a escoger a uno/a de los deportistas más abajo. El/La reportero/a debe hacer por lo menos tres preguntas usando **hace**. El/La deportista debe contestar con los datos del/de la deportista que escogió. Depués, deben cambiar de papel.

SANDRA ORDÓNEZ

NACIONALIDAD: chilena
FECHA DE NACIMIENTO: 22 de febrero de 1980
RECORD DEPORTIVO:
1. Copa Nacional de Tenis, 1996 (perdedora)
2. Copa Davis, 1997 (ganadora de la copa)
3. Torneo femenino de tenis en Chile, 1998 (perdedora)
4. Copa Davis, 1999 (perdedora, segundo lugar)

JORGE PEDRERO

NACIONALIDAD: uruguayo
FECHA DE NACIMIENTO: 18 de abril de 1978
RECORD DEPORTIVO:
1. Capitán del equipo en el Torneo Nacional de Voleibol de 1990 a 1995
2. Marcó 14 puntos en el partido entre la selección de voleibol uruguaya y la argentina, 1991
3. Premio al deportista del año en Uruguay, 1992
4. Entrenador del equipo juvenil de voleibol de Montevideo, 1993-1996

MONICA BERNINI

NACIONALIDAD: argentina
FECHA DE NACIMIENTO: 20 de diciembre de 1976
RECORD DEPORTIVO:
1. Primer lugar en las competencias de esquí de Bariloche, 1992
2. Segundo lugar en la Competencia de Esquí Chile-Argentina, 1995
3. Finalista del equipo argentino de las Olimpiadas de Invierno, 1996
4. Ganadora de la Competencia Nacional de Esquí, 2001

FELIPE JIMENEZ

NACIONALIDAD: boliviano
FECHA DE NACIMIENTO: 18 de junio de 1972
RECORD DEPORTIVO:
1. Jugador del Año, 1994
2. Representante de la Comisión Deportiva de Bolivia, 1996
3. Segundo lugar en el Campeonato Interamericano de Golf, 1998
4. Primer lugar en el Campeonato Nacional de Golf, 2001

Explicación y expansión

1. The imperfect

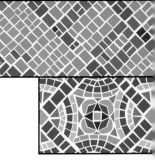

Antes la música era más suave y romántica. Tenía más melodía y las orquestas eran magníficas.

Hoy en día no hay música, hay sólo ruido y la gente se mueve mucho para bailar.

Antes las familias hablaban y había más seguridad en las calles.

Y seguro que tu abuela decía lo mismo de los niños.

Ahora es horrible. Hay mucha violencia, mucha droga, mucho sexo, y los niños no respetan a las personas mayores.

- So far you have seen two ways of talking about the past in Spanish: the preterit and the imperfect. In the preceding monolog, the grandmother used the imperfect because she was focusing on what used to happen when she was young. If she had been focusing on the fact that an action was completed, like something she did yesterday, she would have used the preterit. Generally, the imperfect is used to:

1. express habitual or repeated actions in the past

   Nosotros **íbamos** a la playa todos los días.

   We used to go to the beach every day.

2. express an action or state that was in progress in the past

Agustín **estaba** muy contento y
hablaba de sus planes
con su hermana.

*Agustín was very happy and he
was talking about his plans with
his sister.*

3. describe characteristics and conditions in the past

La casa **era** blanca y **tenía** dos
dormitorios.

*The house was white and it
had two bedrooms.*

4. tell time in the past

Era la una de la tarde, no **eran**
las dos.

*It was one in the afternoon, it
wasn't two.*

5. tell age in the past

Ella **tenía** quince años entonces.

She was fifteen years old then.

■ Some time expressions that often accompany the imperfect to express
ongoing or repeated actions/states in the past are: **mientras, a veces,
siempre, generalmente,** and **frecuentemente.**

2. Imperfect of regular and irregular verbs

REGULAR IMPERFECT			
	HABLAR	COMER	VIVIR
yo	hablaba	comía	vivía
tú	hablabas	comías	vivías
Ud., él, ella	hablaba	comía	vivía
nosotros/as	hablábamos	comíamos	vivíamos
vosotros/as	hablabais	comíais	vivíais
Uds., ellos/as	hablaban	comían	vivían

■ Note that the endings for **-er** and **-ir** verbs are the same. All these forms
have a written accent over the **í** of the ending: comía, vivías.

■ The Spanish imperfect has several English equivalents.

Mis amigos bailaban mucho.
{
My friends danced a lot.
My friends were dancing a lot.
My friends used to dance a lot.
My friends would dance a lot.
(implying a repeated action)
}

■ There are no stem changes in the imperfect.

Ella no **duerme** bien ahora, pero antes **dormía** muy bien.
She doesn't sleep well now, but she used to sleep very well before.

- Only three verbs are irregular in the imperfect.

  ir: iba, ibas, iba, íbamos, ibais, iban
  ser: era, eras, era, éramos, erais, eran
  ver: veía, veías, veía, veíamos, veíais, veían

- The imperfect form of **hay** is **había** (*there was, there were, there used to be*). Both forms remain invariable.

Había una invitación en el correo.	*There was an invitation in the mail.*
Había muchas personas en la fiesta.	*There were many people at the party.*

¿Qué dice usted?

👤👤 **8-9 Cuando tenía cinco años.** Marque cuáles eran sus actividades cuando usted tenía cinco años. Después compare sus respuestas con las de su compañero/a.

1. _____ Jugaba en el parque con mi perro.
2. _____ Ayudaba a mi mamá en la casa.
3. _____ Salía con mis padres los fines de semana.
4. _____ Iba a la playa en el verano.
5. _____ Miraba televisión hasta muy tarde.
6. _____ Celebraba el Año Nuevo con mis amigos.
7. _____ Asistía a las fiestas de la familia.
8. _____ ...

👤👤 **8-10 En la escuela secundaria. Primera fase.** Marque en la tabla la frecuencia con que usted y sus amigos/as hacían estas cosas. Después compare sus respuestas con las de su compañero/a.

MODELO: leer muchos libros
           Siempre (frecuentemente / a veces / nunca) leíamos muchos libros.

ACTIVIDADES	SIEMPRE	FRECUENTEMENTE	A VECES	NUNCA
practicar deportes				
bailar mucho en las fiestas				
ir a los partidos de fútbol				
asistir a conciertos				
reunirse con amigos en el cine				

1. **Role A.** You are going to interview a very famous anthropologist about his/her experience in a different civilization. You are especially interested in knowing how the people used to live there. Focus your questions on a) what their celebrations were like, b) on what occasions they took place, c) the type of activities people engaged in, the music they played or sang, the food and/or beverages they had, etc.

   Role B. You have spent considerable time on a remote island, a different country, or a civilized planet studying the customs and traditions of its people. Answer the questions of your interviewer giving as many details as you can on their festivities and celebrations.

2. **Role A.** You are an exchange student and would like to find out about your host's weekend and holiday activities when he/she was in high school. Ask a) what he/she did on Saturday evenings, b) with whom, c) the time, and d) if the activities were the same during the summertime.

   Role B. You are the host of an exchange student. Answer his/her questions about your activities when you were in high school. Then explain that during a summer you went to a friend's house in Guadalajara, Mexico, and that while you were there you used to a) speak Spanish every day, b) go to the outdoor markets, c) listen to the mariachis, and d) eat excellent Mexican food everywhere (**en todas partes**).

3. The preterit and the imperfect

■ The preterit and the imperfect are not interchangeable.

■ Use the preterit:

   1. to talk about the beginning or end of an event, action, or condition.

Pepito **leyó** a los cinco años.	*Pepito read at age five.* (began reading)
El niño **se enfermó** el sábado.	*The child got sick on Saturday.* (began feeling sick)
Pepito **leyó** el cuento.	*Pepito read the story.* (finished it)
El niño **estuvo** enfermo ayer.	*The child was sick yesterday.* (he is no longer sick)

   2. to talk about an event, action, or condition that occurred over a period of time with a definite beginning and end.

Vivieron en México por diez años.	*They lived in Mexico for ten years.*

   3. to narrate a sequence of completed actions in the past (note that there is a forward movement of narrative time).

Oyeron un ruido, se **levantaron**, y **bajaron** las escaleras.	*They heard a noise, got up, and went downstairs.*

■ Use the imperfect:

1. to talk about customary or habitual actions, events, or conditions in the past.

Todos los días **llovía** y por eso **leíamos** mucho.

It used to rain every day and that's why we read a lot.

2. to talk about an ongoing part of an event, action, or condition.

En ese momento **llovía** mucho y los niños **estaban** muy tristes.

At that moment it was raining a lot and the children were very sad.

■ In a story, the imperfect provides the background information, whereas the preterit tells what happened. Note that an ongoing action expressed with the imperfect is often interrupted by a completed action expressed with the preterit.

Era Navidad. Todos **dormíamos** cuando los niños **oyeron** un ruido en el techo.

It was Christmas. All of us were sleeping when the children heard a noise on the roof.

¿Qué dice usted?

8-15 ¡Qué día! Ayer iba a ser un día especial para Pedro, pero todos sus planes terminaron mal. ¿Puede imaginar usted las cosas que le ocurrieron mientras trataba de completar sus planes?

MODELO: bañarse temprano
            Mientras se bañaba temprano por la mañana, se cortó el agua.

1. desayunar tranquilamente
2. ir a la tienda para comprarle un anillo a su novia
3. llamar por teléfono a un restaurante para reservar una mesa
4. proponerle matrimonio a su novia
5. preparar una cena deliciosa para celebrar el cumpleaños de su novia

8-16 La última vez. Con un/a compañero/a túrnense para preguntarse cuándo fue la última vez que hicieron estas cosas y cómo se sentían mientras las hacían.

MODELO: correr en los sanfermines
            E1: ¿Cuándo fue la última vez que corriste en los sanfermines?
            E2: Corrí el año pasado.
            E1: ¿Cómo te sentías mientras corrías?
            E2: Tenía mucho miedo.

1. participar en un campeonato
2. ganar un premio
3. estar en un desfile

4. disfrazarse
5. bailar en un carnaval
6. …

4. Comparisons of inequality

En esta fiesta hay **más** personas **que** en la otra.

Es **más** divertida **que** la otra. Las personas bailan **más**.

En esta fiesta hay **menos** personas **que** en la otra.

Esta fiesta es **menos** alegre **que** la otra.

Las personas se divierten **menos**.

■ Use **más… que** or **menos… que** to express comparisons of inequality with nouns, adjectives, and adverbs.

COMPARISONS OF INEQUALITY					
Cuando Alina era joven tenía	más / menos	amigos que Pepe.	When Alina was young she had	more / fewer	friends than Pepe.
Ella era	más / menos	activa que él.	She was	more / less	active than he.
Salía	más / menos	frecuentemente que él.	She went out	more / less	frequently than he.

276

■ Use **de** instead of **que** before numbers.

Hay **más de** diez carrozas en el desfile. *There are more than ten floats in the parade.*

El año pasado vimos **menos de** diez. *Last year we saw fewer than ten.*

■ The following adjectives have regular and irregular comparative forms.

bueno	**más bueno/mejor**	*better*
malo	**más malo/peor**[1]	*worse*
pequeño	**más pequeño/menor**	*smaller*
joven	**más joven/menor**	*younger*
grande	**más grande/mayor**	*bigger*
viejo	**más viejo/mayor**[2]	*older*

Esta banda es $\begin{Bmatrix} \text{mejor} \\ \text{peor} \end{Bmatrix}$ que aquélla. *This band is* $\begin{Bmatrix} \text{better} \\ \text{worse} \end{Bmatrix}$ *than that one.*

■ When **bien** and **mal** function as adverbs, they have the same irregular comparative forms as **bueno** and **malo**.

bien → mejor Yo canto **mejor** que Héctor. *I sing better than Héctor.*
mal → peor Héctor canta **peor** que yo. *Héctor sings worse than I.*

[1]**Más bueno** and **más malo** are not used interchangeably with **mejor** and **peor**. **Más bueno** and **más malo** refer to a person's moral qualities.
[2]Use **mayor** to refer to a person's age. **Más viejo** is generally used with nouns other than people.

¿Qué dice usted?

8-19 Comparación de dos desfiles. La banda de su universidad sólo puede participar en uno de estos dos desfiles en México. Su compañero/a y usted deben comparar los desfiles, decidir en cuál va a participar la banda y explicar por qué.

	DESFILE DE VERACRUZ	DESFILE DE MERIDA
habitantes	320.000	750.000
asistencia	8.000 personas	12.000 personas
número de bandas	4	5
transporte	10.000 pesos	10.400 pesos
hotel	0 pesos	600 pesos
comidas	2.000 pesos	3.000 pesos

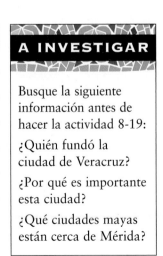

A INVESTIGAR

Busque la siguiente información antes de hacer la actividad 8-19:

¿Quién fundó la ciudad de Veracruz?

¿Por qué es importante esta ciudad?

¿Qué ciudades mayas están cerca de Mérida?

8-20 Personas famosas. Compare a las siguientes personas con respecto a su aspecto físico, edad, calidad de trabajo, dinero o popularidad.

1. Harrison Ford y Antonio Banderas
2. Madonna y Cher
3. Tiger Woods y Sammy Sosa
4. el presidente y el vicepresidente

SITUACIONES

One of you was in a Spanish-speaking country during a festival. The other should find out a) what event you attended, b) when, c) what you saw, and d) ask you to compare it with a similar festival in this country.

5. Comparisons of equality

COMPARISONS OF EQUALITY	
tan... como	*as... as*
tanto/a... como	*as much... as*
tantos/as... como	*as many... as*
tanto como	*as much as*

■ Use **tan... como** to express comparisons of equality with adjectives and adverbs.

| La boda fue **tan** elegante **como** la fiesta. | *The wedding was as elegant as the party.* |
| El padre bailó **tan** bien **como** su hija. | *The father danced as well as his daughter.* |

■ Use **tanto(s)/tanta(s)... como** to express comparisons of equality with nouns.

Había **tanto** ruido **como** en el Carnaval.	*There was as much noise as at Mardi Gras.*
Había **tanta** alegría **como** en el Carnaval.	*There was as much joy as at Mardi Gras.*
Había **tantos** desfiles **como** en el Carnaval.	*There were as many parades as at Mardi Gras.*
Había **tantas** orquestas **como** en el Carnaval.	*There were as many orchestras as at Mardi Gras.*

■ Use **tanto como** to express comparisons of equality with verbs.

| Ellos bailaron **tanto como** nosotros. | *They danced as much as we did.* |

One of you is in favor of small weddings and the other prefers big weddings. Compare both in regard to a) expenses *(gastos)*, b) stress *(estrés)* for the bride and groom, c) work involved, and d) problems.

6. The superlative

■ Use superlatives to express *most* and *least* as degrees of comparison. To form the superlative, use *definite article + noun +* **más/menos** *+ adjective*. To express *in* or *at* with the superlative, use **de**.

> Es **el** disfraz **más/menos** caro (de la fiesta).
> *It is the most/least expensive costume (at the party).*

■ Do not use **más** or **menos** with **mejor, peor, mayor,** and **menor.**

> Son **los mejores** vinos del país.
> *They are the best wines in the country.*

■ You may delete the noun when it is clear to whom or to what you refer.

> Son **los mejores** del país.
> *They're the best (ones) in the country.*

Superlative with *-ísimo*

■ To express the idea of *extremely*, add the ending **-ísimo** (**-a, -os, -as**) to the adjective. If the adjective ends in a consonant, add **-ísimo** directly to the singular form of the adjective. If it ends in a vowel, drop the vowel before adding **-ísimo**.

> fácil   El baile es **facilísimo**.   *The dance is extremely easy.*
> grande   La carroza es **grandísima**.   *The float is extremely big.*
> bueno   Las bandas son **buenísimas**. *The bands are extremely good.*

¿Qué dice usted?

8-24 Encuesta. Después de contestar estas preguntas sobre su universidad y su pueblo/ciudad, debe comparar sus respuestas con las de su compañero/a.

PUEBLO/CIUDAD

1. ¿Dónde sirven... ?
   la mejor pizza
   la mejor hamburguesa
   la peor comida
   el peor café
   los mejores helados

UNIVERSIDAD

2. ¿Cuál es... ?
   la clase más fácil
   el/la profesor/a más interesante
   el deporte más popular
   el mejor equipo
   la fiesta más importante para
      los alumnos

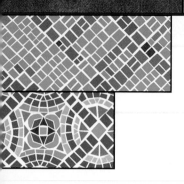

Explicación y expansión

1. *Se* + verb constructions

Se necesita

JEFE DE PERSONAL

para compañía multinacional

- Experiencia mínima 10 años
- Excelentes condiciones

Enviar currículum con foto a
Compañía Marsel, S.A.
Providencia 1275, Santiago

Se necesitan

VENDEDORES

*Empresa de teléfonos
celulares en La Serena
Indispensable experiencia en ventas*

**Solicitar entrevista
Teléfono 6352029**

■ Spanish uses the **se** + *verb* construction to emphasize the occurrence of an action rather than the person(s) responsible for that action. The noun (what is needed, sold, offered, etc.) usually follows the verb. The person(s) who sell(s), offer(s), etc. is not mentioned. This is normally done in English with the passive voice *(is/are + past participle)*.

> **Se habla** español aquí.　　　*Spanish is spoken here.*

■ Use a singular verb with singular nouns and a plural verb with plural nouns.

> **Se necesita** un auto para ese trabajo.　　*A car is needed for that job.*
> **Se venden** flores allí.　　*Flowers are sold there.*

■ When the **se** + *verb* construction is not followed by a noun, but rather by an adverb, an infinitive, or a clause, use a singular verb. This is done in English with indefinite subjects such as *they, you, one, people.*

> **Se trabaja** mucho en esa oficina.　*They work a lot in that office.*
> **Se podía** hablar con el jefe a cualquier hora.　*You could talk to the boss any time.*
> **Se dice** que recibió un aumento.　*They say he/she/you got a raise.*

2. More on the preterit and the imperfect

■ In *Lección 7* you practiced the preterit of **saber** with the meaning of finding out about something. You also practiced the preterit of **querer** with the meaning of wanting or trying to do something, but failing to accomplish it.

Supe que llegaron anoche.	*I found out that they arrived last night.*
Quise ir al aeropuerto, pero fue imposible.	*I wanted (and tried) to go to the airport, but it was impossible.*

In the negative, the preterit of **querer** conveys the meaning of refusing to do something.

No quise ir.	*I refused to go.*

■ Other verbs that convey a different meaning in English when the Spanish preterit is used follow:

IMPERFECT		PRETERIT	
Yo **conocía** a Ana.	*I knew Ana.*	**Conocí** a Ana.	*I met Ana.*
Podía hacerlo.	*I could do it. (was able)*	**Pude** hacerlo.	*I accomplished it. (managed to)*
No podía hacerlo.	*I couldn't do it. (wasn't able)*	**No pude** hacerlo.	*I couldn't do it. (tried and failed)*

■ To express intentions in the past, use the imperfect of **ir + a** + *infinitive.*

Iba a salir, pero era muy tarde.	*I was going to go out, but it was very late.*

■ You have used the imperfect to express an action or event that was in progress in the past. You may also use the imperfect progressive, especially when you want to emphasize the ongoing nature of the activity. Form the imperfect progressive with the imperfect of **estar** and the present participle (**-ndo**).

Pepe **estaba hablando** con el cajero cuando llegó el policía.	*Pepe was talking to the cashier when the policeman arrived.*

¿Qué dice usted?

👥 **9-13 ¿Tiene usted buena memoria?** Piense en el momento en que usted entró en la clase hoy. Dígale a su compañero/a qué estaban haciendo tres de las personas de la clase. Después, su compañero/a debe decirle qué estaban haciendo otras tres personas cuando él/ella entró.

9-16 Una explicación lógica. Ayer tuvieron una reunión muy importante en su compañía para mostrarles unos productos nuevos a unas empresas extranjeras, pero varias cosas salieron mal. Usted y su compañero/a deben buscar una explicación lógica para lo que sucedió.

MODELO: La secretaria no contestaba el teléfono.
           E1: Estaba buscando un intérprete para la reunión.
           E2: No, estaba buscando un salón más grande.

1. Varios empleados llegaron tarde.
2. El técnico no pudo arreglar una computadora que se necesitaba para la presentación.
3. Los periodistas no podían comprender lo que decía un director extranjero.
4. No les sirvieron café ni refrescos a los invitados.
5. Uno de los vendedores no quiso mostrar los productos nuevos.
6. No se pusieron anuncios en los periódicos.

SITUACIONES

Role A. One of your employees did not come to an important meeting at the office, so you call him/her to your office. Greet him/her and ask him/her why he was not at the meeting. After listening to his/her explanation, tell him/her a) that this is the second time this happens, and b) that you will not accept any more excuses in the future.

Role B. You are an employee who was supposed to attend an important meeting at the office, but could not make it. After greeting your boss, apologize and explain a) that your spouse got sick (**enfermarse**) and you had to take him/her to the hospital, and b) that you wanted to take a taxi to go to work, but all the taxis were occupied. Then, say that this will not happen again (**otra vez**).

3. Direct and indirect object pronouns

- When direct and indirect object pronouns are used in the same sentence, the indirect object pronoun precedes the direct object pronoun. Place double object pronouns before conjugated verbs.

Ella me dio la solicitud.	*She gave me the application.*
Ella **me la** dio.	*She gave it to me.*

- In compound verb constructions, you may place double object pronouns before the conjugated verb or attach them to the accompanying infinitive or present participle.

Él quiere darme el contrato.	*He wants to give me the contract.*
Él quiere dár**melo**.	
Él **me lo** quiere dar.	*He wants to give it to me.*
Te está diciendo la verdad.	*She's telling you the truth.*
Te la está diciendo.	
Está diciéndo**tela**.	*She's telling it to you.*

309

- **Le** and **les** cannot be used with **lo, los, la,** or **las**. Change **le** or **les** to **se**.

Le dio el puesto a Berta.	*He gave the job to Berta.*
Se lo dio.	*He gave it to her.*
Les va a mostrar el anuncio.	*She's going to show them the ad.*
Se lo va a mostrar.	*She's going to show it to them.*

- When a direct object pronoun and a reflexive pronoun are used together, the reflexive pronoun precedes the direct object pronoun.

Siempre me envío correos electrónicos para recordar lo que debo hacer.	*I always send myself e-mails to remember what I have to do.*
Siempre **me los** envío.	*I always send them to myself.*

¿Qué dice usted?

👥 **9-17 El nuevo empleado.** Su jefe/a estuvo fuera de la oficina ayer y usted tuvo que ayudar al nuevo empleado. Su jefe/a le va a hacer preguntas para saber qué hizo o no hizo usted con el nuevo empleado.

MODELO: dar los documentos al nuevo empleado
E1: ¿Le dio los documentos al nuevo empleado?
E2: Sí, se los di./No, no se los di.

1. mostrarle la oficina
2. explicarle los documentos
3. contestarle sus preguntas
4. darle el horario de verano
5. recordarle la hora de llegada
6. presentarle a sus compañeros

👥 **9-18 Usted estuvo de jefe/a.** El encargado de la publicidad tenía que tratar con usted durante la ausencia de su jefe/a. Ahora su jefe/a quiere saber qué hizo esta persona.

MODELO: darle el contrato (a usted)
E1: ¿Le dio el contrato?
E2: Sí, me lo dio.

1. explicar la campaña de publicidad
2. mostrar los anuncios
3. traer las revistas
4. pedir el cheque
5. dejar las fotos
6. describir a las modelos que se necesitan

ACENTOS

You have learned that when the stress falls on the third syllable from the end, a written accent is required; therefore, you need one when double object pronouns are attached to an infinitive.

¿Va a darme la solicitud?
→ **¿Va a dármela?**

When double object pronouns are attached to a present participle, the stress falls on the fourth syllable from the end, and a written accent is also required:

Se la está dando. →
Está dándosela.
     4   3 2 1

310

4. Formal commands

Por favor, llene la solicitud y mándela por correo.

- Commands (**los mandatos**) are the verb forms used to tell others to do something. Use formal commands with people you address as **usted** or **ustedes**. To form these commands, drop the final **-o** of the **yo** form of the present tense and add **-e(n)** for **-ar** verbs and **-a(n)** for **-er** and **-ir** verbs.

		USTED	USTEDES	
hablar →	hable	hable	hablen	*speak*
comer →	come	coma	coman	*eat*
escribir →	escribe	escriba	escriban	*write*

- Verbs that are irregular in the **yo** form of the present tense maintain the same irregularity in the command.

		USTED	USTEDES	
pensar →	pienso	piense	piensen	*think*
dormir →	duermo	duerma	duerman	*sleep*
repetir →	repito	repita	repitan	*repeat*
poner →	pongo	ponga	pongan	*put*

- The use of **usted** and **ustedes** with command forms is optional. When used, they normally follow the command.

  Pase/Pase **usted**.   *Come in.*

- To make a formal command negative, place **no** before the affirmative command.

> **No salga** ahora.   *Don't leave now.*

- Object and reflexive pronouns are attached to the end of affirmative commands (note the written accent over the stressed vowel). Object and reflexive pronouns precede negative commands, and are not attached.

Cómpre**la**.	*Buy it.*
No **la** compre.	*Don't buy it.*
Háblen**le**.	*Talk to him/her.*
No **le** hablen.	*Don't talk to him/her.*
Siénte**se**.	*Sit down.*
No **se** siente.	*Don't sit down.*

- The verbs **ir**, **ser**, and **saber** have irregular command forms.

> ir: **vaya, vayan**   ser: **sea, sean**   saber: **sepa, sepan**

- Verbs ending in -car, -gar, -zar, -ger, and -guir have spelling changes in command forms.

sacar	sac~~o~~	→	sa**que**, sa**quen**
jugar	jue~~go~~	→	jue**gue**, jue**guen**
almorzar	almuer~~zo~~	→	almuer**ce**, almuer**cen**
recoger	reco~~jo~~	→	reco**ja**, reco**jan**
seguir	sig~~o~~	→	si**ga**, si**gan**

¿Qué dice usted?

🧑‍🤝‍🧑 **9-20 ¿Dónde se dicen estas cosas?** Con un/a compañero/a, decidan cuáles de estos mandatos se pueden escuchar o leer en a) la sala de emergencia de un hospital, b) un almacén o c) un estudio de televisión.

1. Mande su solicitud para recibir la tarjeta de crédito por correo.
2. No interrumpa a los médicos cuando hablan con los pacientes.
3. Compren sus regalos de cumpleaños aquí.
4. Pague en la caja.
5. No haga visitas después de las 9 de la noche.
6. Mueva el micrófono a la derecha.

🧑‍🤝‍🧑 **9-21 Preguntas de un/a estudiante.** Usted estuvo ausente durante la semana dedicada a Chile y quiere saber qué tiene que hacer para ponerse al día. Su compañero/a, en el papel de profesor/a, contesta afirmativamente a sus preguntas.

MODELO: estudiar la lección 9
          E1: ¿Estudio la lección 9?
          E2: Sí, estúdiela.

1 contestar las preguntas sobre el desierto de Atacama
2. escuchar los discos de música chilena
3. escribir unas expresiones chilenas
4. leer el Enfoque cultural sobre Chile
5. hacer la tarea sobre las culturas indígenas de Chile

A INVESTIGAR

¿Cuáles son los principales productos de exportación de Chile? ¿Cuáles son los países que compran más productos chilenos?

313

Explicación y expansión

1. The present subjunctive

SR. MENA: ¿Qué traigo del supermercado?

SRA. MENA: Necesito que traigas un kilo de camarones frescos y también lechuga y tomate para la ensalada.

SR. MENA: ¿Eso es todo?

SRA. MENA: Sí, y espero que vuelvas rápido y que me puedas ayudar. Tengo mil cosas que hacer.

- To form the present subjunctive, use the **yo** form of the present indicative, drop the final **-o**, and add the subjunctive endings. Notice that as with **usted/ustedes** commands, **-ar** verbs change the **-a** to **-e**, while **-er** and **-ir** verbs change the **e** and the **i** to **a**.

	HABLAR	COMER	VIVIR
yo	hable	coma	viva
tú	hables	comas	vivas
Ud., él, ella	hable	coma	viva
nosotros/as	hablemos	comamos	vivamos
vosotros/as	habléis	comáis	viváis
Uds., ellos/as	hablen	coman	vivan

- The present subjunctive of the following verbs with irregular indicative **yo** forms is as follows:

conocer:	conozca, conozcas...	salir:	salga, salgas...
decir:	diga, digas...	tener:	tenga, tengas...
hacer:	haga, hagas...	traer:	traiga, traigas...
oír:	oiga, oigas...	venir:	venga, vengas...
poner:	ponga, pongas...	ver:	vea, veas...

- The present subjunctive of **hay** is **haya**. The following verbs also have irregular subjunctive forms:

ir:	**vaya, vayas...**	saber:	**sepa, sepas...**
ser:	**sea, seas...**		

- Stem-changing **-ar** and **-er** verbs follow the same pattern as the present indicative.

pensar:	piense, pienses, piense, pensemos, penséis, piensen
volver:	vuelva, vuelvas, vuelva, volvamos, volváis, vuelvan

- Stem-changing **-ir** verbs follow the same pattern as the present indicative, but have an additional change in the **nosotros** and **vosotros** forms.

preferir:	prefiera, prefieras, prefiera, prefiramos, prefiráis, prefieran
dormir:	duerma, duermas, duerma, durmamos, durmáis, duerman

- Verbs ending in **-car, -gar, -ger, -zar,** and **-guir** have spelling changes.

sacar:	saque, saques, saque, saquemos, saquéis, saquen
jugar:	juegue, juegues, juegue, juguemos, juguéis, jueguen
recoger:	recoja, recojas, recoja, recojamos, recojáis, recojan
almorzar:	almuerce, almuerces, almuerce, almorcemos, almorcéis, almuercen
seguir:	siga, sigas, siga, sigamos, sigáis, sigan

LENGUA

Remember that you have seen these same orthographic changes in the formal commands:
Saque los platos.
No juegue ahora.

¿Qué dice usted?

10-9 En la cocina. Use los siguientes verbos en el subjuntivo para describir lo que le dice un chef a su nuevo asistente.

volver	venir	hablar
almorzar	comprar	ayudar

1. Es importante que _____ vegetales frescos.
2. Espero que _____ rápido del mercado.
3. Necesito que me _____ con las ensaladas.
4. Es necesario que _____ temprano al trabajo mañana.
5. Quiero que _____ conmigo y con la dueña (*owner*).
6. Es bueno que nosotros _____ sobre el nuevo menú.

👥 **10-10 La excursión del sábado.** David está organizando una excursión y le dejó una nota a usted y otra a su compañero/a. Cada uno/a de ustedes le debe decir al/la otro/a lo que David quiere que ustedes hagan.

MODELO: preparar unos sándwiches
          David quiere que preparemos unos sándwiches.

> Llamar a Federico
> Desayunar antes de salir
> Salir temprano

> Buscar a Magdalena
> Comprar refrescos
> Poner al perro en el garaje

2. The subjunctive used to express wishes and hope

- Notice in the examples below that there are two clauses, each with a different subject. When the verb of the main clause expresses a wish or hope, use a subjunctive verb form in the dependent clause.

MAIN CLAUSE	DEPENDENT CLAUSE
La mamá **quiere** *The mother wants*	que Alfredo **ponga** la mesa. *Alfredo to set the table.*
Yo **espero** *I hope*	que él **termine** temprano. *he will finish early.*

- When there is only one subject, use an infinitive instead of the subjunctive.

Los niños **necesitan almorzar** temprano para ir al gimnasio.	*The children need to have lunch early to go to the gym.*
El mayor **quiere prepararse** un sándwich.	*The older one wants to make himself a sandwich.*
El menor **desea tomar** leche con galletas.	*The younger one wants to have milk and cookies.*

- With the verb **decir**, use the subjunctive in the dependent clause when expressing a wish or an order. Use the indicative when reporting information.

Dice que los niños **duermen.** (reporting information)	*She says (that) the children are sleeping.*
Dice que los niños **duerman.** (expressing an order)	*She says (that) the children should sleep.*

- Some common verbs that express *want* and *hope* are **desear, esperar, necesitar, preferir,** and **querer.**

  Quieren/Desean que **compres** mariscos.

  They want you to buy seafood.

- Verbs which express an intention to influence the actions of others (**aconsejar, pedir, permitir, prohibir, recomendar**) also require the subjunctive. With these verbs, Spanish speakers often use an indirect object.

  Les permite que **salgan** esta noche.

  She allows them to go out tonight.

- The expression **ojalá (que)** (*I/we hope*), which comes from Arabic, originally meaning *May Allah grant that ...*, is always followed by the subjunctive.

  Ojalá (que) ellos **vengan** temprano.   *I hope they'll come early.*
  Ojalá (que) **puedas** ir al supermercado.

  I hope you can go to the supermarket.

- You may also try to impose your will or express your influence, wishes, and hope through some impersonal expressions such as **es necesario, es importante, es bueno,** and **es mejor.**

  Es necesario que ellos **vengan** temprano.

  It's necessary that they come early.

  Es mejor que **comas** pescado.

  It's better that you eat fish.

- If you are not addressing or speaking about someone in particular, use the infinitive.

  Es mejor **comer** pescado.

  It's better to eat fish.

¿Qué dice usted?

👥 **10-11 Una fiesta del club de español.** Con su compañero/a túrnense para responder a los comentarios usando **ojalá que...**

MODELO: servir comida ecuatoriana
       E1: Dicen que van a servir comida ecuatoriana
       E2: Ojalá que sirvan comida ecuatoriana.

1. empezar a las nueve
2. tocar música paraguaya
3. invitar a los estudiantes extranjeros
4. servir vino y cerveza de América del Sur
5. traer empanadas bolivianas
6. terminar temprano

3. The subjunctive with verbs and expressions of doubt

■ When the verb in the main clause expresses doubt or uncertainty, use a subjunctive verb form in the dependent clause.

> Dudo que **vendan** pescado fresco. *I doubt (that) they sell fresh fish.*

■ When the verbs **creer** and **pensar** are used in the negative and doubt is implied, the subjunctive is used. In questions with these verbs, the subjunctive may be used to express uncertainty or to anticipate a negative response. If the question simply seeks information, use the indicative.

SUBJUNCTIVE

Hace sol, no creo que **llueva** hoy.	*It's sunny out, I don't think it will rain.*
¿Crees que **haga** frío en La Paz?	*Do you think it will be cold in La Paz?* (I don't/I'm not sure.)

INDICATIVE

¿Crees que **hace** frío en La Paz?	*Do you think it is/will be cold in La Paz?* (Should I wear a coat?)

■ Use the subjunctive with impersonal expressions that denote doubt or uncertainty, such as: **es dudoso que, es difícil que, es probable que,** and **es posible que.**

Es dudoso que **encontremos** frutas tropicales allí.	*It's doubtful that we'll find tropical fruits there.*
Es posible que **vendan** uvas.	*It's possible that they sell grapes.*

■ Use the indicative with impersonal expressions that denote certainty: **es cierto/verdad que, es seguro que,** and **es obvio que.**

Es verdad/cierto que el vino **es** muy bueno.	*It's true that the wine is very good.*

■ Since the expressions **tal vez** and **quizá(s)** convey uncertainty, the subjunctive is normally used.

Tal vez ⎫ Quizá(s) ⎭ ella **pruebe** el postre.	*Perhaps she'll try the dessert.*

SITUACIONES

4. Indirect commands

You have used commands directly to tell others to do something: **Salga/Salgan ahora.** Now you are going to use indirect commands to say what someone else should do: **Que salga Berta.** Note that this indirect command is equivalent to saying **Quiero que Berta salga,** but without expressing the main verb **quiero.**

- The word **que** introduces the indirect command. The subject, if stated, normally follows the verb.

  Que cocine Roberto.   *Let Roberto cook.*
  Que descanse María.   *Let María rest.*

- Reflexive and object pronouns always precede the verb.

  Que **se siente** a la mesa.   *Let him sit at the table.*
  Que **le sirvan** la cena.   *Let them serve him dinner.*
  Que **se la sirvan** ahora.   *Let them serve it to him now.*

¿Qué dice usted?

👥 **10-19 Una clase de cocina.** Un chef muy conocido ha accedido a dar una clase de cocina con el fin de recaudar (*raise*) dinero para una obra social. Usted y su compañero/a forman parte del comité que organiza la clase. Su compañero/a tiene la lista de las personas que desean ayudar y usted tiene la lista de las tareas pendientes. Háganse preguntas y contéstense con la información que cada uno/a tiene.

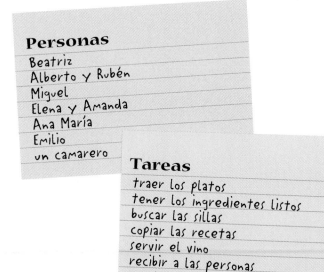

Personas
Beatriz
Alberto y Rubén
Miguel
Elena y Amanda
Ana María
Emilio
un camarero

Tareas
traer los platos
tener los ingredientes listos
buscar las sillas
copiar las recetas
servir el vino
recibir a las personas
ayudar al chef

MODELO: Eduardo, Alicia y Pedro
          preparar los anuncios,
          comprar los refrescos
          E1: ¿Quién va a preparar los
              anuncios?
          E2: Que los preparen Alicia y
              Pedro. ¿Y qué va a hacer
              Eduardo?
          E1: Que compre los refrescos.

mosaicos

Spanish 3

Lección 11

La salud y los médicos

COMUNICACION

- Talking about the body
- Describing health conditions and medical treatments
- Expressing emotions, opinions, and attitudes
- Expressing expectations and wishes
- Giving informal orders and instructions
- Expressing goals and purposes

ESTRUCTURAS

- The subjunctive with expressions of emotion
- The equivalents of English *let's*
- Informal commands
- **Por** and **para**
- Relative pronouns

MOSAICOS

A ESCUCHAR

A CONVERSAR

A LEER

- Discriminating relevant from irrelevant information
- Discovering the meaning of new words through derivation

A ESCRIBIR

- Summarizing information
- Addressing a group to give advice

ENFOQUE CULTURAL

- Las farmacias y la medicina no tradicional
- La República Dominicana
- Cuba

ENFOQUE INTERACTIVO

 WWW　　　　 VIDEO　　　　 CD ROM

Las partes del cuerpo

Practice activities for
each vocabulary section
are provided on the
CD-ROM and website
(www.prenhall.
com/mosaicos)

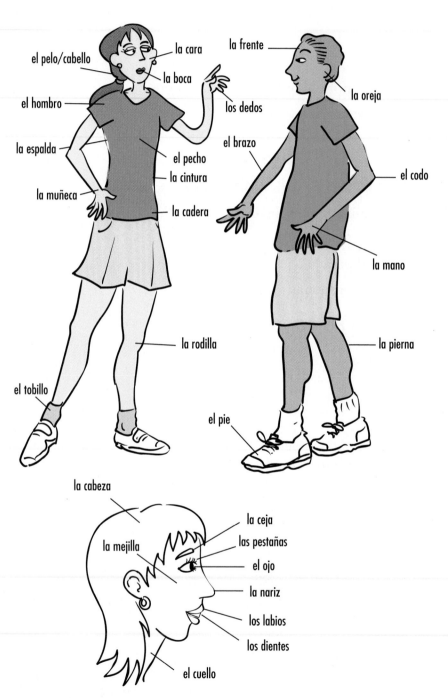

el pelo/cabello

la cara

la boca

el hombro

la frente

la oreja

los dedos

la espalda

el brazo

el pecho

el codo

la cintura

la muñeca

la cadera

la mano

la rodilla

la pierna

el tobillo

el pie

la cabeza

la ceja

la mejilla

las pestañas

el ojo

la nariz

los labios

los dientes

el cuello

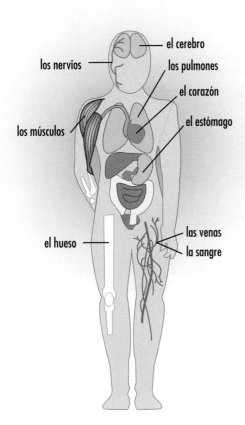

el cerebro

los nervios

los pulmones

el corazón

el estómago

los músculos

el hueso

las venas

la sangre

¿Qué les pasa a estas personas?

Tiene catarro. Estornuda
y tiene mucha tos.

Se torció el tobillo.

Se cayó y se fracturó el brazo.

¿Qué dice usted?

👥👤 **11-1 Asociación. Primera fase.** Con su compañero/a, decida en qué parte del cuerpo se ponen estos accesorios y esta ropa.

1. los calcetines _____   a. la muñeca
2. el anillo _____   b. el dedo
3. los guantes _____   c. la cintura
4. el cinturón _____   d. las orejas
5. el collar _____   e. el cuello
6. los aretes _____   f. la cabeza
7. el reloj _____   g. los pies
8. el sombrero _____   h. las manos

Segunda fase. Con su compañero/a, diga qué accesorios de la lista no tiene usted y mencione tres que le parecen absolutamente indispensables en su vida. ¿Por qué? Comparen sus respuestas.

👥👤 **11-2 ¿Para qué sirve/n?** Asocie la explicación de la derecha con la parte del cuerpo correspondiente. Después, usted y su compañero/a deben decir para qué sirven estas partes del cuerpo.

MODELO: los dedos   Hay cinco en cada mano.
                        Sirven para tocar el piano.

1. las manos _____   a. Unen las manos con el cuerpo.
2. la sangre _____   b. Permiten que las personas vean.
3. los pulmones _____   c. Toman el oxígeno del aire y lo pasan a la sangre.
4. los brazos _____   d. Es un líquido rojo que circula por el cuerpo.
5. los ojos _____   e. Unen el cuerpo con los pies.
6. las piernas _____   f. Se deben lavar después de comer.
7. los dientes _____   g. Están al final de los brazos.
8. el cerebro _____   h. Le da órdenes al cuerpo.

Jorgito está enfermo

SRA. VILLA: Jorgito, tienes muy mala cara. ¿Estás enfermo?

JORGITO: Me siento muy mal y tengo dolor de garganta. Anoche tosí mucho.

SRA. VILLA: (Le pone el termómetro) Tienes una fiebre de 39 grados. Te voy a dar una aspirina y enseguida llamo Dr. Bosque.

DOCTOR: Vamos a ver, Jorgito. Cuéntame cómo te sientes.

JORGITO: Ahora me duele la cabeza y también me duelen los oídos.

DOCTOR: Vamos a examinarte los oídos y la garganta. Abre bien la boca y di "Ah". Tienes una infección. No es seria, pero es necesario que te cuides.

JORGITO: Doctor, no quiero que me ponga una inyección.

DOCTOR: ¡No, qué va! Te voy a recetar unas pastillas. Debes tomarlas cada cuatro horas.

JORGITO: Está bien, doctor.

DOCTOR: Además, tienes gripe. Debes descansar y beber mucho líquido. Aquí está la receta, señora.

SRA. VILLA: Gracias, doctor.

¿Qué dice usted?

👥 **11-3 La enfermedad de Jorgito.** Con su compañero/a, llene la tabla con la información correcta.

Temperatura	
Síntomas	
Recomendaciones	
Nombre del médico	

👥 **11-4 Usted es el/la doctor/a.** ¿Qué recomienda en estos casos? Escoja la mejor recomendación, compare sus repuestas con las de su compañero/a, y juntos piensen en otras dos sugerencias para el mismo problema.

1. Su paciente tiene una infección en los ojos.
   a. que nade en la piscina
   b. que tome antibióticos
   c. que lea mucho
   d. ...

2. Su paciente tiene fiebre y le duele el cuerpo.
   a. que descanse y tome aspirinas
   b. que coma mucho y camine
   c. que vaya a su trabajo
   d. ...

3. A su paciente le duelen mucho una rodilla y un pie.
   a. que corra todos los días
   b. que tome clases de baile
   c. que descanse y no camine
   d. ...

4. A su paciente le duele la garganta y tiene tos.
   a. que hable poco y no salga
   b. que vaya a esquiar
   c. que cante en el concierto
   d. ...

👥 **11-5 En el consultorio.** Usted tiene un catarro terrible y va a ver a su médico/a. Dígale cómo se siente y pregúntele qué debe hacer. El/La médico/a debe hacerle alguna recomendación y contestar sus preguntas.

MODELO:　　E1: Me siento... /Tengo...
　　　　　　E2: Creo que...
　　　　　　E1: ¿Es / No es bueno comer muchas frutas y verduras?
　　　　　　E2: Es excelente comer frutas y verduras porque tienen muchas vitaminas.

RECOMENDACIONES

▨ tomar vitaminas, especialmente vitamina C
▨ comer carne frecuentemente
▨ beber ocho vasos de agua todos los días
▨ hacer ejercicio cada día
▨ ...

👥 **11-6 ¿A quién debo llamar? Primera fase.** Explíquele a su compañero/a sus síntomas o lo que usted necesita. Su compañero/a le va a decir a quién debe llamar de acuerdo con los anuncios de abajo.

MODELO: necesitar un examen médico para un nuevo trabajo
          E1: Necesito un examen médico para un nuevo trabajo.
          E2: Debes llamar a la Dra. Corona López.

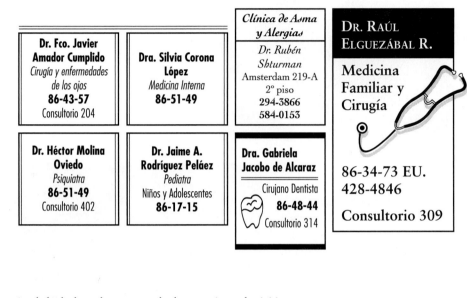

Dr. Fco. Javier Amador Cumplido
Cirugía y enfermedades de los ojos
86-43-57
Consultorio 204

Dra. Silvia Corona López
Medicina Interna
86-51-49

Dr. Héctor Molina Oviedo
Psiquiatra
86-51-49
Consultorio 402

Dr. Jaime A. Rodríguez Peláez
Pediatra
Niños y Adolescentes
86-17-15

Clínica de Asma y Alergias
Dr. Rubén Shturman
Amsterdam 219-A
2° piso
294-3866
584-0153

Dra. Gabriela Jacobo de Alcaraz
Cirujano Dentista
86-48-44
Consultorio 314

Dr. Raúl Elguezábal R.
Medicina Familiar y Cirugía
86-34-73 EU.
428-4846
Consultorio 309

1. dolerle la cabeza cuando lee o mira televisión
2. sentirse triste y deprimido/a
3. estar enfermo/a y tener fiebre
4. buscar un médico para un sobrino de cinco años
5. no poder respirar bien y tener la piel (*skin*) irritada
6. dolerle los dientes cuando come
7. no poder dormir
8. …

Segunda fase. Con su compañero/a escojan dos de los problemas mencionados. Uno/a de ustedes es el/la enfermo/a y otro/a el/la médico/a elegido/a. El/La enfermo/a debe explicar los síntomas y detalles de su enfermedad. El/La médico/a debe hacer recomendaciones y sugerencias al/a la enfermo/a. Después cambien de papel.

Médicos, farmacias y hospitales

Cultura

Los indígenas del continente americano, nos han transmitido muchos conocimientos de medicina natural, algunos de los cuales están aún totalmente vigentes. Gracias al conocimiento que tenían de hierbas, animales y minerales, elaboraban remedios que utilizaban contra las fiebres o como antídotos para otros males. Conocían los efectos positivos de los baños e infusiones de hierbas y tenían fórmulas para cicatrizar las heridas y curar las úlceras. También trataban fracturas de huesos aplicando una pasta de semillas, polvo de ciertas plantas y resina; después ponían plumas de aves y unas tablillas para mantener los huesos en su lugar. Acompañaban muchas de estas prácticas con ceremonias en las que invocaban a sus dioses pidiéndoles protección y ayuda.

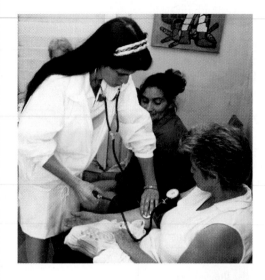

Una enfermera le toma la tensión arterial a una paciente en un hospital.

En muchos países hispanos, los médicos recién graduados tienen que trabajar en zonas rurales o muy pobres, como una forma de servicio social, antes de establecer su propio consultorio o trabajar en un hospital.

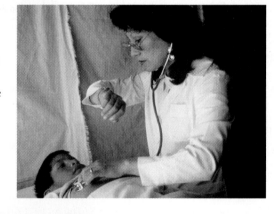

En varios países hispanos la venta de medicinas tiene restricciones similares a las de los Estados Unidos. Los antibióticos y somníferos, por ejemplo, ya no se venden sin receta. Sin embargo, en otros países, hay menos restricciones de venta y se pueden obtener muchas medicinas sin receta médica. Si los casos no son serios, los clientes siguen los consejos del farmacéutico, y se establece de esta forma una relación personal entre ellos. Los farmacéuticos también ponen inyecciones y toman la tensión arterial.

¿Qué dice usted?

👥 **11-7 Una emergencia. Primera fase.** Usted y su amigo/a están de viaje en la República Dominicana y su amigo/a tiene un problema de salud. En un cibercafé de Santo Domingo, han encontrado la siguiente información sobre médicos y farmacias de turno. Decidan cuál es el número más apropiado para llamar basándose en el problema médico de su amigo/a.

Segunda fase. Haga la llamada, describa la enfermedad, y pida la dirección de la consulta/la farmacia. Después el/la farmacéutico/a o el/la doctor/a le debe hacer preguntas y sugerir el remedio adecuado.

CYBER CENTRO AGUITA

CYBER CENTRO AGUITA

➕ —— *Servicios Médicos* ——

10-2-2001 **Santo Domingo**

▪ Badosa Farmacéutica. 563-4230 ·········➤ Medicina Natural
▪ Centro de Cirugía Plástica Santo Domingo. 686-7863 ··➤ Cirugía
▪ Clínica Dental. 685-3752 ··················➤ Odontología
▪ Clínica Dental Dra. Carmen Gómez. 587-3576 ····➤ Odontología
▪ Consultores en Psicología y Sexualidad. 548-3690 ··➤ Psicología
▪ Dr. Rubén Suárez, MD. 538- 2943 ··········➤ Medicina General
▪ Dr. Eliseo Alonso, DDS. 672-3928 ········➤ Medicina General
▪ Farmacia Estrella. 688-4799 ··············➤ Farmacia
▪ Óptica Central, CxA. 682-9505; 689-1308 ········➤ Óptica
▪ Productos Naturales. 686-1576 ····➤ Farmacéuticos - productos
▪ Sándalo ·····························➤ Medicina Aromática

A INVESTIGAR

En Cuba, como en otros países hispano-americanos, hay una Academia de las Ciencias que protege la investigación y organiza numerosas actividades relacionadas con la salud. En *www.prenhall.com/ mosaicos* busque información sobre la Academia de las Ciencias de Cuba y compártala con sus compañeros/as.

 ## A ESCUCHAR

👥 **Descripción de síntomas.** How would you describe your symptoms if you had twisted your ankle? Work on a description with your partner. Then, listen to two patients describing their ailments. After each description, you will hear some advice. Mark the appropriate column to indicate whether it is good or bad advice.

	BUENO	MALO			BUENO	MALO
1. a.	____	____		2. a.	____	____
b.	____	____		b.	____	____
c.	____	____		c.	____	____
d.	____	____		d.	____	____

1. The subjunctive with expressions of emotion

Me molesta que fumen

- When the verb of the main clause expresses emotion (e.g., fear, happiness, sorrow), use a subjunctive verb form in the dependent clause.

  Sentimos mucho que el niño **tenga** fiebre. | *We're very sorry (that) the child has a fever.*

  Me alegro de que **estés** con él. | *I'm glad (that) you're with him.*

- Some common verbs that express emotion are **alegrarse (de)**, **sentir**, **gustar**, **encantar**, **molestar**, and **temer** (*to fear*).

- Impersonal expressions and other expressions that show emotion are also followed by the subjunctive.

  Es triste que el niño **esté** enfermo. | *It's sad that the child is sick.*

  ¡Qué lástima que no **pueda** ir a la fiesta! | *What a shame that he cannot go to the party!*

¿Qué dice usted?

11-8 Un amigo enfermo. Con su compañero/a, asocie cada comentario sobre la enfermedad de su amigo con la expresión adecuada.

1. Pedro está muy enfermo.
2. Sus padres llegan hoy para estar con él.
3. Creo que el doctor Pérez lo va a operar.
4. Dicen que es una operación seria.
5. No va a poder participar en el campeonato.

a. Me alegro de que vengan.
b. Siento mucho que esté tan mal.
c. ¡Qué bueno que sea ése el médico!
d. Es una lástima que no pueda jugar.
e. Ojalá que no tenga complicaciones.

👥 **11-9 Una visita a un/a amigo/a.** Han operado a su amigo/a de la rodilla. Usted va a visitarlo/la a la clínica. A continuación está lo que su amigo/a le dice. Usted debe escoger entre las expresiones que se encuentran más abajo para responderle.

1. Me duele bastante la rodilla.
2. Tengo fiebre y dolor de cabeza.
3. Siento dolor de estómago porque las medicinas son muy fuertes.
4. Tengo náuseas por los efectos de la anestesia.
5. Detesto estar acostado tanto tiempo.
6. La comida del hospital es buenísima.
7. Las enfermeras vienen a verme cada media hora.
8. La cirujana que me operó es muy simpática.

EXPRESIONES UTILES

Siento que…	No me gusta que…	Temo que…
Me alegro de que…	¡Qué agradable que…	Espero que…

👥 **11-10 Reacciones.** María Luisa y Rafael trabajan en un hospital y fueron a una conferencia sobre lo que se debe hacer para evitar las enfermedades y mantener una buena salud. Su compañero/a le va a decir lo que María Luisa y Rafael piensan hacer la semana próxima. Reaccione usando algunas de las expresiones útiles anteriores. Después cambien de papel.

PERSONAS	LUNES	MIERCOLES	VIERNES	DOMINGO
María Luisa	empezar una dieta	ir al gimnasio	hacer ejercicio en su casa	caminar 2 km.
Rafael	trabajar en el hospital todo el día	salir del hospital temprano para ir al cine	quedarse en su casa	reunirse con sus amigos

👥 **11-11 ¿Qué me molesta? Primera fase.** Haga una lista de los hábitos de otras personas que le molestan. Compare su lista con la de su compañero/a.

MODELO: Me molesta que mis amigos lleguen tarde.

👥 **Segunda fase.** En pequeños grupos, comparen sus listas y escojan los seis hábitos que les molestan más. Digan por qué. Compartan sus resultados con el resto de la clase.

1. **Role 1.** Recently you decided to change your life style and to join an aerobics class (**clase de ejercicios aeróbicos**). You are also following a healthy diet and feel much better. You meet a friend that you have not seen for some time. Answer your friend's questions and say how happy you are that he/she is going to join you in your exercise class.

   Role 2. You meet a friend that you have not seen for some time. Tell him/her a) that he/she looks (**verse**) great, and b) ask what he/she is doing. After listening to his/her explanation, a) inquire how many times a week he/she goes to the gym, b) at what time, c) how much the classes are, and d) what he/she eats and drinks. Finally tell him/her that you are going to start this program.

2. One of you is a doctor and the other is a patient. The patient should describe all his/her symptoms and his/her lifestyle (**vida activa, vida sedentaria**). While the patient is talking, the doctor should ask pertinent questions and approve or disapprove of his/her lifestyle. As a final step, the doctor should give some advice or prescribe some medication for the patient.

2. The equivalents of English *let's*

- **Vamos + a +** *infinitive* is commonly used in Spanish to express English *let's + verb*.

Vamos a llamar al doctor.	*Let's call the doctor.*

- Use **vamos** by itself to mean *let's go*. The negative *let's not go* is **no vayamos**.

Vamos al hospital.	*Let's go to the hospital.*
No vayamos al hospital.	*Let's not go to the hospital.*

- Another equivalent for *let's + verb* is the **nosotros** form of the present subjunctive.

Hablemos con el médico.	*Let's talk to the doctor.*
No hablemos con la enfermera.	*Let's not talk to the nurse.*

- The final **-s** of reflexive affirmative commands is dropped when the pronoun **nos** is attached. Note the additional written accent.

Levantemos + nos	→	**Levantémonos.**
Sirvamos + nos	→	**Sirvámonos.**

- Placement of object and reflexive pronouns is the same as with **usted(es)** commands.

Comprémosla.	*Let's buy it.*
No la compremos.	*Let's not buy it.*

¿Qué dice usted?

11-12 ¿Qué debemos hacer? Usted está estudiando con un/a compañero/a y cuidando al mismo tiempo a su hermanito. El niño les dice que se siente mal. Cada uno/a de ustedes debe escoger tres de las siguientes opciones y decirle a su compañero/a lo que deben o no deben hacer.

MODELO: llevarlo a su cuarto   llamar a tus padres
              E1: Llevémoslo a su cuarto.   E2: Llamemos a tus padres.

1. darle agua
2. llevarlo al parque
3. comprarle juguetes
4. ponerle el termómetro
5. llamar al médico

6. preguntarle qué le duele
7. prepararle una hamburguesa
8. explicarle los síntomas al doctor
9. ponerle la televisión
10. acostarlo

11-13 Resoluciones. Usted y su compañero/a deciden llevar una vida más sana. Túrnense para decir lo que piensan hacer. Su compañero/a va a decirle si está de acuerdo o no con su sugerencia.

MODELO: comer más verduras
              E1: Vamos a comer más verduras.
              E2: Sí, comamos más verduras./No,(no comamos más
              verduras,) comamos más frutas.

1. tomar vitaminas y minerales
2. caminar tres kilómetros diariamente
3. beber ocho vasos de agua todos los días
4. acostarse más temprano
5. dormir ocho horas todas las noches
6. ...

11-14 Los preparativos para un beneficio. En pequeños grupos, decidan qué actividades van a hacer para recaudar (*collect*) fondos a beneficio de un hospital. Deben mencionar cinco actividades.

MODELO: Organicemos un partido del equipo de basquetbol.

You and your partner are planning to visit a classmate who is in the hospital. Decide a) when you will visit him/her, b) what you are going to take him/her, and c) what you can do for your classmate after he/she leaves the hospital. Then, exchange this information with another pair of students.

SITUACIONES

3. Informal commands

Consejos para una vida sana

Respira por la nariz, no respires
  por la boca.
Relájate para evitar el estrés.
Empieza un programa de ejercicios.
Cuídate y no te canses mucho
  los primeros días.
Come muchas frutas y verduras.
No comas mucha grasa.

■ Use informal commands with those whom you address as **tú**. To form the affirmative **tú** command, use the present indicative **tú** form without the final **-s**.

	PRESENT INDICATIVE	AFFIRMATIVE *TU* COMMAND
llamar:	llamas	**llama**
leer:	lees	**lee**
escribir:	escribes	**escribe**

■ For the negative **tú** command, use the **tú** subjunctive form.

> **No llames.**
> **No leas.**
> **No escribas.**

■ Placement of object and reflexive pronouns with **tú** commands is the same as with **usted** commands.

AFFIRMATIVE COMMAND	NEGATIVE *TU* COMMAND
Bébe**la**.	No **la** bebas.
Háble**le**.	No **le** hables.
Siénta**te**.	No **te** sientes.

■ The plural of **tú** commands in Spanish-speaking America is the **ustedes** command.

Escribe (tú).   **Escriban** (ustedes).

- Some -er and -ir verbs have shortened affirmative tú commands, but their negative command takes the subjunctive form like other verbs.

	AFFIRMATIVE	NEGATIVE
poner:	pon	no pongas
salir:	sal	no salgas
tener:	ten	no tengas
venir:	ven	no vengas
hacer:	haz	no hagas
decir:	di	no digas
ir:	ve	no vayas
ser:	sé	no seas

¿Qué dice usted?

👥 **11-15 Consejos.** Con su compañero/a, escoja los consejos más adecuados para cada situación.

1. Su compañero se torció el tobillo y le duele mucho.
   a. Mira más programas de televisión.
   b. Llama al médico.
   c. Ve al cine con tu novio/a.
   d. Camina una hora esta tarde.
   e. Practica en el laboratorio.
   f. Quédate en cama.

2. Su hermana está embarazada (*pregnant*).
   a. No comas hamburguesas.
   b. No hagas ejercicios fuertes.
   c. No bebas té.
   d. No fumes.
   e. No bebas vino ni cerveza.
   f. No consumas cafeína.

3. Su amiga tiene mucho catarro.
   a. Ve al cine por la noche.
   b. Bebe muchos líquidos.
   c. Escucha los casetes de español.
   d. No tomes aspirinas.
   e. Camina por el campo.
   f. Toma sopa de pollo.

4. A su mamá le duele el estómago.
   a. Evita (*avoid*) la grasa.
   b. Toma muchos helados.
   c. No comas mucho.
   d. Compra papas fritas.
   e. Acuéstate y descansa.
   f. Si no mejoras, llama al médico.

5. Su amigo quiere preparar unas empanadas salteñas.
   a. Corta las papas en cuadritos.
   b. Compra más tomates y lechuga.
   c. Hierve los huevos durante un minuto.
   d. Prepara la masa el día anterior.
   e. No le pongas carne al relleno.
   f. Ponle pasas y aceitunas.

6. Su primo quiere visitar Cuba este verano.
   a. Lleva un abrigo de invierno
   b. Prueba las frutas tropicales.
   c. Camina por la parte antigua de La Habana.
   d. Visita la playa de Varadero.
   e. Practica español antes de ir.
   f. Compra varios mapas.

👥 **11-16 Una cura de reposo.** Su amigo/a estuvo muy enfermo y su médico le recomendó pasar dos semanas de descanso total en la República Dominicana. Usted está de acuerdo con el médico y le dice a su amigo/a lo que debe hacer allí. Después cambien de papel.

MODELO: jugar al golf en Casa de Campo   no pensar en los negocios
Juega al golf en Casa de Campo.
No pienses en los negocios.

A INVESTIGAR

¿Qué importancia histórica tiene la ciudad de Santo Domingo? ¿Sabe usted lo que es el Alcázar de Colón?

1. disfrutar de las playas dominicanas
2. respirar aire puro y descansar
3. no llamar a tu oficina
4. caminar por la parte histórica de Santo Domingo
5. probar la comida dominicana
6. salir por las noches y aprender a bailar merengue

👥 **11-17 Una vida sana.** Ustedes están preocupados por el estilo de vida de uno/a de sus amigos/as. En grupos, lean lo que hace en un día típico e identifiquen los problemas que tiene. Después, hagan una lista de cinco actividades que él/ella debe hacer y cinco que no debe hacer para cambiar su estilo de vida. Comparen su lista con las de otros grupos.

> Se levanta tarde todos los días. Tan pronto se levanta, se sienta a comer su desayuno favorito: tres huevos fritos, cinco tostadas y dos tazas de café cubano con bastante sacarina. Luego lee el periódico en su dormitorio, mira televisión unas cuatro horas y habla con amigos por teléfono. Como no le gusta cocinar, llama por teléfono al restaurante de la esquina y pide el almuerzo, por ejemplo, papas fritas con carne de res, arroz frito y dos cervezas. Por la tarde, duerme una siesta larga, se levanta y prepara su bebida favorita: un Cuba Libre. Por la noche, escribe cartas a sus amigos, ve las noticias, se sienta en el balcón de su casa a mirar a la gente que pasa por la calle y se acuesta a las 10:00 de la noche.

👥 **11-18 En la consulta de un/a fisioterapista.** En grupo, túrnense para representar a un/a fisioterapista y a sus pacientes. Cada integrante del grupo debe darle una orden a otro/a estudiante. Este estudiante debe hacer lo que le indicaron. Además de los verbos que conocen, los siguientes verbos pueden ser útiles para sus órdenes: **estirar** (*to stretch*), **doblar** (*to bend*), **cruzar** (c) (*to cross*).

MODELO: Levántate rápidamente, camina un poco y siéntate enseguida.

👤👤 **11-19 El correo sentimental.** Usted y su compañero/a están a cargo del correo sentimental de un periódico y tienen que contestar las cartas que se reciben. ¿Qué consejos le van a dar a Un enamorado?

Querida Violeta:

Estoy desesperado y no sé con quién debo hablar ni qué debo hacer. Soy estudiante universitario y estoy en el último año de mi carrera. Hace poco conocí a una muchacha muy bonita y simpática en una de mis clases. Yo me enamoré de ella el primer día y empezamos a salir. Ella me decía que me quería mucho y que debíamos casarnos después de terminar los estudios. Yo también le decía que la quería mucho, pero un día le dije que era mejor esperar un poco antes de tomar una decisión tan seria como el matrimonio. Ella lo comprendió y me dijo que estaba de acuerdo conmigo.

Poco después empecé a notar que cada vez que venía a mi apartamento, faltaban cosas. Un día fue un cuchillo, otro día fue un tenedor, más adelante fue mi cámara, la semana pasada desaparecieron unos antibióticos del baño, etc. La otra noche fuimos a un restaurante a comer y vi que ponía dos cucharitas en su bolsa y que tomaba unas pastillas blancas.

¿Qué debo hacer? ¿Debo hablar con ella? Ella es una muchacha de una familia muy decente y no necesita estas cosas. Me siento culpable, pues no sé si esto es la consecuencia de nuestra conversación sobre el matrimonio o si es una enfermedad psicológica. Estoy totalmente confundido. Aconséjeme, por favor.

Un enamorado
Tomás

---

1. **Role A.** Your friend is not feeling well and you go to his/her apartment to offer help. Ask how he/she is feeling. Then tell him/her to a) have some chicken soup, b) go to bed, and c) call the doctor. Offer to go out to get some chicken soup and help with house chores.

   Role B. You are not feeling well and a friend has come to help you. Explain a) that you have a sore throat and some fever, and b) that you coughed a lot last night. After listening to your friend's advice and thanking him/her, say a) that you are not hungry now, b) that you already called your doctor and left a message (**mensaje**), and c) that you are going to rest while you wait for the doctor's call.

2. **Role A.** Call a friend and say a) that your mutual friend Roberto broke an ankle and he is at the hospital. Answer your friend's questions by saying a) that Roberto is doing fine, and b) that you are planning to visit him this afternoon. Then ask your friend if he/she would like to come along, and agree to pick him/her up at five.

   Role B. A friend calls to tell you about Roberto's accident. Ask him/her a) how Roberto is, and b) say that you would like to see him. Then ask your friend if he/she is planning to visit him at the hospital.

SITUACIONES

4. *Por* and *para* (review)

In previous lessons, you have used **por** in expressions such as **por favor, por ejemplo**, and **por ciento**. You have also used **por** and **para** to express the following meanings:

POR	PARA
MOVEMENT	
through or by a place	toward a destination
Caminaron **por** el hospital. *They walked through the hospital.*	Caminaron **para** el hospital. *They walked toward the hospital.*
TIME	
duration of an event	action deadline
Estuvo con el médico **por** una hora. *He was with the doctor for an hour.*	Necesita el antibiótico **para** el martes. *He needs the antibiotic by Tuesday.*
ACTION	
reason or motive of an action	for whom something is intended or done
Ana fue al consultorio **por** el dolor de garganta. *Ana went to the doctor's office because of a sore throat.*	Compró el antibiótico **para** Ana. *He bought the antibiotic for Ana.*

5. Additional uses of *por* and *para*

Use **por** to:

- indicate exchange or substitution

Irma pagó $120 **por** la medicina.	*Irma paid $120 for the medicine.*
Cambió estas pastillas **por** ésas.	*She changed these pills for those.*

- express unit or rate

Yo camino 5 kilómetros **por** hora.	*I walk 5 kilometers per hour.*
El interés es (el) diez **por** ciento.	*The interest is ten per cent.*

- express means of transportation

Lo mandaron **por** avión.	*They sent it by plane.*
Prefieren ir **por** tren.	*They'd rather go by train.*

- express the object of an errand

Fue **por** las aspirinas.	*He went for the aspirins.*
Pasamos **por** ti a las 5:00.	*We'll come by for you at 5:00.*

Use **para** to:

- express judgment or point of view

Para nosotros, ésta es la mejor farmacia.	*For us, this is the best drugstore.*
Es un caso difícil **para** un médico joven.	*It's a difficult case for a young doctor.*

- indicate intention or purpose followed by an infinitive

Fueron **para** comprar aspirinas.	*They went to buy aspirin.*
Salió **para** ayudar a los enfermos.	*He left to help the sick people.*

¿Qué dice usted?

👥👤 **11-20 ¿Por dónde y para dónde van?** Con su compañero/a, túrnense para hacer y contestar preguntas según los siguientes dibujos.

MODELO: E1: ¿Por dónde va el alumno?
              E2: Va por el pasillo.
              E1: ¿Para dónde va?
              E2: Va para su clase de español.

1.

2.

3.

4.

La salud y los médicos ▦ trescientos setenta y nueve   379

👥 **11-21 En el laboratorio.** Con su compañero/a, túrnense para averiguar cuándo van a estar listos los resultados de los análisis de unos pacientes. Consulten la tabla para obtener la información correcta.

MODELO: Alfredo Benítez 1 análisis 2:00 p.m.
          E1: ¿Cuándo va a estar listo el análisis del Sr. Alfredo Benítez?
          E2: Va a estar listo para las dos (de la tarde).

PACIENTE	ANALISIS	RESULTADOS
Hilda Corvalán	1	11:00 a.m.
Alfonso González	2	esta tarde
Jorge Pérez Robles	3	3:15 p.m.
Aleida Miranda	1	mañana por la mañana
César Gómez Villegas	4	martes
Irene Santa Cruz	1	…

👥 **11-22 ¿Para qué fueron?** Túrnense y pregúntense para qué fueron las personas a estos lugares. Deben usar su imaginación para contestar y dar detalles adicionales.

MODELO: Pablo fue al supermercado.
          E1: ¿Para qué fue al supermercado?
          E2: Fue para comprar leche y huevos.
              Quiere hacer un postre.

1. Jorge fue al hospital.
2. Ignacio fue a la farmacia.
3. Sara y Gloria fueron al gimnasio.
4. La Sra. Méndez fue al centro comercial.
5. Alejandro y Martín fueron a Cuba el 24 de diciembre.
6. Carlos fue a ver al psicólogo.

11-23 La graduación de un nuevo médico. Complete estos párrafos sobre la graduación de Fernando con **por** o **para** según el contexto.

El 14 de junio es la graduación de Fernando en la Facultad de Medicina de la Universidad Católica Madre y Maestra de Santiago de los Caballeros. Sus padres, los señores Rovira, viven en Puerto Plata, pero van a ir (1) _____ la graduación y quieren llevarle un regalo a Fernando. El lunes pasado fueron a una tienda y pagaron $100 (2) _____ un regalo muy bonito (3) _____ Fernando. Graciela, su hermana gemela, vive en Miami y no puede ir (4) _____ su trabajo. Ella también le compró un regalo y se lo envió (5) _____ avión porque quiere que llegue (6) _____ el día de la graduación.

El día 14 (7) _____ la mañana, los padres de Fernando salieron (8) _____ la universidad. Estaba lloviendo y (9) _____ eso salieron temprano. Normalmente, ellos pueden estar en la universidad en una hora más o menos, pero (10) _____ la lluvia, el viaje duró casi dos horas. (11) _____ ellos, que son mayores, el viaje fue un poco largo, pero al final pudieron pasar ese día con su hijo.

1. **Role A.** You are stressed out and need to rest. Following doctor's orders you are planning to rent a furnished apartment at the beach. You found one in the classified ads. Call the landlord and tell him/her a) when you will need the apartment, and b) for how long. Ask how much the rent is and inquire about the size of the rooms and other facilities. Answer his/her question(s) and then make an appointment to see it.

Role B. You are a landlord who is renting an apartment at the beach. A prospective renter calls you. Answer his/her questions and ask him/her how many people will be staying at the apartment. Agree on a date and time to show the property.

6. Relative pronouns

- The relative pronouns **que** and **quien(es)** combine two clauses into one sentence.

Los médicos trabajan en ese hospital.	*The doctors work at that hospital.*
Los médicos son excelentes.	*The doctors are excellent.*
Los médicos **que** trabajan en ese hospital son excelentes.	*The doctors who work at that hospital are excellent.*

- **Que** is the most commonly used relative pronoun. It introduces a dependent clause and it may refer to persons or things.

Las vitaminas **que** yo tomo son muy caras.	*The vitamins that I take are very expensive.*
Ése es el doctor **que** me receta las vitaminas.	*That's the doctor who prescribes the vitamins.*

- **Quien(es)** refers only to persons and may replace **que** in a clause set off by commas.

Los Márquez, **quienes/que** viven en la ciudad, prefieren el campo.	*The Márquezes, who live in the city, prefer the country.*

- Use **quien(es)** after a preposition (**a, con, de, por, para,** etc.) when referring to people.

Allí está el enfermero **con quien** hablé esta mañana.	*There is the nurse with whom I spoke this morning.*
Ésos son los señores **a quienes** les debes dar la receta.	*Those are the gentlemen to whom you should give the prescription.*

¿Qué dice usted?

11-24 Una telenovela dominicana. Joaquín está enfermo hoy, y por eso empezó a mirar una telenovela en uno de los canales de la televisión. Le gustó tanto que le mandó un correo electrónico a un amigo contándole detalles de la telenovela. Complete el correo electrónico de Joaquín con **que** o **quien**.

Mi corazón es una telenovela dominicana (1) _____ tiene mucho público. El actor principal es Agustín Montalvo. Él es el actor de (2) _____ todos hablan. La crítica cree que este año va a ganar el premio Talía, (3) _____ es el equivalente del Óscar norteamericano. El 90% de las chicas dice que Agustín es el actor con (4) _____ les gustaría salir. En la telenovela, Agustín hace el papel del médico (5) _____ quiere salvar la vida de Silvina del Bosque, la actriz principal, (6) _____ tuvo un accidente terrible y está inconsciente. Agustín es el hombre (7) _____ ella quiere, pero Agustín está enamorado de Esmeralda del Valle, una mujer a (8) _____ sólo le interesa el dinero de Agustín. La telenovela es muy melodramática y siempre hay problemas (9) _____ mantienen el interés del público.

11-25 Un accidente. Con un/a compañero/a, complete esta conversación con el nombre de una persona y los pronombres **que** o **quien**.

E1: ¿Qué haces aquí en el hospital? ¿A quién viniste a ver?

E2: A _____, el/la chico/a con _____ estoy saliendo.

E1: ¿Y cómo está?

E2: Bastante bien, gracias a Dios. Tuvimos un accidente bastante serio con el carro _____ su padre le regaló.

E1: ¡Qué horror! ¿Y llamaste a alguien?

E2: No tuve tiempo. Enseguida llegó la policía. Bueno, te hablo después. Allí viene la doctora _____ nos atendió y quiero hacerle unas preguntas.

11-26 Mi médico/a o dentista. Descríbale su médico/a o dentista a su compañero/a. Mencione por lo menos tres características.

MODELO: Mi médico/a es… Es un/a médico/a / dentista que…

SITUACIONES

One of you is involved in the celebration of **El día de la salud** at your university. Tell your friend that the faculty of the School of Medicine will give advice on health and nutrition and will do free (**gratis**) blood pressure exams. Your friend should ask a) more about the celebration, b) who is going with you, and c) if he/she can go as well.

mosaicos

 A ESCUCHAR

A. ¿Cómo está Sebastián? Listen to the statements made by some of Sebastián's friends regarding his health. Do they express facts or emotions?

HECHOS	EMOCIONES		HECHOS	EMOCIONES
1. _____	_____		5. _____	_____
2. _____	_____		6. _____	_____
3. _____	_____		7. _____	_____
4. _____	_____		8. _____	_____

B. ¿Quién es quién? Listen to the following descriptions to identify the people in the pictures.

_____

_____

_____

_____

_____

_____

A CONVERSAR

👥 **11-27 ¿Te quieres o no te quieres? Primera fase.** Complete las siguientes tablas según sus actividades y hábitos. Compare sus respuestas con las de un/a compañero/a.

ACTIVIDADES DURANTE LA SEMANA	6/7 DIAS	4/5	2/3	1/0
1. hacer ejercicio/caminar				
2. comer grasas animales				
3. comer frutas/verduras				
4. practicar un deporte				
5. comer carne roja				
6. comer pollo o pescado				

HABITOS/EXAMENES MEDICOS	SI	NO
1. fumar		
2. usar mucha sal		
3. hacerse un examen médico anual		
4. medir la tensión arterial		
5. hacerse análisis de sangre		

Segunda fase. Lea el siguiente anuncio del Ministerio de Sanidad y Consumo y determine si usted está entre las personas que se quieren o entre las que no se quieren. Después, en parejas, cada uno/a debe decir qué hace para estar en ese grupo. Si lo considera necesario, dele consejos a su compañero/a para mejorar sus hábitos.

Te quieres si llevas una vida sana, **si no fumas** o moderas el consumo de tabaco, si tu dieta es rica **en fibra, frutas y verduras,** si vigilas tu peso, si haces **ejercicio** y te mides la tensión de vez en cuando. Así, reduces los riesgos de enfermedad cardiovascular y tendrás un **corazón sano** para toda la vida.

No te quieres si no cuidas tu corazón. No te quieres cuando **fumas,** cuando tomas **mucha sal** o exceso de **grasa animal** que aumenta peligrosamente el colesterol en tu sangre.

Tampoco te quieres si no te preocupas de medirte la tensión.

**Quiérete un poquito más,
y cuidate, de CORAZÓN.**

**MINISTERIO DE
SANIDAD Y
CONSUMO**

A LEER

👥 **11-28 Preparación. Primera fase.** Con un/a compañero/a, escriban —con detalles— cuatro malos hábitos que, en su opinión, son contrarios a mantener un peso saludable y una buena salud. Luego, comparen su lista con otra pareja. ¿Están de acuerdo o en desacuerdo?

Segunda fase. Ahora lean el siguiente subtítulo y comenten dos posibles interpretaciones que se le pueden dar.

Las pequeñas pérdidas de peso son grandes para la salud.

11-30 Primera mirada.

DIETA

BUENOS CONSEJOS

¿Cuál es el peso ideal?
Los expertos afirman que es "el peso saludable".
He aquí cómo alcanzarlo.

Las pequeñas pérdidas de peso son grandes para la salud.

"Hay que ser realista", expresa la nutricionista Moncia Soublette. "Esta meta es fácil de alcanzar y también fácil de mantener. Hasta una pérdida pequeña de peso puede mejorar la salud y la apariencia."

Según la nutricionista, "los más pequeños cambios en la dieta ayudan a reducir el peligro de males, como la osteoporosis, los padecimientos cardíacos, la diabetes y algunos tipos de cáncer".

LA EXPERTA EN NUTRICIÓN SUGIERE QUE SE ADELGACE:

- De media libra a 1 libra (unos 0.23 kilos a 0.45 kilos) a la semana.
- No más de 2 libras (aproximadamente 1 kilo) a la semana.

"Sin embargo, para efectuar cambios en la dieta y rebajar, hay que reconocer los hábitos que nos han hecho engordar", agrega.

Source: Vanidades

Primera exploración. Resuma en dos líneas la idea principal de lo que usted acaba de leer.

Identifica tu problema

¿QUÉ NO TE PERMITE ADELGAZAR?

A continuación describimos algunos de los hábitos que te pueden hacer engordar y la forma en que puedes convertirlos en hábitos saludables:

• No te preocupas de comer productos bajos en grasa y calorías reducidas.
Los aderezos de ensaladas, la margarina y los quesos son las mayores fuentes de grasa en las dietas. Debes comenzar a elegir las variantes diéteticas para rebajar de peso.

• Trabajas en la calle y almuerzas opíparamente en los restaurantes.
Para evitarlo, debes pedir platos que no sean fritos o grasosos y salsas sin cremas (como los Fetuccini Alfredo, etc.) También, ten cuidado con los postres ¡Ah!, y en cuanto al vino, cada copa representa 95 calorías. Quien no quiera engordar, debe tomar sólo agua mineral o refrescos dietéticos.

• Comes muy bien, pero media hora después tienes que volver a comer un caramelo, una galletita...
¡Por favor! Detente en ese frenesí de carbohidratos. En realidad, no padeces de hambre, sino de nervios. Es la ansiedad que te hace comer. Sustituye las golosinas por alguna fruta o, simplemente, mastica chicles.

• No te fijas en lo que comes y piensas que eres incorregible y que jamás podrás disciplinar tus hábitos.
Desde hoy, comienza a fijarte, no sólo en lo que comes, sino cuándo, dónde, y a qué hora lo comes. Esto te dará una idea de tu rutina. Entonces, elige uno solo de estos hábitos y empieza a sustituirlo por otro mejor. Una vez enmendado ese mal hábito, elige otro y varíalo. Cuando vengas a abrir los ojos estarás adelgazando, sin notarlo, porque has prescindido de muchas calorías innecesarias en tu dieta. No es cuestión de disciplinarte sino de comenzar a seguir una estrategia sencilla.

Segunda exploración. Usted conoce a alguien que tiene malos hábitos alimenticios. Identifique tres de esos hábitos; luego redacte dos sugerencias útiles para cada uno de los problemas, basándose en la información de los párrafos que acaba de leer.

11-29 Segunda mirada. De acuerdo al artículo, indique...

1. dos productos lácteos que hacen engordar:
   _____

2. dos tipos de bebidas que no contribuyen al sobrepeso:
   _____

3. dos maneras de disminuir la ansiedad por comer:
   _____

11-30 Ampliación. Busque en el artículo la palabra que se asocia con los verbos de la lista. Luego clasifíquela en la columna apropiada. Subraye la terminación de la palabra. ¿Qué género tiene, femenino o masculino?

VERBO	SUSTANTIVO	GENERO
perder		
parecer		
nutrir		
cambiar		
padecer		
ansiar		

A ESCRIBIR

11-31 Preparación. Haga tres listas. En la primera indique por lo menos cuatro síntomas que presenta una persona con una infección de la garganta/influenza/diabetes. La segunda debe contener las partes del cuerpo asociadas con esos síntomas. Finalmente, señale por lo menos cuatro indicaciones que una persona debe seguir para evitar la enfermedad.

11-32 Manos a la obra. Usted es el nuevo Jefe de Personal de una gran compañía de la República Dominicana. En su empresa usted se preocupa por la salud de sus empleados y ha notado que hay muchos casos de infección de la garganta/influenza/diabetes entre el personal. Escriba una página para un folleto informativo que les indique a los trabajadores cómo protegerse contra esta enfermedad.

EXPRESIONES ÚTILES

Para evitar... (*to avoid*)
Para su protección, (no)...

Asegúrese de que... (*Be sure that...*)
Es importante/necesario/vital/
   imprescindible que...

11-33 Revisión. Hable con su compañero/a editor/a sobre la claridad y organización de la información. Recuerde que su texto es de suma importancia en la prevención o protección contra una enfermedad.

El cuerpo humano

la boca	mouth
el brazo	arm
el cabello	hair
la cabeza	head
la cadera	hip
la cara	face
la ceja	eyebrow
el cerebro	brain
la cintura	waist
el codo	elbow
el corazón	heart
el cuello	neck
el dedo	finger
el diente	tooth
la espalda	back
el estómago	stomach
la frente	forehead
la garganta	throat
el hombro	shoulder
el hueso	bone
el labio	lip
la mano	hand
la mejilla	cheek
la muñeca	wrist
el músculo	muscle
la nariz	nose
el nervio	nerve
el oído	(inner) ear
la oreja	(outer) ear
el pecho	chest
la pestaña	eyelash
el pie	foot
la pierna	leg
el pulmón	lung
la rodilla	knee
la sangre	blood
el tobillo	ankle
la vena	vein

Tratamiento médico

la aspirina	aspirin
la inyección	injection
la pastilla	pill
la receta	prescription
el termómetro	thermometer

La salud

el catarro	cold
la enfermedad	illness
el/la farmacéutico/a	pharmacist
la fiebre	fever
la gripe	flu
la infección	infection
el síntoma	symptom
la tensión (arterial)	(blood) pressure
la tos	cough

Verbos

alegrarse (de)	to be glad (about)
caer(se)	to fall
cuidar(se)	to take care of
doler (ue)	to hurt
enfermarse	to become sick
estornudar	to sneeze
examinar	to examine
fracturar(se)	to fracture, to break
fumar	to smoke
molestar	to bother, to be bothered by
recetar	to prescribe
respirar	to breathe
sentir (ie, i)	to be sorry
sentirse (ie, i)	to feel
temer	to fear
torcer(se) (ue)	to twist
toser	to cough

Descripciones

deprimido/a	depressed
enfermo/a	sick
serio/a	serious

Palabras y expresiones útiles

cada… horas	every… hours
¿Qué te/le(s) pasa?	What's wrong (with you)?
¡Qué va!	Nothing of the sort
tener dolor de…	to have a(n)…ache
tener mala cara	to look terrible

Las farmacias y la medicina no tradicional

Para pensar

Cuando Ud. necesita una operación o tiene un accidente, ¿adónde va? ¿Tiene que pagar o no? Cuando Ud. está enfermo/a y necesita medicinas, ¿adónde va a comprarlas? ¿Qué necesita para poder comprarlas?

En la mayor parte de los países hispanos existen servicios de salud financiados por el gobierno en todas las regiones del país. Cualquier persona que tiene una emergencia médica o problemas de salud, puede ir a un hospital o a un centro de salud pública sin tener que pagar absolutamente nada por los servicios o medicinas que recibe. En Cuba, por ejemplo, todos los servicios médicos son gratuitos. En algunos países, además de este servicio público existen los hospitales y clínicas privadas. Estos lugares, sin embargo, no son gratuitos y las personas tienen que pagar por la atención médica que reciben.

En el mundo hispano, las farmacias están en locales separados; no son parte de los mercados u otros almacenes como en los Estados Unidos. En las farmacias venden todo tipo de remedios y artículos de belleza. En muchos lugares no se necesita tener receta médica para comprar antibióticos. Muchas veces los farmacéuticos recomiendan el remedio o antibiótico que se debe comprar para una enfermedad.

Además de los médicos y las farmacias existen los curanderos, quienes, según la creencia popular, tienen poderes especiales para curar todo tipo de enfermedad. Especialmente en los países caribeños, algunas personas visitan tanto al médico como al curandero para curar sus males. Otras prefieren curarse con remedios caseros, hierbas medicinales o baños termales. Por ejemplo, para el dolor de estómago muchas personas recomiendan tomar un té de manzanilla (*camomille*), o un té de ruda (*rue*). Una de las hierbas medicinales más conocidas es la uña de gato (*cat's claw*), que se considera buena para el tratamiento del cáncer. Para el reumatismo, artritis o para problemas dermatológicos, muchas personas escogen ir a baños termales ricos en minerales.

En una palabra, el sistema de salud en los países hispanos es muy variado. Aunque no existen tantos recursos tecnológicos como en los Estados Unidos, los médicos hispanos están muy bien preparados. En Cuba, por ejemplo, el gobierno ha invertido mucho tiempo y esfuerzo en el desarrollo de medicamentos y tratamientos para enfermedades como el cáncer. Por eso, muchas personas van a Cuba para recibir tratamientos que no tienen en sus países. Sin embargo, estos tratamientos se tienen que pagar en dólares.

Para contestar

👥 **El sistema de salud.** Con su compañero/a, conteste las siguientes preguntas:

1. ¿Qué saben ustedes del sistema de salud público y privado en algunos países hispanos?
2. ¿Cómo son las farmacias en los países hispanos? ¿Qué venden?
3. Además de las medicinas tradicionales, ¿qué otro tipo de medicinas toman algunas personas en los países hispanos? Nombre dos o tres de estas medicinas.
4. ¿En qué tiendas en los Estados Unidos venden medicinas no tradicionales?

Riqueza cultural. En grupos de tres, comparen el sistema de salud de los países hispanos y el de los Estados Unidos. Señalen las ventajas y desventajas de cada uno.

 Para investigar en la WWW

1. Vaya a *www.prenhall.com/mosaicos*. Busque información acerca de tratamientos no tradicionales en Cuba y en la República Dominicana para las siguientes enfermedades y problemas: úlceras, cáncer, dolor de espalda. Traiga esta información y compárela con los tratamientos tradicionales que usted conoce. Luego, pídales a sus compañeros/as que den su opinión acerca de lo que usted les presentó.
2. Busque información acerca de algunos adelantos científicos que se están llevando a cabo en Cuba en el campo de la medicina. Luego, presente la información obtenida al resto de la clase. Los demás estudiantes deben dar su opinión.

La República Dominicana

Ciudades importantes y lugares de interés: Santo Domingo, la capital, es la ciudad más antigua de las Américas y como muchas otras ciudades de América Latina tiene una zona colonial con hermosas construcciones que datan del siglo XVI. Algunas de estas construcciones son: la Catedral de Santa María la Menor, la más antigua del continente americano; el Hospital de San Nicolás de Bari, el primer hospital en las Américas; las ruinas del Monasterio de San Francisco y el Alcázar de Colón. Otros sitios de interés son el Faro de Colón, en el cual se dice que están los restos de Cristóbal Colón, y el Museo de las Casas Reales, donde se encuentran réplicas de los barcos de Colón y algunos tesoros encontrados en el mar.

El clima de la República Dominicana es tropical y por eso durante todo el año se puede disfrutar de

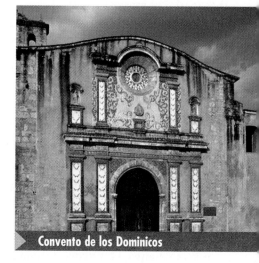

Convento de los Dominicos

sus hermosas playas caribeñas (Puerto Plata, Samaná, La Romana, entre muchas otras) y de actividades al aire libre como jugar al golf, montar en bicicleta por las montañas, montar a caballo, bucear, hacer windsurfing, etc. Por otra parte, la gran variedad de discotecas y clubes ofrecen la oportunidad de divertirse al son (*to the rythm*) de la música caribeña y especialmente del merengue, el típico ritmo dominicano que es tan popular en Hispanoamérica. Una de las mejores oportunidades para disfrutar de la música caribeña es durante el Carnaval, que se celebra a fines de febrero o principios de marzo. Es aquí donde todo el pueblo dominicano disfruta bailando tanto en las calles como en los clubes sociales.

Expresiones dominicanas:

varado	Me tiene varado/a.	*He/she keeps me from succeeding.*
aceitado/a	Está aceitado/a.	*He/she is ready to comply.*
se aflojó	Ya se aflojó.	*He/she chickened out.*
puro aguaje	¡Eso es puro aguaje!	*That's nothing but a lie!*

Cuba

Ciudades importantes y lugares de interés: La Habana, la capital, es la ciudad más grande del Caribe, y tiene una hermosa arquitectura colonial. Por ejemplo, se puede apreciar la Plaza de la Catedral y la Plaza de Armas, frente a la cual se encuentra el Museo de la Ciudad de La Habana. Además, existen edificios de gran belleza y valor histórico como el Castillo del Morro, la Fortaleza de la Cabaña, El Templete y el Palacio de los Condes de Santovenia. En otras ciudades de Cuba tales como Trinidad y Camagüey también se puede apreciar esta bella arquitectura colonial.

En La Habana muchas cosas permanecen como en los años 50. Así, por ejemplo, hay carros de los años cincuenta y sesenta recorriendo sus calles. La vida social y cultural es intensa ya que hay muchos cines, teatros como el Teatro Nacional de Cuba que presenta a compañías extranjeras, galerías de arte donde se exhiben obras de famosos artistas nacionales y extranjeros, salas de conciertos, etc. También hay gran cantidad de cabarets, bares y clubes nocturnos. Por ejemplo, La Bodeguita del Medio, es uno de los bares más populares de La Habana, y era visitado frecuentemente por el famoso novelista Hemingway. El club nocturno más famoso en La Habana es Tropicana donde todas las noches se presenta un espectáculo musical impresionante.

Un lugar ideal para los amantes de la naturaleza es el valle de Viñales, que ofrece al visitante una vista espectacular. En los alrededores de esta zona se cultiva tabaco y se puede aprender mucho sobre esta industria. Cerca de la ciudad de Cienfuegos, llamada también La Perla del Sur, se encuentra un importante Jardín Botánico. Además de estos lugares, Cuba tiene más de 300 playas que se pueden visitar todo el año debido al maravilloso clima de la isla. Entre las más famosas están Varadero y Santa María del Mar.

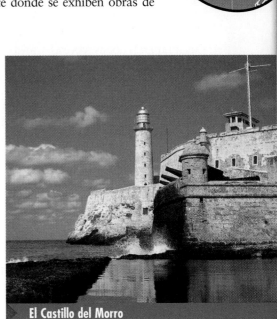

El Castillo del Morro

Expresiones cubanas:

la guagua	Ahí viene la guagua.	*The bus is coming.*
despeluzar	La quiere despeluzar.	*He wants to take all her money.*
fula	No tiene fulas.	*No tiene dólares.*

ENFOQUE INTERACTIVO

  A MIRAR EL VIDEO 5:00

Watch the *Fortunas* video segment for *Lección 11* in class or on your CD-ROM. Do you think the other contestants should work together to thwart Katie? Can Katie really believe what Carlos tells her about the future?

Now complete the accompanying video activities on the CD-ROM. This is your chance to interact with the video characters! **25:00**

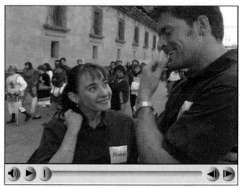

¿Otra vez?

Misterio Nº 5: Un lugar sagrado

Pistas
1. Cerro sagrado
2. Enseñanza militar
3. Residencia presidencial
4. Manantial y acueducto

El concurso

In this episode of *Fortunas* we see a possible reconciliation between Katie and Carlos, as well as the announcement of a different alliance. It appears as if Efraín is not as naive as it might have been believed. But what about Katie? Carlos fooled her deftly in this episode. One wonders what, exactly, might be the outcome of all this deception. One thing is certain—the race for first prize is picking up momentum.

 LA BÚSQUEDA 5:00

Can you keep up with the contestants? This puzzle appears to be rather concrete. Where should you go to find a sacred hill, water, and a military school? Remember to keep your search within the correct time frame—from the Conquest of Mexico until the Mexican Revolution. Have you solved all the puzzles without any alliances? Go to the *Fortunas* module to explore where the contestants should begin searching for the fifth *misterio*.

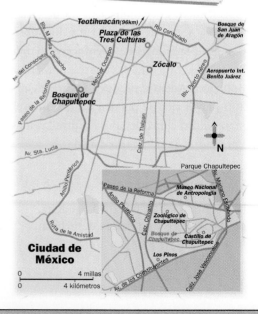

¿QUÉ OPINA USTED? **5:00**

As we draw closer to the end of the contest, it should be apparent just how important the viewer polls are. The point totals are close and it is likely that the viewer poll may decide the winner. It's important that you stay informed in your voting. Read the diary entries and other updates in the *Fortunas* module. Go to the *Fortunas* module and click on *¿Qué opina usted?* to vote in this episode's poll.

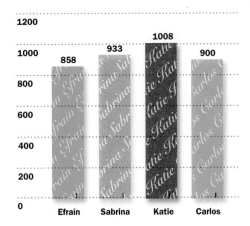

 PARA NAVEGAR **10:00**

UNA CULTURA CASI PERDIDA

Muchos jóvenes en los Estados Unidos conocen Cuba y la República Dominicana por la fama de deportistas como Sammy Sosa. Pero pocos conocen las importantes culturas indígenas de estos países antes de la llegada de Cristóbal Colón en 1492. Una de ellas, la cultura taína, conocida también como los mayas del Caribe, desapareció casi por completo una generación después de su primer contacto con la civilización europea.

Una cultura casi perdida

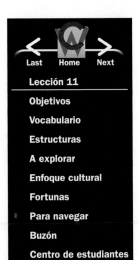

Last Home Next

Lección 11

Objetivos

Vocabulario

Estructuras

A explorar

Enfoque cultural

Fortunas

Para navegar

Buzón

Centro de estudiantes

Salón de profesores

Go to the *Mosaicos Website* and click on the *Para navegar* module to explore links and complete activities on Cuba, the Dominican Republic, medicine, and the Taino Indians.

Lección 12

Las vacaciones y los viajes

COMUNICACION

- Making travel arrangements
- Asking about and discussing itineraries
- Describing and getting hotel accommodations
- Asking and giving directions
- Expressing denial and uncertainty
- Expressing possession (emphatically)
- Talking about the future

ESTRUCTURAS

- Affirmative and negative expressions
- Indicative and subjunctive in adjective clauses
- Stressed possessive adjectives
- Possessive pronouns
- The future tense

MOSAICOS

A ESCUCHAR

A CONVERSAR

A LEER

- Summarizing a text

A ESCRIBIR

- Giving advice and stating facts about an issue

ENFOQUE CULTURAL

- La música y el baile
- Panamá
- Costa Rica

ENFOQUE INTERACTIVO

 WWW   VIDEO   CD ROM

A primera vista

Los medios de transporte

Mucha gente usa el transporte público. Los autobuses son populares en las ciudades y también para viajar largas distancias. Son la solución para las personas que no tienen carro, o a quienes simplemente no les gusta manejar en las carreteras y autopistas.

Practice activities for each vocabulary section are provided on the CD-ROM and website (www.prenhall.com/mosaicos)

AVE, el tren español de alta velocidad entre Madrid y otras grandes ciudades españolas, viaja a unos 300 kilómetros por hora. La RENFE (Red Nacional de Ferrocarriles Españoles) es tan importante en España, un país relativamente pequeño, como las líneas aéreas en los Estados Unidos.

Un crucero es otra forma de viajar. En barcos modernos con una capacidad de 400 hasta más de 3.000 pasajeros se puede hacer de todo. En las escalas en los diferentes puertos hay excursiones organizadas y oportunidades para ir de compras. De noche, la diversión continúa en la discoteca, el casino y el teatro. Un crucero es un medio de transporte y un lugar para pasar las vacaciones.

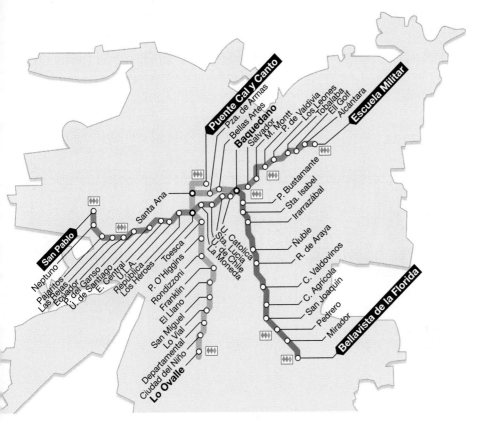

Plano del metro en Santiago, Chile

El metro es otra forma de transporte eficiente en los centros urbanos, como Madrid, Barcelona, Santiago, Buenos Aires, Caracas y la ciudad de México.

En un avión

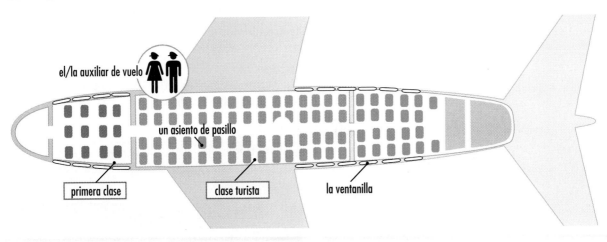

El avión es la solución, aunque más cara, para viajar rápidamente de un lugar a otro, especialmente en zonas donde es difícil construir carreteras por la geografía o el clima, como en las selvas y en las montañas.

En el aeropuerto

Los pasajeros hacen cola frente al mostrador de la aerolínea para facturar el equipaje, pedir un asiento y conseguir la tarjeta de embarque.

En el mostrador de la línea aérea

EMPLEADA: Buenos días. Su pasaporte y su boleto, por favor.

VIAJERO: Aquí están. Y si es posible, prefiero un asiento cerca de una salida de emergencia.

EMPLEADA: Muy bien. ¿Ventanilla o pasillo?

VIAJERO: Pasillo, por favor. Señorita, ¿usted sabe si se venden cheques de viajero aquí en el aeropuerto?

EMPLEADA: Sí, hay una oficina de American Express enfrente a la derecha.

VIAJERO: Gracias. ¿Me acreditó los kilómetros a mi programa de viajero frecuente?

EMPLEADA: Sí, y su pasaje es de ida y vuelta, así que va a tener bastantes kilómetros. Su asiento a San José es el 10F. Aquí tiene su tarjeta de embarque. La puerta de salida es la 80. ¡Que tenga un buen viaje!

El avión para San José sale a las tres y media por la puerta 1A.
¿A qué hora sale el vuelo para Managua?

SALIDA DEPARTURE DESTINATION	ABORDAR BOARDING	SALA LOUNGE	PUERTA GATE	DESTINO
3:30	3:00	B	1A	SAN JOSÉ
3:50	3:20	B	4	MANAGUA
4:10	3:40	B	6	GUATEMALA
4:25	3:55	B	10	PANAMÁ
4:45	4:15	B	8	LIMÓN
5:10	4:40	B	5	MÉXICO D.F.
6:00	5:30	D	5	KINGSTON

¿Qué dice usted?

12-1 Asociaciones. Primera fase. Asocie cada palabra con su descripción. Compare sus repuestas con las de un/a compañero/a.

1. _____ tren de alta velocidad
2. _____ viaje en un barco grande
3. _____ persona que sirve la comida en un vuelo
4. _____ transporte subterráneo
5. _____ inspección al llegar a otro país
6. _____ documento de identificación necesario para viajar al extranjero
7. _____ pasaje para ir de Quito a San José y volver a Quito
8. _____ se viaja en un asiento cómodo y se come bien

a. el/la auxiliar de vuelo
b. pasaporte
c. primera clase
d. AVE
e. metro
f. aduana
g. boleto de ida y vuelta
h. crucero

Segunda fase. Con su compañero/a, hable de su último viaje. Especifique:

- medio de transporte
- tipo de boleto
- comodidad (primera clase, turista, etc.)
- necesidad de pasaporte, pasar por aduana, etc.

12-2 Solicitud del cliente. Usted es un/a agente de viajes y su compañero/a es su cliente/a. Hágale preguntas a su cliente/a para llenar el siguiente formulario (*form*) y después hágale algunas recomendaciones para el viaje.

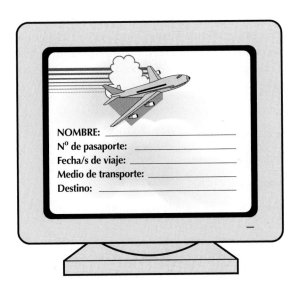

NOMBRE: _____
Nº de pasaporte: _____
Fecha/s de viaje: _____
Medio de transporte: _____
Destino: _____

12-3 En una agencia de viajes. Uno/a de ustedes es agente de viajes y otro/a es el/la cliente/a. El/La cliente/a le debe decir adónde quiere ir y el/la agente debe planear un viaje con todos los detalles de itinerario, medio de transporte y precio. Después, cambien de papel.

Viajando en coche

Por lo general, los automóviles cuestan más en los países hispanos que en los Estados Unidos debido a los impuestos (*taxes*) que, en algunos casos, suben el precio del auto en un 100% o más. El precio de la gasolina varía en los diferentes países: en los países donde se produce gasolina, como Venezuela, resulta muy económica, pero en España cuesta el equivalente a unos cuatro dólares el galón. En general, hay muchos coches en las ciudades grandes y el tráfico y el estacionamiento son problemas muy serios. Las motos son populares, especialmente entre la gente joven.

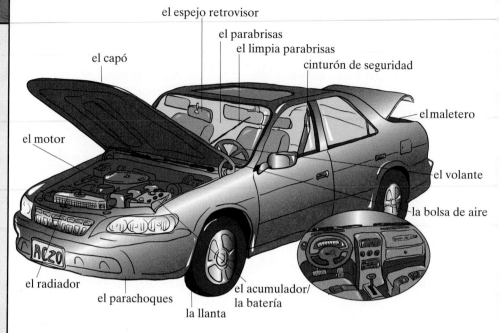

el espejo retrovisor
el parabrisas
el limpia parabrisas
cinturón de seguridad
el capó
el maletero
el motor
el volante
la bolsa de aire
el radiador
el parachoques
la llanta
el acumulador/ la batería

¿Qué dice usted?

👥 **12-4 ¿Qué es?** Con su compañero/a, busque en el dibujo la palabra que corresponda a las siguientes descripciones. Después, den una descripción de las otras partes del coche indicadas en el dibujo a otra pareja para ver si ellos/ellas saben cuáles son.

1. Es para poner el equipaje. _____

2. Permite ver bien cuando llueve. _____

3. Son negras y llevan aire por dentro. _____

4. Controla la dirección del coche. _____

5. Hay que ponerle agua si no queremos que se caliente el motor. _____

👥 **12-5 Mi auto favorito.** Primero, averigüe qué medio de transporte usa su compañero/a con más frecuencia. Después, pregúntele cuál es su auto favorito y pídale que le dé cuatro razones para explicar por qué le gusta más.

Las reservaciones y el hotel

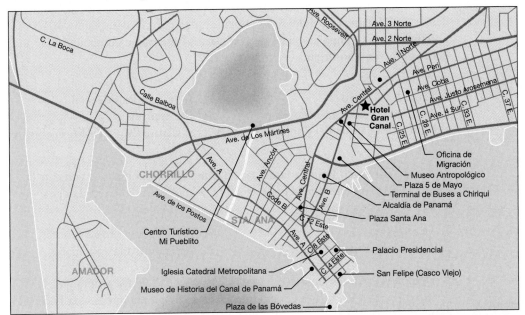

EMPLEADO: Buenas tardes, ¿en qué le puedo servir?

SRA. LOAIZA: Buenas tardes. Tenemos dos habitaciones reservadas a nuestro nombre, señores Loaiza.

EMPLEADO: Sí, señora. Tengo una doble y una sencilla.

SRA. LOAIZA: Muy bien, una es para nosotros y otra para nuestro hijo. Quisiera dejar algunos cheques de viajero en un lugar seguro. ¿Podría usted... ?

EMPLEADO: ¿Por qué no los deja aquí en la recepción? Tenemos una caja fuerte para guardar los artículos de valor de nuestros huéspedes.

SRA. LOAIZA: Gracias.

EMPLEADO: A sus órdenes. Aquí tiene las llaves. Enseguida el botones les subirá las maletas. Sus habitaciones están en el segundo piso.

(Más tarde)

SR. LOAIZA: Por favor, ¿nos puede indicar cómo llegar a la Plaza 5 de Mayo?

CONSERJE: Sí, cómo no. Mire, sigan derecho por esta calle hasta la próxima esquina. Allí, doblen a la izquierda y caminen una cuadra hasta la plaza que está a la derecha. No se pueden perder.

SR. LOAIZA: Muchísimas gracias.

¿Qué dice usted?

👥 **12-6 Estamos perdidos.** Use el plano que aparece en la página 401 y pregúntele a su compañero/a cómo ir a ciertos lugares. Su compañero/a le debe explicar cómo llegar.

USTED ESTA EN:
la Plaza 5 de Mayo
la Avenida Ancón y la Avenida A
el Museo de Historia del Canal de Panamá

USTED DESEA IR:
al Palacio Presidencial
al Casco Viejo
al Centro Turístico Mi Pueblito

👥 **12-7 El hotel. Primera fase.** Con su compañero/a, compare y comente la información que obtuvo en la Internet sobre el hotel Selva Bananito Lodge u otro hotel respecto a lo siguiente:

1. localización
2. instrucciones para llegar
3. servicios que ofrece el hotel
4. atracciones más populares

Segunda fase. Usted sabe que el hotel *Selva Bananito Lodge* acepta guías voluntarios para los turistas que hablan inglés. Su compañero/a va a hacer el papel de jefe/a de personal. Hable con él/ella para ofrecer sus servicios y obtener la siguiente información sobre el trabajo.

1. obligaciones y horarios
2. beneficios que reciben (comidas, alojamiento, etc.)
3. número de semanas o meses que dura el trabajo
4. fecha en que comienza el trabajo
5. forma más conveniente de llegar al hotel

A INVESTIGAR

Antes de hacer la actividad 12-7, busque en la Internet la información que se pide sobre un hotel de Costa Rica. Prepárese para comentar y compartir con un/a compañero/a la información obtenida.

El correo y la correspondencia

una carta

una tarjeta postal

un sello

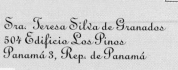
un sobre

Sra. Teresa Silva de Granados
504 Edificio Los Pinos
Panamá 3, Rep. de Panamá

el cartero

el paquete

el buzón

¿Qué dice usted?

 12-8 La correspondencia. Con su compañero/a, complete las oraciones con la palabra adecuada y escriba la letra correspondiente.

1. ___ El lugar donde se recoge la correspondencia y se compran sellos es el
2. ___ La persona que reparte cartas y tarjetas es el
3. ___ El depósito donde ponemos las cartas que queremos enviar es el
4. ___ Para mandar una carta la ponemos dentro de un
5. ___ Si queremos mandar un regalo de una ciudad a otra, tenemos que preparar un
6. ___ No se puede mandar una carta sin escribir la dirección y ponerle un

a. cartero
b. correo
c. sello
d. sobre
e. paquete
f. buzón

12-9 Un emilio nostálgico. Envíele un mensaje electrónico o una postal a su compañero/a favorito/a. Cuéntele algunos aspectos especiales de sus últimas vacaciones: lugar(es) que visitó, personas que conoció, experiencias que vivió, etc. Su compañero/a le responderá, reaccionará a sus comentarios, y le hará preguntas para obtener más detalles. Después, cambien de papel.

A ESCUCHAR

Antes de un viaje. You will hear a short conversation followed by five related statements. First, guess where the conversation takes place; then, mark the appropriate column to indicate whether each statement is true or false.

LUGAR: _____

	SI	NO
1.	_____	_____
2.	_____	_____
3.	_____	_____
4.	_____	_____
5.	_____	_____

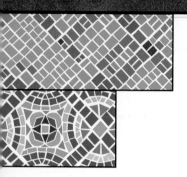

Explicación y expansión

1. Affirmative and negative expressions

AGENTE: Lo siento, ese vuelo está lleno. No hay ningún asiento disponible.

RICARDO: ¿Y el de la tarde?

AGENTE: Hay algunos asientos vacíos, pero el vuelo hace escala en San José.

MARISELA: ¿Y no hay otro vuelo directo?

AGENTE: No, es el único pero, ¿por qué no reservan en el vuelo de la tarde y los pongo en la lista de espera para el otro?

RICARDO: Está bien. Siempre hay alguien que cancela.

AFFIRMATIVE		NEGATIVE	
todo	everything	nada	nothing
algo	something, anything		
todos	everybody, all	nadie	no one, nobody
alguien	someone, anyone		
algún, alguno/a	some, any,	ningún,	no, not any, none
(-os, -as)	several	ninguno/a	
o... o	either... or	ni... ni	neither... nor
siempre	always	nunca	never, (not) ever
una vez	once		
alguna vez	sometime, ever	jamás	never, (not) ever
algunas veces	sometimes		
a veces	at times		
también	also, too	tampoco	neither, not

- Negative words may precede or follow the verb. If they follow the verb, use the word **no** before the verb.

> **Nadie** vive aquí.
> **No** vive **nadie** aquí.
>
> *No one/Nobody lives here.*

- **Alguno** and **ninguno** shorten to **algún** and **ningún** before masculine singular nouns.

> ¿Ves **algún** coche?
> No veo **ningún** coche.
>
> *Do you see any cars?*
> *I don't see any car.*

- Use the personal **a** when **alguno/a/os/as** and **ninguno/a** refer to persons and are the direct object of the verb. Use it also with **alguien** and **nadie** since they always refer to people. Notice that in the negative only the singular forms **ninguno** and **ninguna** are used.

> ¿Conoces **a alguno** de los chicos?
> **No**, no conozco **a ninguno**.
>
> *Do you know any of the boys?*
> *I don't know any.*

> ¿Conoces **alguno** de los libros?
> **No**, no conozco **ninguno**.
>
> *Do you know any of the books?*
> *No, I don't know any.*

LENGUA

In Spanish, **ningunos/as** is only used with plural nouns that do not have a singular form, for example, **víveres** (*food, provisions*): **No trajeron ningunos víveres.**

¿Qué dice usted?

12-10 Planeando un viaje. Primera fase. Usted y su compañero/a quieren hacer ecoturismo en otro país. Primero decidan adónde van a ir y después comenten qué van o no van a hacer antes de llegar a su destino.

MODELOS: comprar el pasaje dos semanas antes
        E1: Yo quiero comprar el pasaje dos semanas antes.
        E2: Yo también. / Pues yo no. Es más barato comprarlo un mes antes.
        no llevar cheques de viajero
        E1: Yo no voy a llevar cheques de viajero.
        E2: Yo tampoco. / Yo voy a llevar algunos y también mi tarjeta de crédito.

1. buscar información sobre Costa Rica
2. comprar zapatos cómodos para caminar
3. pedir un asiento de pasillo
4. no llevar mucha ropa
5. facturar el equipaje
6. no gastar mucho dinero
7. …
8. …

Segunda fase. Conversen sobre todo lo que van a hacer después de llegar a su destino. Después, reúnanse con otra pareja y explíquenle tres de sus planes. Sus compañeros/as deben hacerles preguntas para averiguar detalles adicionales.

👤👤 12-11 ¿Con qué frecuencia? Llene la siguiente tabla indicando la frecuencia con que usted participa en las siguientes actividades y por qué las hace. Después pregúntele a su compañero/a y anote la información obtenida.

MODELOS: correr

E1: Yo corro tres veces a la semana porque quiero estar en forma. ¿Y tú?

E2: Yo no corro nunca porque prefiero caminar. / Yo corro todos los días porque es bueno para la salud.

ACTIVIDAD	YO	RAZON	MI COMPAÑERO/A	RAZON
ver la televisión				
practicar deportes				
comer fuera				
dormir la siesta				
tomar vacaciones				
viajar en tren				
escribirles a los amigos				

👤👤 12-12 Un restaurante malo. Usted está de viaje con un/a compañero/a y quiere ir a un restaurante que está cerca del hotel. Su compañero/a, que ya conoce el restaurante, va a contestar sus preguntas negativamente.

MODELOS: servir platos típicos

E1: ¿Sirven platos típicos?

E2: No, no sirven ningún plato típico.

1. preparar platos de dieta
2. tener ensaladas buenas
3. servir pescado fresco
4. tener vinos españoles
5. aceptar tarjetas de crédito
6. …

👤👤 12-13 ¡La negatividad es contagiosa! Después de pasar el día con un/a amigo/a negativo/a, usted se siente influenciado/a y contesta a todo negativamente. Túrnese con su compañero/a para preguntar y contestar.

MODELOS: llamar a alguien

E1: ¿Vas a llamar a alguien?

E2: No, no voy a llamar a nadie.

1. visitar a alguien
2. ver alguna película esta noche
3. leer o escuchar música
4. salir con algunos amigos
5. mandarle a alguien un correo electrónico
6. …

1. **Rol A.** Usted es un/una auxiliar de vuelo que atiende a los pasajeros de la clase ejecutiva. Pregúntele a uno/a de los/las pasajeros/as si desea: a) beber algo, b) comer y c) ver la película. Después, a) conteste su pregunta sobre la hora de llegada, b) dígale que no tiene revistas y c) ofrézcale una manta y una almohada.

   Rol B. Usted es uno/a de los/las pasajeros/as de la clase ejecutiva. Conteste negativamente las preguntas del/de la auxiliar de vuelo. Después, a) pregúntele la hora de llegada a Panamá, b) pídale una revista y c) dele las gracias.

2. Uno/a de ustedes es el/la pasajero/a y el/la otro/a es el/la agente de aduanas. El/La agente le pregunta si trae a) alguna planta o semillas, b) frutas y c) más de $10.000. Conteste negativamente a sus preguntas. Después el/la agente le va a pedir que abra su equipaje para revisarlo.

2. Indicative and subjunctive in adjective clauses

■ An adjective clause is a dependent clause that is used as an adjective.

ADJECTIVE

Vamos a ir a un hotel muy **moderno.**

ADJECTIVE CLAUSE

Vamos a ir a un hotel **que es muy moderno.**

■ Use the indicative in an adjective clause that refers to a person, place, or thing (antecedent) that exists or is known.

Hay un hotel que **queda** cerca de la estación.
There is a hotel that is near the station.

Quiero viajar en el tren que **sale** por la mañana.
I want to travel on the train that leaves in the morning.
(you know there is such a train)

■ Use the subjunctive in an adjective clause that refers to a person, place, or thing that does not exist or whose existence is unknown or in question.

No hay ningún hotel que **quede** cerca de la estación.
There isn't any hotel that is near the station.

Quiero viajar en un tren que **salga** por la mañana.
I want to travel on a train that leaves in the morning.
(any train as long as it leaves in the morning)

- When the antecedent is a specific person and functions as a direct object, use the indicative and the personal **a.** If the antecedent is not a specific person, use the subjunctive and do not use the personal **a.**

> Busco **a** la/una auxiliar que **va** en ese vuelo.
> *I'm looking for the/a flight attendant that goes on that flight.*
> (a specific flight attendant I have knowledge is on that flight)
>
> Busco una auxiliar que **vaya** en ese vuelo.
> *I'm looking for a flight attendant that goes on that flight.*
> (any flight attendant as long as she goes on that flight)

- In questions, you may use the indicative or the subjunctive according to the degree of certainty you have about the matter.

> ¿Hay alguien aquí que **sale** en ese vuelo?
> *Is there anyone here leaving on that flight?*
> (I don't know, but assume there may be.)
>
> ¿Hay alguien aquí que **salga** en ese vuelo?
> *Is there anyone here leaving on that flight?*
> (I don't know, but I doubt it.)

¿Qué dice usted?

12-14 ¡Ni idea! Usted no tiene ni idea sobre algunos aspectos de la vida de sus compañeros/as de la clase de español. Túrnese con su compañero/a para hacerse preguntas. Si la respuesta es afirmativa, usted debe decir quién es esa persona y dar información adicional.

MODELOS: llevar vaqueros cuando viaja
E1: ¿Hay alguien que use vaqueros cuando viaja?
E2: Sí, hay alguien que siempre usa vaqueros cuando viaja.
E1: ¿Quién es?
E2: Es Marta. Sé que le gustan los vaqueros y siempre se los pone.
E1: ¿Hay alguien que sea costarricense?
E2: No, no hay nadie que sea costarricense.

1. tenerles fobia a los aviones
2. usar mucho su diccionario en los viajes
3. conocer una de las siete maravillas del mundo
4. saber pilotear un avión
5. ir a esquiar en sus vacaciones de invierno
6. viajar a Panamá este año

👤👤 **12-15 Emergencia.** Dos empleados de la aerolínea costarricense *Travelair* se enfermaron y hay mucho trabajo inconcluso en el aeropuerto. Túrnese con un/a compañero/a para hacer los papeles de gerente y de ayudante de la aerolínea. El/La gerente necesita que se hagan ciertas cosas; su ayudante debe informarle si hay o no alguien que las haga. Si no hay nadie, el/la gerente debe ofrecer soluciones.

MODELOS: reprogramar la computadora
  E1: Necesito a alguien que reprograme la computadora para los itinerarios.
  E2: Hay un empleado/alguien en el aeropuerto que puede hacerlo. *o*
    No hay nadie en el aeropuerto que la reprograme.
  E1: Es indispensable buscar/que busquemos a alguien que lo haga.

1. hablar inglés, japonés y español en el vuelo a Tamarindo
2. recibir el vuelo que viene de Puerto Jiménez
3. darles esta información a los pasajeros del vuelo 562
4. llevar a los pasajeros a inmigración
5. poder trabajar este fin de semana
6. …

👤👤 **12-16 Un lugar para descansar. Primera fase.** Túrnese con su compañero/a para hacerse preguntas sobre un lugar de descanso. Deben contestar según la información de la tabla.

MODELOS: hotel / tener piscina para niños
  E1: ¿Hay un hotel que tenga piscina para niños?
  E2: Sí, hay un hotel que tiene piscina para niños. *o*
    No, no hay ningún hotel que tenga piscina para niños.

HAY	NO HAY
tiendas / vender ropa para esquiar	autobús / llegar por la mañana
cines / dar películas españolas	cafetería / servir comida vegetariana
lugares / aceptar cheques de viajero	lugares / aceptar cheques personales

Segunda fase. Ahora su compañero/a y usted deben describir cómo desean que sea su lugar ideal de descanso, explicando su localización, ambiente, y atracciones. Después, intercambien ideas con otra pareja.

👥👤 **12-17 Agencia *Viaje ahora*.** Uno/a de ustedes piensa viajar al extranjero, pero no conoce ninguna buena agencia de viajes. Dígale a su compañero/a adónde quiere ir y pídale información sobre una agencia. Su compañero/a le va a dar información basándose en el anuncio de la agencia *Viaje ahora*. Usted debe hacerle por lo menos tres preguntas adicionales.

TURISMO

Viaje ahora

Servicio de viajes
**Le planeamos su viaje a cualquier parte
de Panamá y del extranjero**
Boletos de avión, de barco, alquiler de autos,
reservaciones de hoteles, excursiones

20 años sirviendo al público

TELÉFONOS: 270-2040   270-3230
Calle 50 #134

SITUACIONES

Role A. Usted desea viajar a Panamá. Llame a su agente de viajes para averiguar: a) el precio del pasaje, b) el horario de los aviones y c) si necesita visa. Después de recibir la contestación, explíquele al/a la agente en qué clase de hotel le gustaría quedarse (localización, precio aproximado, etc.)

Role B. Usted es un/a agente de viajes. Conteste las preguntas de su cliente/a dándole a) los precios de los pasajes de primera clase y de clase turista, b) la hora de salida y c) pregúntele su nacionalidad para saber si necesita o no visa. Para su pregunta sobre los hoteles, dele información sobre dos con diferentes tarifas y explíquele qué ofrece cada uno. Además, debe sugerirle lo que debe visitar en Panamá (el Canal, la parte antigua de la ciudad, las islas San Blas, la zona del Darién, etc.).

3. Stressed possessive adjectives

SINGULAR		PLURAL		
MASCULINE	FEMININE	MASCULINE	FEMININE	
mío	mía	míos	mías	*my, (of) mine*
tuyo	tuya	tuyos	tuyas	*your (familiar), (of) yours*
suyo	suya	suyos	suyas	*your (formal), his, her, its, their, (of) yours, his, hers, theirs*
nuestro	nuestra	nuestros	nuestras	*our, (of) ours*
vuestro	vuestra	vuestros	vuestras	*your (fam.), (of) yours*

- Stressed possessive adjectives follow the noun they modify and agree with it in gender and number. An article or demonstrative adjective usually precedes the noun. Use stressed possessives for emphasis.

El cuarto **mío** es grandísimo.	*My room is very big.*
La maleta **mía** está en la recepción.	*My suitcase is at the front desk.*
Esos primos **míos** llegan hoy.	*Those cousins of mine arrive today.*
Las llaves **mías** están en la puerta.	*My keys are in the door.*

4. Possessive pronouns

SINGULAR			PLURAL			
MASCULINE		FEMININE	MASCULINE		FEMININE	
el	mío tuyo suyo nuestro vuestro	la	mía tuya suya nuestra vuestra	los	míos tuyos suyos nuestros vuestros	las	mías tuyas suyas nuestras vuestras

- Possessive pronouns have the same form as stressed possessive adjectives.

- The definite article precedes the possessive pronoun, and they both agree in gender and number with the noun they refer to.

¿Tienes la mochila suya?	*Do you have his backpack?*
Sí, tengo **la suya**.	*Yes, I have his.*

- After the verb **ser**, the article is usually omitted.

Esa maleta es **mía**.	*That suitcase is mine.*

- To be clearer and more specific, the following structures may be used to replace any corresponding form of **el/la suyo/a**.

la de usted	*yours* (sing.)
la de él	*his*
la de ella	*hers*
la de ustedes	*yours* (pl.)
la de ellos	*theirs* (masc., pl.)
la de ellas	*theirs* (fem., pl.)

la mochila suya → **la suya** *or*

¿Qué dice usted?

12-18 Las posesiones. Es el fin del año escolar y usted y su compañero/a están poniendo sus cosas y las de otro/a compañero/a en dos coches. Háganse preguntas para averiguar de quién es cada cosa.

MODELOS: esta lámpara
E1: ¿De quién es esta lámpara?
E2: Es suya. Va en su coche. *o* Es mía. Va en mi coche.

1. esos casetes
2. esta maleta
3. este maletín
4. estos discos

5. las revistas
6. el radio
7. la bicicleta
8. esta mochila

12-19 Preparándose para un viaje. Usted y su compañero/a van a hacer un viaje en auto y deben tomar varias decisiones antes de salir. Háganse preguntas para decidir lo que van a hacer y den una razón.

MODELOS: usar mi coche/tu coche
E1: ¿Vamos a usar mi coche o el tuyo?
E2: Prefiero usar el tuyo/mío porque es mejor/más nuevo.

1. hablar con mi agente/tu agente
2. llevar tus maletas/las de mi hermano
3. usar mis mapas/tus mapas
4. llevar tu cámara/mi cámara
5. llevar tu celular/el de mi madre
6. ...

12-20 Unas vacaciones en un crucero. Usted y un/a amigo/a tomaron un crucero durante las vacaciones. Su compañero/a tomó otro crucero. Intercambien sus experiencias en las áreas siguientes.

MODELOS: el barco
E1: Nuestro barco era nuevo y grandísimo.
E2: El nuestro era pequeño, pero muy cómodo. *o*
El nuestro era muy grande también.

1. el camarote (*cabin*)
2. los compañeros de mesa
3. los camareros
4. el/la guía
5. las excursiones
6. ...

SITUACIONES

1. **Rol A.** Ayer usted perdió su billetera (negra, nueva, con $20,00, unas fotos y una tarjeta de crédito) en un hotel de San José. Conteste todas las preguntas del/de la empleado/a del Departamento de Objetos Perdidos. Después muéstrele una identificación y dele las gracias.

   Rol B. Usted trabaja en el Departamento de Objetos Perdidos de un hotel en San José y está atendiendo a un/a cliente/a que perdió su billetera. Obtenga la siguiente información: a) nombre de la persona, b) descripción de la billetera, c) fecha en que la perdió y d) dinero y documentos que tenía. Después debe pedirle una identificación y devolverle (*return him/her*) la billetera.

2. Cada uno/a de ustedes tiene un condominio en un lugar de veraneo muy exclusivo y quiere impresionar al/a la otro/a. Hablen de su condominio dando la mayor información posible.

5. The future tense

You have been using the present tense and **ir + a +** *infinitive* to express future plans. Spanish also has a future tense. While you have these other ways to express the future action/event/state, you should be able to recognize the future tense in reading and in listening.

- The future tense is formed by adding the future endings **-é, -ás, -á, -emos, -éis,** and **-án** to the infinitive. These endings are the same for **-ar, -er,** and **-ir** verbs.

	FUTURE TENSE		
	HABLAR	COMER	VIVIR
yo	hablar**é**	comer**é**	vivir**é**
tú	hablar**ás**	comer**ás**	vivir**ás**
Ud., él, ella	hablar**á**	comer**á**	vivir**á**
nosotros/as	hablar**emos**	comer**emos**	vivir**emos**
vosotros/as	hablar**éis**	comer**éis**	vivir**éis**
Uds., ellos/as	hablar**án**	comer**án**	vivir**án**

- A few verbs have irregular stems in the future tense and can be grouped into three categories. The first group drops the **e** from the infinitive ending.

IRREGULAR FUTURE – GROUP 1		
INFINITIVE	NEW STEM	FUTURE FORMS
poder	**podr-**	podré, podrás, podrá, podremos, podréis, podrán
querer	**querr-**	querré, querrás, querrá, querremos, querréis, querrán
saber	**sabr-**	sabré, sabrás, sabrá, sabremos, sabréis, sabrán

Las vacaciones y los viajes cuatrocientos trece 413

- The second group replaces the **e** or **i** of the infinitive ending with a **d**.

IRREGULAR FUTURE – GROUP 2		
INFINITIVE	NEW STEM	FUTURE FORMS
poner	**pondr-**	pondré, pondrás, pondrá, pondremos, pondréis, pondrán
tener	**tendr-**	tendré, tendrás, tendrá, tendremos, tendréis, tendrán
salir	**saldr-**	saldré, saldrás, saldrá, saldremos, saldréis, saldrán
venir	**vendr-**	vendré, vendrás, vendrá, vendremos, vendréis, vendrán

- The third group consists of two verbs (**decir, hacer**) that have completely different stems in the future tense.

IRREGULAR FUTURE – GROUP 3		
INFINITIVE	NEW STEM	FUTURE FORMS
decir	**dir-**	diré, dirás, dirá, diremos, diréis, dirán
hacer	**har-**	haré, harás, hará, haremos, haréis, harán

- In addition to referring to future actions, the Spanish future tense can also be used to express probability in the present.

Todavía no están en el hotel. El vuelo **estará** atrasado, ¿no?	*They still are not at the hotel. The flight is probably / must be late, right?*
Dice que va a ver la telenovela, así que **serán** las nueve.	*He says he is going to watch the soap opera, so it must be nine.*

- The future of **hay** is **habrá**.

Habrá muchos pasajeros en el vuelo.	*There will be many passengers on the flight.*

¿Qué dice usted?

👥👥 **12-21 Intercambio: Un viaje a Panamá.** Ramiro va a la Ciudad de Panamá a visitar a su familia. Con su compañero/a háganse preguntas y contesten de acuerdo con la agenda que Ramiro preparó.

MODELOS: E1: ¿Qué hará Ramiro el miércoles por la noche?
E2: Cenará con unos amigos.
E1: ¿Cuándo irá al cine con los primos?
E2: Irá al cine con los primos el martes.

LUNES	MARTES	MIERCOLES	JUEVES	VIERNES
salir para Panamá	visitar el Casco Viejo	salir de compras	visitar las islas San Blas	preparar las maletas
comer con los tíos	conocer a otros familiares	ir a un museo	comprar artesanías	almorzar con su tío
acostarse temprano	ir al cine con los primos	cenar con unos amigos	ir a un concierto	ir a una discoteca

👥👥 **12-22 Un crucero inolvidable.** Los Almagro viven en Miami y van a tomar un crucero que atravesará el Canal de Panamá y llegará hasta Acapulco. De allí regresarán a Miami en avión. Con su compañero/a, diga qué harán los miembros de la familia usando los verbos entre paréntesis. Después, pongan las acciones en orden cronológico y comparen sus respuestas con las de otros/as compañeros/as.

_____ Los Almagro _____ (llegar) a Acapulco.

_____ El crucero _____ (hacer) escala en Cozumel y los pasajeros _____ (disfrutar) de un día en la playa.

_____ La señora de Almagro _____ (ir) a la agencia de viajes para comprar los pasajes.

_____ Por la mañana del primer día en Acapulco, la familia _____ (ir) al mercado para comprar artesanías.

_____ En el aeropuerto, los agentes de aduana _____ (revisar) el equipaje y la familia Almagro _____ (regresar) a su casa.

_____ Sus hijos _____ (pasar) la tarde en la playa porque saben que es el último día de sus vacaciones.

_____ Los señores Almagro y sus hijos Mauro y Gloria _____ (tomar) el barco en Miami.

_____ De allí, el crucero _____ (seguir) a Panamá y _____ (cruzar) el Canal.

12-23 ¿Por qué lo harán? Cada uno tiene diferentes motivos para hacer lo que hace. Con su compañero/a, piensen en dos motivos probables para cada una de las situaciones siguientes.

MODELOS: Los Rivas van a Europa todos los años.
                E1: Tendrán mucho dinero, ¿no?
                E2: Ganarán unos sueldos muy buenos.

1. Pedro siempre viaja con poco equipaje.
2. Los Pérez nunca están los fines de semana en la ciudad.
3. Rosa no contesta el teléfono hace dos días.
4. Pilar no llama a sus parientes cuando viene a la ciudad.
5. Los Gómez están en el aeropuerto.
6. El vuelo va a salir una hora más tarde.
7. Pedro siempre saca muy buenas notas en sus clases.
8. El equipo nuestro gana casi todos los partidos.

12-24 Planes de viaje. Usted y su compañero/a deben decidir qué lugar(es) visitarán y preparar un programa de actividades. Después, compartan esta información con otra pareja.

12-25 El horóscopo. Escriba su nombre en un papel. Ponga el papel en una caja o en otro lugar designado por su profesor/a. Mezclen bien los papeles. Luego, cada estudiante debe sacar un papel al azar (*at random*). Después, usando el futuro, prepare el horóscopo de esa persona para leerlo en la próxima clase. Los demás estudiantes tratarán de averiguar de quién es el horóscopo.

SITUACIONES

Uno/a de ustedes va a pasar unos días de vacaciones en su lugar favorito. El/La otro/a es una persona muy curiosa y debe hacer preguntas para averiguar: a) adónde, cómo, con quién y por cuánto tiempo va a ir, b) dónde se va a quedar.

mosaicos

 A ESCUCHAR

A. ¿Lógico o ilógico? Indicate whether each of the following statements is **Lógico** or **Ilógico**.

LOGICO	ILOGICO		LOGICO	ILOGICO
1. _____	_____		5. _____	_____
2. _____	_____		6. _____	_____
3. _____	_____		7. _____	_____
4. _____	_____		8. _____	_____

B. Un viaje. Listen to the following telephone conversation between a client and a travel agent. Then circle the letter corresponding to the best completion for each statement, according to what you hear.

1. La agencia de viajes se llama…
   a. Continente
   b. Viaje Contento
   c. Continental

2. La agente le ofrece a Marcelo…
   a. dos viajes interesantes
   b. un viaje a los Estados Unidos
   c. un viaje a Sudamérica

3. El viaje a Panamá es…
   a. tan largo como el viaje a México
   b. más largo que el viaje a México
   c. menos largo que el viaje a México

4. El viaje a México dura…
   a. una semana
   b. nueve días
   c. dos semanas

5. El viaje a México incluye…
   a. comidas y hotel
   b. dos excursiones
   c. una excursión en barco

6. El viaje a México cuesta…
   a. menos que el viaje a Panamá
   b. más que el viaje a Panamá
   c. igual que el viaje a Panamá

7. Marcelo prefiere…
   a. no viajar este año
   b. el viaje a México
   c. el viaje a Panamá

8. Marcelo quiere…
   a. un asiento de pasillo
   b. su pasaporte
   c. información sobre los hoteles

A CONVERSAR

👥 **12-26 Itinerario.** Usted y un/a compañero/a son choferes de una compañía bananera costarricense. Hoy deben recoger a estos ejecutivos de la compañía en los aeropuertos Juan Santamaría (JS, vuelos internacionales) y Pavas (vuelos nacionales). Con su colega, verifique el día, el número de vuelo y la hora a la que cada pasajero/a toma el vuelo y llega a San José. Alternen los papeles.

MODELOS: E1: El presidente de la compañía sale de Punta Arenas a las 7:19 horas/a las siete de la tarde.
E2: Sí, el señor Arana llega al aeropuerto Pavas a las doce de la noche en el vuelo 004 de Travelair.

NOMBRE DEL PASAJERO	AEROLINEA	ORIGEN Y Nº DE VUELO	HORA DE LLEGADA/AEROPUERTO
1. Sr. José Fonseca, Gerente de Mercadeo	LACSA	Nueva York, Nº 2053	13:45 (JS)
2. Sra. Josefina Iturriaga, Inspectora de Calidad	Travelair	Quepos, Nº 194	16:50 (Pavas)
3. Srta. María José Herrera, Jefa de Publicidad	American	Los Angeles, Nº 0835	20:22 (JS)
4. Sres. Francisco Jorquera y Pablo Mate, Relaciones Públicas	LAN Chile	Santiago, Chile Nº 903	23:55 (JS)

A INVESTIGAR

En *www.prenhall.com/ mosaicos*, busque información sobre las rutas nacionales que *Travelair* ofrece a los turistas: ¿A qué destinos va *Travelair*? Luego, averigüe lo siguiente: ¿Qué importancia tienen Tortuguero y Golfito? ¿A qué destino de *Travelair* le gustaría volar a usted?

👥 **12-27 ¡Buen viaje! Primera fase.** En pequeños grupos, escojan a una persona de la clase (un/a compañero/a, su profesor/a), quien, en su opinión, merece unas vacaciones inolvidables. Den tres razones para justificar su elección.

Segunda fase. Hagan un plan de las vacaciones de acuerdo con los siguientes puntos:

▪ Medio de transporte en que ustedes quieren que la persona viaje.
▪ Cantidad de dinero que ustedes le darán y algunas sugerencias de cómo gastarlo.
▪ Un mínimo de cinco actividades básicas que ustedes desean que esta persona realice (qué comprar, adónde ir, qué comer/beber, qué ver, etc.)
▪ Finalmente, informen detalladamente a la clase de sus planes y sus deseos. La clase votará por el mejor plan de vacaciones.

12-28 ¡Conserje olvidadizo! En grupos de cuatro, representen la siguiente situación. Uno/a de ustedes es el/la conserje y los/las otros/otras tres son clientes del hotel. Hoy por la mañana, antes de salir, cada cliente le pidió un favor al/a la conserje. Al volver al hotel, pasan por la recepción para verificar si el/la conserje tiene sus pedidos. El/La conserje no recuerda qué pidió cada uno/a y hace preguntas para averiguarlo.

MODELOS: CONSERJE: ¿Son suyas las entradas para el teatro?
               CLIENTE 1:   No, no son mías. Las mías son entradas para la ópera.
               CLIENTE 2: Sí, son mías.
               CONSERJE: *(al Cliente 3)* ¿Las suyas son entradas para esta noche?
               CLIENTE 3:   No, las mías son para mañana por la noche.

Pedidos de clientes

Dos entradas para la ópera <u>Carmen</u> esta tarde, lunes 19/11, 18:30 hs.

Dos entradas para la ópera chilena <u>Amores de Cantina</u> de Juan Madrigán, jueves 22/11, 18:00 hs.

Dos entradas para <u>El hombre de la Mancha</u>, martes 20/11, 20:00 hs.

Dos entradas para <u>La vida es sueño</u>, sábado 25/11, 19:30 hs.

Dos entradas para el partido de fútbol norteamericano, miércoles 21/11, 11:00 hs.

Dos entradas para el partido de tenis entre Marcelo Ríos y Sampras, viernes 24/11, 10:00

A LEER

12-29 Preparación. Marque con una X las oraciones que reflejan su opinión sobre los viajes. Luego compare sus respuestas con las de un/a compañero/a.

1. _____ Prefiero viajar por tierra porque los buses y los carros son más seguros.
2. _____ Me gusta hacer viajes por avión porque son más rápidos.
3. _____ Cuando tengo que viajar por avión, me siento nervioso/a porque pienso que el avión va a sufrir un accidente.
4. _____ Siempre al subir al avión, pienso que podemos chocar *(crash)* en el aire.
5. _____ Tan pronto como me siento en el avión quiero beber alcohol para relajarme.
6. _____ El estar encerrado en el avión me produce asfixia *(suffocation)*.
7. _____ No como en el avión porque pienso que voy a atragantarme *(choke)*.
8. _____ Creo que soy aviofóbico/a, es decir, tengo pánico a viajar por avión.

El cielo puede esperar

CÓMO PERDER EL MIEDO AL AVIÓN

Hay más probabilidades de que ganes la lotería dos semanas seguidas que de que se caiga un aeroplano. Según las estadísticas, en Estados Unidos, por cada víctima de accidente aéreo, mueren 210 conductores de autos, hay 110 asesinatos, 65 caídas fatales, 15 asfixiados por atragantarse y cuatro que mueren simplemente por caerles objetos encima cuando caminan por la calle.

Sin embargo, el avión es el medio de transporte que despierta mayor pánico entre los viajeros: uno de cada cuatro españoles experimenta esa alergia al vuelo; algunos superan sus problemas a base de coraje, tranquilizantes o alcohol, pero ésta no es una buena solución, como afirma Enrique Gil Nagel, psiquiatra y profesor del cursillo *Miedo a volar*.

Para los profesionales que deben viajar frecuentemente en avión, el asunto puede convertirse en algo muy serio: oportunidades de negocio perdidas, puestos de trabajo a los que no se puede aspirar sólo por el miedo a volar... Sacrificarse y viajar por aire a pesar de la fobia tampoco sirve de nada: el ejecutivo que llega a una reunión de trabajo con estrés, ansiedad y falta de concentración por culpa del calvario de un viaje por aire no responde satisfactoriamente y, en muchos casos, llega a la conclusión de que es mejor no hacerlo.

En España, desde hace cinco años, la empresa Grupo Especial Directivos de Iberia ofrece el seminario *Cómo perder el miedo al avión*. El cursillo propone que el miedo a volar puede superarse con información directa sobre la seguridad aérea, apoyo psicológico específico y experiencia real de vuelo en un ambiente adecuado.

Los aviofóbicos tienen dos miedos:
- Miedo técnico: piensan que el avión puede caerse, porque no son capaces de asimilar que vuele un artefacto como ése.
- Miedo psicológico: angustia ante la expectativa de estar encerrados en el aire.

Durante el seminario, Javier del Campo desmonta las teorías catastrofistas de los asistentes con argumentos técnicos, y explica exhaustivamente las severas pruebas de seguridad que pasan los aparatos y las frecuentes revisiones periódicas a que obliga la ley. "Todo está previsto en la aviación; por ejemplo, poca gente sabe que para probar la resistencia de los cristales se lanzan pollos con un cañón de artillería, de manera que chocan a unos 300 kilómetros por hora contra el avión, que es la velocidad a la que puede impactar un ave en vuelo real". Del Campo asegura que después de asistir al cursillo, los participantes no tienen la más mínima duda sobre la seguridad en los aviones: sólo les queda "la parte irracional del problema".

De esta materia se encarga el doctor Gil Nagel, quien trata cada caso individualmente, enseña técnicas de autocontrol, y vigila las reacciones emocionales de los asistentes para liberarlos del problema. Nagel utiliza también terapia de grupo y un método denominado *desensibilización sistemática*, que consiste en enfrentar al paciente con la causa de su miedo.

Tanto el comandante Del Campo como el doctor Nagel coinciden en que las personas con aviofobia generalmente son algo más inteligentes que la persona media, tratan siempre de tenerlo todo bajo control y son muy creativas.

Primera exploración. Según la lectura, ordene las siguientes causas de muerte de 1 a 5 (5 más significativo, 1 menos significativo), con relación al número de víctimas que ocasionan.

_____ accidentes automovilísticos
_____ asfixias
_____ accidentes de aviación
_____ caídas mortales
_____ asesinatos

■ Indique tres formas con las que los viajeros tratan de controlar la aviofobia antes de tomar el cursillo:

_____

■ Identifique tres efectos psicológicos que sufren los aviofóbicos:

_____

Segunda exploración. Explique las estrategias que se utilizan en el cursillo para ayudar a superar…

El miedo técnico:
El miedo psicológico:

12-31 Segunda mirada. ¿Qué palabras del texto están asociadas —en significado— con las siguientes?

1. aéreo: _____
2. muertos: _____
3. miedo: _____
4. chocar: _____

 A ESCRIBIR

12-32 Preparación. Su amigo, Sebastián, ganó un pasaje de ida y vuelta a San José, Costa Rica, en un concurso. Por ser aviofóbico, Sebastián le escribió a usted para pedirle consejos. Él quiere devolver el premio porque les tiene miedo a los aviones. Basándose en la información del artículo _El cielo puede esperar_ —o en su conocimiento personal— escriba cinco datos factuales sobre la aviación que puedan ayudar a su amigo a cambiar de opinión.

12-33 Manos a la obra. Contéstele a Sebastián. Incluya los datos factuales de la actividad 12-32; además dele algunos consejos sobre lo que debe hacer para eliminar su fobia a volar.

EXPRESIONES ÚTILES

PARA DAR DATOS FACTUALES

Es evidente/un hecho que...
La evidencia demuestra que...
El... por ciento de...
Las estadísticas muestran que ...
No hay duda que...

PARA DAR CONSEJOS

Es importante/necesario/aconsejable que...
Te recomiendo/aconsejo que...
Debes...

12-34 Revisión. Su compañero/a editor/a le va a ayudar a expresar mejor sus ideas para que Sebastián supere (*overcome*) su fobia.

Vocabulario*

Medios de transporte

el auto(móvil)/coche/carro	*car*
el autobús/bus	*bus*
el avión	*plane*
el barco	*ship/boat*
el metro	*subway*
la moto(cicleta)	*motorcycle*
el tren	*train*

En el aeropuerto

la aduana	*customs*
la aerolínea	*airline*
el mostrador	*counter*
la puerta (de salida)	*gate*
la sala de espera	*waiting room*
el vuelo	*flight*

En un avión

el asiento	*seat*
de pasillo/ventanilla	*aisle/window seat*
la clase turista	*tourist/economy class*
la primera clase	*first class*
la ventanilla	*window*

El correo

el buzón	*mailbox*
la carta	*letter*
el paquete	*package*
el sello	*stamp*
el sobre	*envelope*
la tarjeta postal	*post card*

Personas

el/la agente de viajes	*travel agent*
el/la auxiliar de vuelo	*flight attendant*
el/la botones	*bellhop*
el/la cartero/a	*letter carrier*
el/la conserje	*concierge*
el/la empleado/a	*employee*
el/la huésped	*guest*
el/la inspector/a de aduana	*customs inspector*
el/la pasajero/a	*passenger*

Partes de un coche

la batería/el acumulador	*battery*
el capó	*hood*
el cinturón de seguridad	*safety belt*
el espejo retrovisor	*rearview mirror*
el limpiaparabrisas	*windshield wiper*
la llanta	*tire*
el maletero	*trunk*
el parabrisas	*windshield*
el parachoques	*bumper*
la placa	*plates*
el volante	*steering wheel*

Viajes

la agencia de viajes	*travel agency*
la autopista	*freeway*
el boleto/pasaje	*ticket*
la carretera	*highway*
el cheque de viajero	*traveler's check*
el crucero	*cruise*
el destino	*destination*
el equipaje	*luggage*
el ferrocarril	*railroad*
la hora de llegada/salida	*arrival/departure time*
la lista de espera	*waiting list*
la maleta	*suitcase*
el maletín	*briefcase*
el pasaporte	*passport*
la reservación	*reservation*
la tarjeta de embarque	*boarding pass*
la velocidad	*speed*

En el hotel

la caja fuerte	*safe box*
la habitación doble/sencilla	*double/single room*
la llave	*key*
la recepción	*front desk*

Lugares

la cuadra	*city block*
la esquina	*corner*

Descripciones

disponible	*available*
lleno/a	*full*
vacío/a	*empty*

Verbos

cancelar	*to cancel*
doblar	*to turn*
facturar	*to check (luggage)*
guardar	*to keep*
manejar	*to drive*
perderse (ie)	*to get lost*
reservar	*to make a reservation*
revisar	*to inspect*
viajar	*to travel*
volar (ue)	*to fly*

Palabras y expresiones útiles

a la izquierda/derecha	*to the left/right*
a sus órdenes	*at your service*
de ida y vuelta	*round trip*
hacer cola	*to stand in line*
hacer escala	*to make a stopover*
seguir (i) derecho	*to go straight ahead*
una vez	*once*

For a list of affirmative and negative expressions, see page 404. For a list of stressed possessive adjectives and pronouns, see page 411.

La música y el baile

Para pensar

¿Cuál es su música favorita? ¿Qué tipo de música puede Ud. escuchar en la radio? ¿Hay algún tipo de música que sea típicamente estadounidense? ¿Cuál es?

A los hispanos les gusta mucho la música y el baile. En la gran mayoría de las reuniones familiares y fiestas, la gente baila, canta, toca algún instrumento musical y, en general, se divierte mucho. La música hispana contemporánea es muy variada y refleja la diversidad étnica de los diferentes países. En algunos, especialmente aquellos con una población indígena significativa (México, Guatemala, Perú, Bolivia, Ecuador), se escucha la música indígena que generalmente se caracteriza por ser triste y melancólica, aunque también, a veces, puede ser rápida y alegre. Un ejemplo de esta música indígena es el huayno. En todos los países hispanos se escucha y se baila la música de origen africano que se caracteriza por ser rápida, alegre y vibrante. La cumbia, el merengue, la salsa, la rumba son ejemplos de esta música tan popular. También hay algunos tipos de música y bailes que aunque se conocen en todas partes, son típicos de ciertos países. Algunos ejemplos son la marinera del Perú, el tango de Argentina, la cueca de Chile, el joropo de Venezuela, las sevillanas y el flamenco de España, y el tamborito y el punto de Panamá. Finalmente, debido a la influencia de la música europea, se han desarrollado variaciones regionales del vals y la polca; asimismo, debido a la influencia de los Estados Unidos en los países hispanos también se escucha y se baila el rock y el jazz. Si quiere aprender algo sobre la música en los países hispanos, puede visitar: *www.prenhall.com/mosaicos*.

Hay muchísimos cantantes famosos en el mundo hispano: Celia Cruz (de Cuba), llamada la reina de la salsa, Talía (de Méjico), Carlos Vives (de Colombia), Enrique Iglesias (de España), José Luis Rodríguez (de Venezuela), Rubén Blades (de Panamá), Gloria Estefan de Cuba y los Estados Unidos son sólo algunos ejemplos.

Para contestar

👥 **A. La música hispana.** Con su compañero/a, conteste las siguientes preguntas:

1. ¿Por qué se dice que la música hispana contemporánea es muy variada? Explique.
2. Cada país tiene su música típica. Mencione la música típica de Chile, Venezuela y Panamá.
3. ¿Cuáles son algunos cantantes hispanos famosos? Indique su país de origen.

👥 **B. Riqueza cultural.** En grupos de tres, comparen los diferentes tipos de música que escuchan en su país con la música que escucha un hispano. ¿Escuchan ustedes música hispana? ¿En qué ocasiones?

The *Enfoque cultural* is available in an interactive online format at *www.prenhall.com/mosaicos*

ENFOQUE CULTURAL

Para investigar en la WWW

1. Busque información acerca de dos conjuntos panameños de música popular y dos conjuntos hispanos de música folclórica de otros países centroamericanos. Para cada conjunto, diga qué tipo de música toca, qué instrumentos usa, cómo se llama el conjunto, etc. Traiga esta información a clase para hacer una presentación de lo que averiguó y diga qué conjunto le gusta más y por qué. Si puede, traiga una grabación.

2. Busque información acerca de diferentes discotecas y lugares donde se puede ir a escuchar música o a bailar en Costa Rica. Diga a qué hora abren, cuál es el precio de la entrada, qué tipo de música tocan, etc. Escoja los dos lugares que le gusten más y justifique su elección. Si puede, traiga una copia de los anuncios.

Panamá

Ciudades importantes y lugares de interés: La Ciudad de Panamá, la capital, tiene una población de aproximadamente 800.000 habitantes y es el principal centro de comercio del país. Hay muchos sitios de interés en la zona conocida como el Casco Viejo, entre ellos el Museo de Arte Colonial Religioso, el Museo de la Nacionalidad y el Paseo Las Bóvedas. Siempre hay algo que hacer para divertirse en la ciudad de Panamá, ya sea ir al festival de

Bailes panameños con la típica pollera.

jazz, a los desfiles de automóviles clásicos, a las exposiciones de arte, a las competencias deportivas, etc. Además de los Carnavales de Panamá, que son muy divertidos, se celebra también el Carnavalito el primer fin de semana de la Cuaresma. Cerca de la Ciudad de Panamá se encuentra el famoso Canal de Panamá que conecta el Océano Pacífico con el Mar Caribe.

La pollera es el traje típico de la mujer panameña, y en Las Tablas, al sur de Panamá, todos los años se celebra la Fiesta de la Pollera, donde se pueden apreciar bailes regionales tradicionales como la Danza de los Toros, la Danza de los Diablos y la Danza de Guapos. El folclore panameño es muy rico e interesante.

Además de estos lugares, Panamá tiene hermosas islas como Isla Grande, Isla Taboga, y las Islas San Blas. Estas últimas forman un archipiélago de muchas islitas y cayos entre el Canal y Colombia. Allí viven los indios kunas, quienes mantienen sus artesanías tradicionales, como las molas, en las cuales combinan telas de diferentes colores que forman unos diseños muy bellos. En las islas panameñas se puede nadar, practicar surfing y disfrutar enormemente. Si desea saber más sobre Panamá, visite *www.prenhall.com/mosaicos*.

Expresiones panameñas:

desorejado/a	Es una desorejada.	*She is tone deaf.*
embolatar	Él la embolató y no se casó con ella.	*He lied and made false promises and did not marry her.*
pachocha	¡Apúrense! ¡Ustedes tienen una pachocha!	*Hurry up! You are so slow!*

Costa Rica

Ciudades importantes y lugares de interés:
Costa Rica es un país ideal no sólo para hacer ecoturismo, sino también para practicar deportes como el windsurfing, el ciclismo, la tabla hawaiana, etc. Una interesante ciudad de Costa Rica es San José, la capital, que tiene más de 300.000 habitantes. En San José se puede ir a teatros como el Teatro Nacional, museos como el Museo de Jade y el Museo de Oro, parques como el Parque de España y el Parque Nacional de Diversiones, y también a muchísimas discotecas y lugares para bailar música popular, música americana y música típica de diferentes países hispanos. La música y el baile son muy importantes para los 'ticos' (nombre con el que se conoce a los costarricenses) y reflejan la influencia africana y española. Todas las noches, y en especial los fines de semana, las discotecas se llenan de personas que bailan al ritmo de la cumbia, salsa, merengue, etc. La marimba y la guitarra son instrumentos importantes en la música costarricense. La guitarra se usa especialmente en las danzas típicas como el Punto Guanacasteco, el baile nacional. Además de las discotecas, Costa Rica tiene muchas peñas, donde se reúnen personas de diferentes países a tomar vino y cantar.

No muy lejos de San José están el volcán Irazú, cuya última erupción fue en 1965, y el pueblito de Sarchí, famoso por sus carteras de cuero y sus hermosas carretas pintadas de brillantes colores. Si desea saber más sobre Costa Rica, visite *www.prenhall.com/mosaicos*.

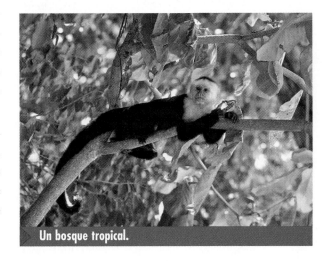

> **Un bosque tropical.**

Expresiones costarricenses:

upe	¡Upe!	(type of greeting)
chunche	Pásame ese chunche.	*Give me that thing.*
maje	Él es un maje.	*He's a fool.*
paltó	No tengo paltó.	*I don't have a jacket.*
fajarse	Me fajé, pero terminé el trabajo.	*I put a lot of effort, but finished the job.*

427

ENFOQUE INTERACTIVO

  A MIRAR EL VIDEO 5:00

Watch the *Fortunas* video segment for *Lección 12* in class or on your CD-ROM. What do you think about the current relationship between Katie and Carlos? Are there any contestants left whom you can trust?

 Now complete the accompanying video activities on the CD-ROM. This is your chance to interact with the video characters! **25:00**

¿Puedes creerlo?

El concurso

In this episode of *Fortunas* we see another *misterio* solved, a *fortuna* claimed, and the announcement of an unexpected alliance. There's something about Katie that makes people like and trust her. But how long will the others trust her? It has cost them a lot of points so far. Keep watching as events unfold and our four contestants attempt to solve the remaining two *misterios* and find the last hidden *fortuna*.

 LA BÚSQUEDA 5:00

Did you solve *Misterio Nº 5* easily? For most people, the deciding *pistas* were "*residencia presidencial*" and "*enseñanza militar.*" Those two clues pointed most specifically to *El Castillo de Chapultepec* (Chapultepec Castle), built on a sacred Aztec mound. Have you solved all the puzzles without any alliances with your classmates? Go to the *Mosaicos Website* and click on the *Fortunas* module to investigate the solution to *Misterio Nº 5*.

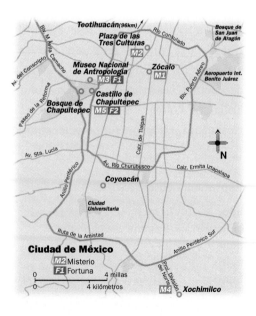

¿QUÉ OPINA USTED? 10:00

It's anyone's guess as to who will win this episode's viewer poll. Do you reward Katie for her cunning, or perhaps Sabrina for her honesty? Maybe a sympathy vote for poor Efraín. Your vote counts, so please go to the *Fortunas* module and click on *¿Qué opina usted?* to answer this episode's question.

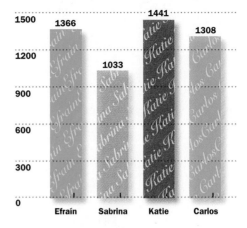

 ## PARA NAVEGAR 10:00

EL BAILE

Cada cultura tiene su ritmo, y con ese ritmo van una música y una forma de bailar. Los ritmos predominantes en el Caribe y en Centroamérica son la salsa y el merengue. En países como Panamá y Costa Rica, los bailes que acompañan a estos ritmos musicales son enérgicos y llenos de expresión. Muchos de estos bailes tienen ciertos pasos básicos, pero permiten la libre interpretación y experimentación. Sobre todo, estos bailes son expresiones musicales para gente de todas las edades.

El baile

Go to the *Mosaicos Website* and click on the *Para navegar* module to explore links to information on Panamá and Costa Rica, and Latin music. Find out how these distinctive sounds and beats made their way to this part of the world. Explore the links and then complete the related cultural activities.

Lección 13

Los hispanos en los Estados Unidos

COMUNICACION

- Stating facts in the present and in the past
- Giving opinions
- Describing states and conditions
- Talking about the past from a present-time perspective
- Hypothesizing about the future

ESTRUCTURAS

- The conditional
- The past participle and the present perfect
- Past participles used as adjectives
- Reciprocal verbs and pronouns

MOSAICOS

A ESCUCHAR

A CONVERSAR

A LEER

- Identifying the main topic of a text and writing a title

A ESCRIBIR

- Reporting biographical information
- Writing to spark interest

ENFOQUE CULTURAL

- La inmigración
- Puerto Rico

ENFOQUE INTERACTIVO

 WWW   VIDEO   CD ROM

431

A primera vista

Caras de hoy

Practice activities for each vocabulary section are provided on the CD-ROM and website (www.prenhall. com/mosaicos)

María Echaveste, hija de emigrantes mexicanos, nació en Texas en 1954 y se crió en California, donde ayudaba a sus padres y hermanos en los trabajos del campo. Su decisión de estudiar en la universidad no fue aceptada fácilmente por su familia. Entre otros cargos, ha sido directora del Departamento de Trabajo y ayudante personal del presidente Clinton.

Ricky Martin es de Puerto Rico. A pesar de su juventud, es una de las figuras más importantes de la música latina en los Estados Unidos. Tuvo mucho éxito por su espectacular actuación en la ceremonia de los premios Grammy 1999, y desde entonces ha vendido más de ocho millones de discos de *Ricky Martin*, su primer trabajo en inglés. Ha salido en las portadas de *Time* y de *Rolling Stones*, y según la revista *People*, es actualmente uno de los hombres más atractivos del mundo del espectáculo.

Orlando Hernández, el Duque, se ha convertido en poco tiempo en uno de los lanzadores más conocidos de las Grandes Ligas. Escapó de Cuba en diciembre de 1997 y, al poco tiempo, empezó a lanzar para los Yankees de Nueva York. Con este equipo participó en las Series Mundiales de los años 1999 y 2000.

Julia Álvarez, dominicana, una de las escritoras hispanas más conocidas en Estados Unidos, cuya obra ha sido traducida a nueve idiomas. En la novela que la lanzó a la fama, *How the Garcia girls lost their accent* (1991), cuenta el difícil proceso de adaptación de tres hermanas dominicanas que llegan a Nueva York en 1960. Otras de sus obras más famosas son *In the Time of the Butterflies* (1994) y *¡Yo!* (1997). En su última obra de ficción histórica, *In the name of Salomé* (2000), presenta las vidas de Salomé Ureña, una mujer de gran personalidad convertida en icono nacional de la República Dominicana a la edad de 17 años, y de su hija Camila.

Detrás de Starmedia.com, el portal de la Internet en español de más éxito, está Fernando Espuelas, su fundador y jefe ejecutivo. A este inquieto uruguayo se le ocurrió la idea de crear Starmedia cuando era uno de los más jóvenes directivos de AT&T. En sólo tres años ya ha abierto oficinas en 18 países.

¿Qué dice usted?

👥 **13-1 Una nueva generación. Primera fase.** Con su compañero/a, llene la tabla con la información que obtuvieron sobre ciertos hispanos prominentes.

NOMBRE	PROFESION	LUGAR DE ORIGEN	DATOS INTERESANTES
		Puerto Rico	actuó en los Grammy
		República Dominicana	su obra ha sido traducida a nueve idiomas
Orlando Hernández			lo llaman El Duque
María Echaveste		Texas	
	ejecutivo		

👥 **Segunda fase.** Comparen su tabla con la de otra pareja y entre todos hagan una lista de otros hispanos famosos que viven en Estados Unidos. Pueden pensar en la política, la ciencia, el cine, la música, etc. Incluyan detalles sobre su carrera y su origen.

Centros hispanos

Miami, conocida como la capital del sol, es más que un centro turístico. Hoy en día, Miami es un importante centro de comercio internacional, con un gran movimiento de mercancías y servicios, especialmente hacia y desde Hispanoamérica. Más de la mitad de su población es de origen hispano y está representada por cubanos, nicaragüenses, venezolanos, colombianos y personas de otros países donde se habla español. Esta gran variedad cultural se observa en la vida diaria de la ciudad y en los festivales que se organizan, como el festival de la Calle Ocho, que tienen gran influencia del Caribe y del resto de la América hispana.

Se dice que Nueva York es la ciudad puertorriqueña más grande del mundo. Más de dos millones de puertorriqueños viven en Nueva York, una población mucho mayor que la de San Juan. Con sus propios negocios, periódicos, representantes políticos, estaciones de radio y su propio desfile anual, los "neoyoricans", como se les conoce, han alcanzado hoy en día una gran influencia en esta ciudad.

Cultura

El mes de la Hispanidad se celebra durante el mes de octubre en los Estados Unidos. En las ciudades que cuentan con un gran número de hispanos, como por ejemplo Miami, se ofrecen premios a las familias hispanas que pueden servir de modelo a otras familias, se dan becas a los alumnos que se distinguen en sus estudios, y se celebran diversos espectáculos y fiestas.

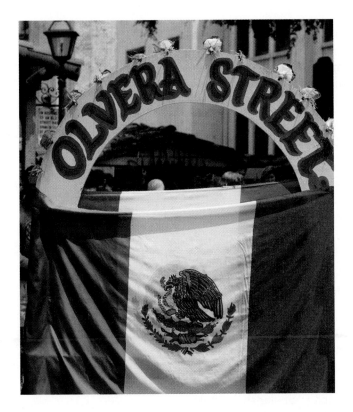

Los primeros pobladores de Los Ángeles fueron once familias, procedentes de México, que fundaron en 1781 El Pueblo de Nuestra Señora la Reina de los Ángeles de Porciúncula en lo que hoy es la Placita de la Calle Olvera. Con el tiempo, el nombre se acortó a El Pueblo y después a Los Ángeles. En la actualidad, con la excepción de la Ciudad de México, el área metropolitana de Los Ángeles tiene más mexicanos o descendientes de mexicanos que cualquier otra área metropolitana del mundo.

¿Qué dice usted?

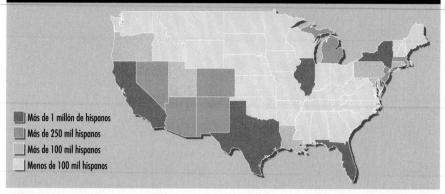

CONCENTRACIÓN DE HISPANOHABLANTES EN LOS ESTADOS UNIDOS

- Más de 1 millón de hispanos
- Más de 250 mil hispanos
- Más de 100 mil hispanos
- Menos de 100 mil hispanos

Ciudades con el mayor número de hispanohablantes

1.	Los Ángeles	4.780.000
2.	Nueva York	2.780.000
3.	Miami	1.100.000
4.	San Francisco	970.000
5.	Chicago	890.000
6.	Houston	770.000
7.	Dallas	520.000
8.	Phoenix	345.000
9.	Denver	226.000
10.	Washington	225.000

Origen de los inmigrantes

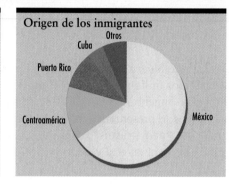

Otros, Cuba, Puerto Rico, Centroamérica, México

A INVESTIGAR

Escoja uno de los centros hispanos presentados (Nueva York, Miami o Los Ángeles). Busque información en la Internet sobre una de las ciudades según los puntos detallados en 13-3. Prepárese para hacer la actividad 13-3 en clase.

13-2 ¿Dónde viven? Uno/a de ustedes es un/a periodista que busca datos de la población hispana en los Estados Unidos. El/La otro/a trabaja en el Departamento del Censo y le puede dar los datos que usted necesita. Consulten la información que se presenta.

MODELO: E1: ¿Me puede decir cuáles son los estados con más de un millón de hispanos?
E2: Sí, son California, Texas, Florida, Illinois y Nueva York.

1. ciudades con mayor número de hispanos
2. país de origen de la mayoría de hispanos
3. origen de los inmigrantes hispanos
4. estados con más de 250.000 hispanos
5. ...

13-3 Ciudades hispanas. Con un/a compañero/a usen la información que obtuvieron en la Internet para preparar un breve informe que cubra los siguientes puntos:

1. Características y composición demográfica de la ciudad escogida (Los Ángeles, Miami o Nueva York).
2. Indicadores de la influencia hispana en esa ciudad
3. Origen de la mayoría de la población hispana de la ciudad
4. Un lugar o una actividad popular de la ciudad

👥 **13-4 El español es una ventaja. Primera fase.** Con un/a compañero/a hagan una lista de cinco carreras que impliquen una interacción con la población hispana. Luego comparen su lista con la de otra pareja.

Segunda fase. Comenten lo siguiente:

- en qué áreas geográficas de los Estados Unidos se pueden conseguir estos trabajos con más facilidad
- en qué contextos/situaciones será una ventaja saber leer, hablar y escribir en español

13-5 Publicaciones en español. Busque una revista o un periódico en español, escoja un artículo, y tráigalo a la clase para compartirlo y comentarlo con otros/as compañeros/as.

 # A ESCUCHAR

Un hombre de negocios español. You will hear a Spaniard talking about himself, his family, and his work. Complete the following statements by marking the appropriate answers.

1. Además de español, Juan Sanz habla...

   _____ catalán _____ japonés _____ francés _____ inglés
   _____ ruso _____ italiano _____ portugués _____ alemán

2. Juan Sanz estudió en la Universidad de...

   _____ Maryland
   _____ Barcelona
   _____ las Américas

3. Él cree que pudo obtener puestos importantes rápidamente porque...

   _____ habla varias lenguas
   _____ estudió mucho
   _____ conoce muchos países

4. Los equipos que vende su compañía cuestan alrededor de...

   _____ 100.000 dólares
   _____ 500.000 dólares
   _____ 1.500.000 dólares

5. Según Juan Sanz, una compañía puede dar mejor servicio cuando...

   _____ llama a los clientes con frecuencia
   _____ sus productos tienen buen precio
   _____ habla la lengua del cliente

Explicación y expansión

1. The conditional

In **Lección 6**, you began to use the expression **me gustaría...** to express what you would like. **Gustaría** is a form of the conditional. The conditional is easy to recognize. It is formed by adding the endings **-ía, -ías, -ía, -íamos, -íais, -ían** to the infinitive.

		HABLAR	COMER	VIVIR
		CONDITIONAL		
yo		hablaría	comería	viviría
tú		hablarías	comerías	vivirías
Ud., él, ella		hablaría	comería	viviría
nosotros/as		hablaríamos	comeríamos	viviríamos
vosotros/as		hablaríais	comeríais	viviríais
Uds., ellos/as		hablarían	comerían	vivirían

■ Verbs that have an irregular stem in the future have that same stem in the conditional.

INFINITIVE	NEW STEM	CONDITIONAL FORMS
	IRREGULAR CONDITIONAL VERBS	
haber	**habr-**	habría, habrías, habría...
poder	**podr-**	podría, podrías, podría...
querer	**querr-**	querría, querrías, querría...
saber	**sabr-**	sabría, sabrías, sabría...
poner	**pondr-**	pondría, pondrías, pondría...
tener	**tendr-**	tendría, tendrías, tendría...
salir	**saldr-**	saldría, saldrías, saldría...
venir	**vendr-**	vendría, vendrías, vendría...
decir	**dir-**	diría, dirías, diría...
hacer	**har-**	haría, harías, haría...

- The use of the conditional in Spanish is similar to the use of the construction *would + verb* in English when hypothesizing about a situation that does not form part of the speaker's reality.

Yo **saldría** temprano para el concierto.	*I would leave early for the concert.*

When English *would* implies *used to*, the imperfect is used.

Cuando era chica, **salía** temprano para la escuela.	*When I was young, I would (used to) leave early for school.*

- Spanish also uses the conditional to express probability in the past.

Estaba tomando café. **Serían** las diez de la mañana.	*I was having coffee. It was probably ten in the morning.*

¿Qué dice usted?

13-6 La lotería. Primera fase. Su compañero/a y usted ganaron la lotería anoche. Digan lo que harían ustedes con todo ese dinero.

ESTUDIANTE 1

1. invitar a mis amigos a un viaje
2. ir a los mejores hoteles
3. comprar un carro muy elegante
4. tener ropa muy cara
5. ...

ESTUDIANTE 2

1. visitar todos los países hispanos
2. viajar en primera clase
3. guardar parte del dinero en el banco
4. comprar una casa en el Viejo San Juan
5. ...

Segunda fase. Como ustedes tienen tanto dinero, decidieron crear una fundación para promover la comprensión y unión entre los países hispanos y los Estados Unidos. Digan qué harían ustedes en las siguientes áreas y por qué. Después intercambien ideas con otra pareja.

educación   negocios   comercio

13-7 ¿Qué harían ustedes? Su compañero/a y usted deben decir qué harían en las siguientes situaciones. Después deben comparar sus respuestas con las de otros estudiantes.

1. Usted va a entrar en un banco y ve que dentro hay un ladrón (*thief*).
2. Usted pudo conseguir las dos últimas entradas para un concierto de Mark Anthony e invitó a un cliente importante, y ahora no encuentra las entradas.
3. Usted estaba esperando un ascenso (*promotion*) en su trabajo, pero le dieron el puesto a una persona amiga del jefe.
4. Usted descubre sin querer que su mejor amigo/a toma drogas.

 **13-8 ¿Qué pasaría?** Con su compañero/a, trate de buscar una explicación posible para todo lo que le pasó ayer a Miguel.

MODELO: Miguel salió de su casa un poco tarde.
Tendría mucho que hacer en la casa. / Se despertaría tarde.

1. Miguel fue al aeropuerto a buscar a un amigo puertorriqueño, pero no lo encontró.

2. Cuando llegó adonde estaba su auto, no encontró un suéter nuevo que estaba sobre el asiento.

3. Un policía se acercó al auto y le puso una multa (*ticket*).

4. Cuando Miguel llegó a su casa, había un mensaje de su amigo puertorriqueño en el contestador automático.

5. Después que oyó el mensaje, encendió su computadora y no pudo ver nada en la pantalla (*screen*).

13-9 ¡Agenda presidencial! Usted es uno/a de los/as candidatos/as a la presidencia de su país. Prepare una lista de lo que usted haría como presidente/a del país en las áreas de inmigración, empleo y salud. Justifique su agenda política. Luego, compare su lista y sus justificaciones con las de su compañero/a. ¿Son realistas o utópicas sus propuestas?

SITUACIONES

Rol A. Usted necesita un consejo y habla con su mejor amigo/a. Explíquele a) que usted conoció a un/a chico/a hispano/a, b) que tiene interés en conocerlo/la mejor, y c) que quiere saber más de su país, pero no quiere parecer demasiado interesado/a. Después, conteste las preguntas de su compañero/a y pregúntele qué haría él/ella en su lugar. Dele las gracias y dígale que lo/la mantendrá informado/a.

Rol B. Usted le quiere dar un buen consejo a su amigo/a, pero necesita más información sobre el caso. Pregúntele a) de dónde es el/la chico/a, b) qué hace en este país, y c) cuándo lo/la conoció. Dígale a su amigo/a lo que usted haría (tener una pequeña reunión en su casa e invitarlo/la; decirle que tiene que escribir un proyecto sobre su país y hacerle preguntas, etc.).

2. The past participle and the present perfect

■ Both Spanish and English have perfect tenses that are used to refer to past actions/events/conditions. Both languages use an auxiliary verb (**haber** in Spanish, *to have* in English) and a past participle. In English, past participles are often formed with the endings *-ed* and *-en*, for example *finished, eaten.* You will learn more about Spanish past participles below.

■ All past participles of **-ar** verbs end in **-ado** while past participles of **-er** and **-ir** verbs generally end in **-ido**. If the stem of an **-er** or **-ir** verb ends in a vowel, use a written accent on the **i** of **-ido** (leer → leído).

PRESENT TENSE HABER	+	PAST PARTICIPLE
yo he		
tú has		
Ud., él, ella ha		hablado
nosotros/as hemos		comido
vosotros/as habéis		vivido
Uds., ellos/as han		

■ Form the present perfect of the indicative by using the present tense of **haber** as an auxiliary verb with the past participle of the main verb. **Tener** is never used as the auxiliary verb to form the perfect tense.

Han trabajado mucho para comprar la casa.	*They have worked a lot to buy the house.*
Algunos músicos hispanos **han obtenido** muchos premios.	*Some Hispanic musicians have gotten many awards.*

■ Use the present perfect to refer to a past event, action, or condition that has some relation to the present.

Victoria, ¿ya **has comido**?	*Victoria, have you eaten yet?*
No, no **he comido** todavía.	*No, I haven't eaten yet.*

■ Place object and reflexive pronouns before the auxiliary **haber**. Do not place any word between **haber** and the past participle.

¿**Le** has dado el libro de Julia Álvarez ?	*Have you given her Julia Alvarez' book?*
No, todavía no **se lo** he dado.	*No, I haven't given it to her yet.*

- Some **-er** and **-ir** verbs have irregular past participles. Here are some of the more common ones:

IRREGULAR PAST PARTICIPLES			
hacer	**hecho**	abrir	**abierto**
poner	**puesto**	escribir	**escrito**
romper	**roto**	cubrir	**cubierto**
ver	**visto**	decir	**dicho**
volver	**vuelto**	morir	**muerto**

- The present perfect of **hay** is **ha habido**.

    Ha habido más trabajo   *There has been more work lately.*
    últimamente.

- Use the present tense of **acabar + de** + *infinitive*, not the present perfect, to state that something has just happened.

    Acabo de oír las noticias.   *I have just heard the news.*

¿Qué dice usted?

👥 **13-10 Lo que no he hecho.** Usted y su compañero/a deben decir las cosas que no han hecho de cada lista. Despúes, comparen sus respuestas con las de otros estudiantes.

1. Yo nunca he estado en...
   a. Nueva York
   b. Los Ángeles
   c. Miami

2. Yo nunca he ido a...
   a. la Serie Mundial
   b. a un concierto de Ricky Martin
   c. un partido de béisbol

3. Yo nunca he corrido en...
   a. las Olimpiadas
   b. el estadio de la universidad
   c. una carrera

4. Yo nunca he escrito...
   a. una novela
   b. una carta de negocios
   c. un poema

5. Yo nunca he roto...
   a. un plato
   b. un vaso
   c. un disco

6. Yo nunca he dicho...
   a. una mala palabra
   b. una mentira (*lie*)
   c. palabras en chino

13-11 Confesiones. Túrnese con su compañero/a para decir si ha hecho o no las siguientes cosas. Su compañero/a no le va a creer y le va a pedir detalles.

MODELO: conocer a Julia Álvarez
              E1: Yo he conocido a Julia Álvarez.
              E2: ¡Vamos! Tú no has conocido a Julia Álvarez.
              E1: Yo sí la he conocido.
              E2: …

1. ver el Desfile de las Rosas en Pasadena
2. escuchar a Ricky Martin en persona
3. hablar mal de mis amigos
4. visitar muchos países hispanos
5. caerse por las escaleras
6. …

LENGUA

Spanish speakers add **sí** when they wish to emphasize a verbal expression: **Yo sí conozco/conocí/he conocido a Julio Iglesias.**

13-12 Un/a hispano/a famoso/a. Piensen en un/a hispano/a famoso/a y preparen una lista de cinco cosas que ustedes creen que ha hecho o no esta persona para tener éxito. Después comparen su lista con la de otra pareja y háganse preguntas.

MODELO: Sergio García es un excelente jugador de golf.
              Ha practicado por muchos años.

13-13 Preparaciones para un viaje a California. Usted y su compañero/a van a hacer un viaje a California para observar de cerca la influencia hispana en ese estado. Háganse preguntas para ver qué preparativos ha hecho cada uno/a para el viaje.

MODELO: pedir información a la Cámara de Comercio
              E1: ¿Has pedido información a la Cámara de Comercio?
              E2: No, no la he pedido todavía. *o* Sí, ya la pedí.

1. llamar a la línea aérea
2. ir a la agencia de viajes
3. hacer las reservaciones
4. leer sobre las misiones
5. buscar hoteles en la Internet
6. obtener mapas para ir a Santa Bárbara

13-14 Justo ahora. Con su compañero/a, digan qué acaban de hacer estas personas. Den la mayor información posible.

MODELO: Juan y Ramiro salen del estadio.
              Acaban de ver un partido de béisbol muy importante.
              Fueron a ver a Alex Rodríguez porque es su jugador favorito.

1. Maricarmen y sus amigos salen de un concierto.
2. Pedro y Alina salen del cajero automático de un banco.
3. Mercedes y Paula traen palomitas de maíz (*pop corn*) para todo el grupo.
4. Un hombre pasa corriendo por donde está el grupo de amigos.
5. Jorge y Rubén salen de una joyería (*jewelry store*).
6. Frente a todos sus amigos, Rubén le da una sorpresa a su novia.

 **13-15 Las contribuciones de los hispanos.** Con su compañero/a, escoja un área: negocios, arquitectura, música, arte, moda, ciencia, etc., y preparen juntos una breve presentación oral explicando cómo han contribuido los hispanos a la sociedad de este país. Den ejemplos concretos.

13-16 La diversidad. Primera fase. Con su compañero/a, prepare una lista de tres problemas que existen en una comunidad étnica de este país.

Segunda fase. Ahora, comenten qué se ha hecho ya para superar estos problemas. Luego preparen otra lista de cosas que no se han hecho, pero que, según ustedes, deben hacerse. Compartan su lista con la clase.

SITUACIONES

1. Uno/a de ustedes es un/a periodista y el otro/a es un/a famoso/a novelista hispano/a que vive en los Estados Unidos. El/La reportero/a desea saber: a) número de novelas que ha escrito, b) sus fechas de publicación, c) tiempo de residencia en los Estados Unidos, d) premios que ha recibido, e) cuál es su novela favorita, y f) por qué.

2. Escoja una de las personas que aparecen al comienzo de esta lección sin decirle el nombre a su compañero/a. Su compañero/a debe escoger otra. Haga preguntas para averiguar a quién ha escogido su compañero/a. Después, cada uno/a debe decir qué ha hecho esta persona para tener éxito.

---

3. Past participles used as adjectives

- When a past participle is used as an adjective, it agrees with the noun it modifies.

un cantante **conocido**	*a well known singer*
una puerta **cerrada**	*a closed door*
los libros **abiertos**	*the open books*
unas películas **alquiladas**	*some rented films*

- Spanish uses **estar** + *past participle* to express a state or condition resulting from a prior action.

ACTION	RESULT
Ella terminó el trabajo.	El trabajo **está terminado.**
Magdalena se sentó.	Magdalena **está sentada.**
Reservaron las habitaciones.	Las habitaciones **están reservadas.**

¿Qué dice usted?

👥 **13-17 ¿Un robo o un cuarto desordenado?** Su compañero/a y usted entraron en su cuarto y vieron que estaba muy desordenado y que faltaban algunas cosas. Cada uno/a debe describirle a la policía del campus lo que vio.

MODELO: puerta del armario / abierto
La puerta del armario (no) estaba abierta.

ESTUDIANTE 1
1. el espejo del armario / roto
2. la cama / tendido
3. los libros de las clases / abierto
4. la computadora/cubierto

ESTUDIANTE 2
la ropa / colgado
el televisor / encendido
las ventanas / cerrado
la lámpara/roto

👥 **13-18 Una noche muy especial.** Con su compañero/a, lea el siguiente párrafo usando la forma correcta del participio pasado de los verbos entre paréntesis.

Rosalía del Corral entró en el teatro, caminó por el pasillo y se sentó. Su mejor amiga estaba (1) _____ (sentar) a su lado. Era una noche muy especial porque iban a anunciar qué actores hispanos eran los ganadores del premio de excelencia por su actuación y todos estaban muy (2) _____ (emocionar). El presentador habló unos minutos sobre la importancia del acto, la orquesta tocó algunas canciones (3) _____ (conocer) y otras personas hablaron hasta que llegó el momento (4) _____ (esperar). Una chica le entregó dos sobres (5) _____ (cerrar) al presentador. Éste abrió el primero y con el sobre (6) _____ (abrir) en la mano, dijo el nombre de la ganadora. Rosalía no podía creerlo. Sólo repetía en su mente : ¡He (7) _____ (ganar)! ¡He (8) _____ (recibir) el premio! Sin saber cómo, se levantó del asiento para ir al escenario. Se sentía muy (9) _____ (confundir), y en ese mismo momento se despertó y vio que estaba (10) _____ (acostar) en su cuarto. ¡Todo era un sueño!

SITUACIONES

Rol A. Usted vive en la Pequeña Habana, una zona de Miami donde un huracán causó graves daños (*damages*). En estos momentos usted está en un refugio de la Cruz Roja y un/a reportero/a lo/la va a entrevistar. Conteste sus preguntas y después averigüe a) cuándo van a tener electricidad y b) cuándo podrá volver a su casa.

Rol B. Usted es un/a reportero/a de *El Nuevo Herald*, un periódico de Miami, y va a entrevistar a una de las personas que se encuentran en un refugio debido al huracán que afectó la zona. Pregúntele sobre a) su llegada al refugio (hora, medio de transporte), b) por qué abandonó su casa, c) si hay otros familiares y vecinos en el refugio, y d) pídale que describa el estado en que estaba su vecindario. Después conteste sus preguntas de acuerdo con la información que tienen en el periódico.

4. Reciprocal verbs and pronouns

Están enamorados y se quieren mucho.

Se besan y se abrazan.

Se llevan muy mal.

No se comunican ni por teléfono.

Se odian y se pelean todo el tiempo.

■ Use the plural reflexive pronouns (**nos, os, se**) to express reciprocal actions. In English, reciprocal actions are usually expressed with *each other* or *one another*.

Muchos hispanos **se abrazan** cuando **se saludan**.	*Many Hispanics embrace when they greet each other.*
Nosotros **nos vemos** todas las semanas.	*We see each other every week.*
En mi familia **nos llevamos** muy bien.	*In our family we get along very well.*

¿Qué dice usted?

13-19 ¿Qué hacen los buenos amigos? Primera fase. En pequeños grupos hagan una lista de las actitudes que ustedes consideran importantes para mantener una buena amistad. Escojan las cuatro más importantes. Si consideran que hay otras actitudes que no han sido escogidas, incorpórenlas en su lista. Comparen su lista con la de otros grupos.

Segunda fase. Decida si los buenos amigos hacen o no hacen estas cosas, y bajo qué circunstancias. Después, comparta sus ideas con su compañero/a.

MODELO: mandarse mensajes electrónicos
E1: (Yo creo que) los buenos amigos se mandan mensajes electrónicos si viven lejos.
E2: Yo también, pero creo que no se mandan muchos mensajes si se ven frecuentemente.

1. llamarse todos los días
2. comprenderse
3. ayudarse cuando tienen problemas
4. insultarse y pelearse
5. regalarse cosas
6. darse consejos cuando los necesitan
7. quererse
8. criticarse continuamente

13-20 Consejos. Con su compañero/a, identifiquen el/los problema(s) de las siguientes personas. Luego, búsquenles una solución.

1. Rafael y Josefina son novios pero no se ven con mucha frecuencia. Él vive en Monterrey, México y ella vive en Los Ángeles.
2. Catalina y Raquel son compañeras de cuarto. A veces cuando Catalina quiere estudiar, llega al cuarto y encuentra que Raquel está escuchando música de Ricky Martin o Gloria Estefan con sus amigos.
3. Los estudiantes de historia tienen miedo de expresar sus opiniones en clase porque el profesor no parece interesarse por lo que dicen. A veces, los estudiantes no prestan atención en clase.

13-21 Mis relaciones con… Piense en una persona (padre/madre, novio/a, pariente, un/a amigo/a hispano/a, etc.) y dígale a su compañero/a cómo son las relaciones que tiene con él/ella. Las preguntas de más abajo pueden serle útiles.

MODELO:　　Mis relaciones con mi hermano son muy buenas.
　　　　　　Nosotros nos queremos. A veces…

1. ¿Se respetan?
2. ¿Se quieren?
3. ¿Se detestan?

4. ¿Se comunican?
5. ¿Se pelean?
6. …

SITUACIONES

Rol A. Usted tiene problemas con un/a compañero/a en el trabajo y va a ver a su jefe/a. Explíquele que su compañero/a no lo/la trata bien. Después, conteste las preguntas de su jefe/a y dígale que, además, su compañero/a a) lee los documentos que usted deja sobre su escritorio y b) habla mal de usted con otros empleados. Conteste las nuevas preguntas de su jefe/a y acceda a tener la reunión.

Rol B. Usted es el/la jefe/a de una compañía de exportación. Escuche las quejas (*complaints*) de uno/a de sus empleados/as. Hágale preguntas para saber a) si hay actitudes negativas por parte de los dos colegas, b) si las hay, pida una explicación, c) si recuerda alguna discusión en especial, y d) cuánto tiempo hace que nota esa actitud en su compañero/a. Después pregúntele a) qué documentos son y b) si tiene testigos (*witnesses*), y c) sugiérale tener una reunión entre los/las tres.

mosaicos

A ESCUCHAR

A. Hispanos y profesiones. You will hear the accomplishments of several Hispanics who live in the United States. As you listen to the following descriptions, write each person's name and profession, below the corresponding illustration.

_____

_____   _____

_____   _____

_____   _____

B. ¿Lógico o ilógico? Indicate whether each of the following statements is **Lógico** or **Ilógico**.

	LOGICO	ILOGICO		LOGICO	ILOGICO
1.	_____	_____	5.	_____	_____
2.	_____	_____	6.	_____	_____
3.	_____	_____	7.	_____	_____
4.	_____	_____	8.	_____	_____

13-22 ¿Quién es? Escoja a una de las personas de la lista. Puede investigar más acerca de ella o agregar información adicional. Háblele a su compañero/a sobre la persona escogida sin decir su nombre. Su compañero/a debe adivinar quién es.

PERSONA	FECHAS	NACIONALIDAD	OCUPACIÓN	ALGO IMPORTANTE
Frida Kahlo	1907–1954	mexicana	pintora	valorar las raíces indígenas de los mexicanos
Pablo Casals	1876–1973	español	violonchelista, director de orquesta	empezar el Festival Casals en Puerto Rico
Alfonsina Storni	1892–1938	argentina	poeta	defensora de los derechos de la mujer
José Martí	1853–1895	cubano	poeta, escritor, político	padre de la independencia de Cuba
Carlos Gardel	1887–1935	argentino	cantante, compositor	hacer famoso el tango
Violeta Parra	1918–1967	chilena	cantante, compositora	empezar la Nueva Canción en Chile
Roberto Clemente	1934–1972	puertorriqueño	jugador de béisbol	elegido al Salón de la Fama de Béisbol en 1972

13-23 Congresistas comprometidos/as. Primera fase. Usted y su compañero/a son congresistas que trabajan para mejorar la situación de los más pobres en el país. Preparen un informe oral para explicar cuáles son las condiciones que han existido hasta ahora y qué cambios proponen para mejorarlas.

ÁREAS	CONDICIONES QUE HAN EXISTIDO	CAMBIOS
Porcentaje de desempleados		
Acceso a la educación		
Salario mínimo		
Seguro de salud		
Acceso a subsidio de desempleo		
Acceso a vivienda temporal gratis		

Segunda fase. Reúnanse con otra pareja, comparen sus propuestas de cambios y evalúen si son o no factibles (*feasible*). ¿Por qué?

13-24 Preparación. Haga un círculo alrededor de la información que se relaciona con la historia de algún familiar (cercano o lejano) suyo que haya inmigrado a los Estados Unidos. Si no hay inmigrantes en su familia, busque a un/a compañero/a de la clase que tenga antepasados inmigrantes y entrevístelo/la. Prepárese para compartir la información con el resto de la clase.

1. Alguien de mi familia emigró a los Estados Unidos...
   a. a comienzos del siglo XX.
   b. a mediados de este siglo.
   c. recientemente.
   d. ...

2. Antes de venir aquí, él/ella vivía en...
   a. Europa.
   b. África.
   c. América Latina.
   d. ...

3. El/La inmigrante de mi familia era de ascendencia...
   a. hispana.
   b. europea.
   c. africana.
   d. asiática.
   e. ...

4. Este/a inmigrante de mi familia vino a este país porque...
   a. en su país de origen había habido una guerra o una revolución.
   b. vivía bajo opresión y quería libertad.
   c. lo/la perseguían y podía perder su vida.
   d. quería disfrutar de una vida mejor.
   e. ...

5. Después de inmigrar, él/ella...
   a. se ha hecho ciudadano/a estadounidense.
   b. se ha convertido en residente permanente de los Estados Unidos.
   c. ha tenido varios tipos de visa para quedarse aquí.
   d. ...

6. Después de vivir algún tiempo en este país, él/ella...
   a. se considera parte de una minoría.
   b. cree que se ha asimilado completamente a la cultura de este país.
   c. no se siente norteamericano/a.
   d. ...

13-25 Primera mirada. Lea el siguiente texto y póngale un título. Éste debe reflejar el tema central del texto. Luego compare su título con el de un/a compañero/a. ¿Están de acuerdo?

Los resultados del último censo indican que una de cada nueve personas en los Estados Unidos es de origen hispano. Así, en el año 2000 la población de origen hispano en los Estados Unidos llegaba a unos 32.800.000, es decir, al 12% del total de la población del país. Según los datos de la Fundación de las Américas, los hispanos son uno de los grupos minoritarios más numerosos del país. Se piensa que para el año 2015, habrá alrededor de 62.7 millones de hispanos en los Estados Unidos, distribuidos geográficamente de la siguiente manera: 6.9 millones vivirán en Los Ángeles, 3.8 en Nueva York, 3.5 en Miami, 1.4 en San Francisco y 1.4 en Chicago.

___

El origen de la población hispana actual es muy variado: 66.1% es mexicano, 14.5%, centroamericano, 9.6% puertorriqueño, 4% cubano y 6.4% vienen de otros países latinoamericanos.

Primera exploración. Coloque en orden porcentual los grupos mencionados en el artículo. Comience con el grupo minoritario más grande.

Los puertorriqueños

Por ser Puerto Rico un Estado Libre Asociado de los Estados Unidos desde el año 1917, los puertorriqueños son ciudadanos norteamericanos. En la actualidad, la mayoría de esta población que vive en los Estados Unidos se concentra en Nueva York. Otras regiones con un gran número de puertorriqueños son Illinois y Nueva Jersey. Muchos puertorriqueños son bilingües en inglés y español, lo cual les da mejores oportunidades laborales y económicas en este país.

Los cubanoamericanos

Los primeros grupos de cubanos llegaron a fines del siglo XIX al estado de la Florida. Además, un gran número de ellos llegó a los Estados Unidos después de la revolución de Fidel Castro en el año 1959. Más de la mitad de la población cubanoamericana vive en Miami. La presencia de este grupo étnico es palpable en una zona llamada La Pequeña Habana donde abunda el comercio hispano y la lengua principal de comunicación es el español.

Los mexicoamericanos

Los mexicoamericanos constituyen el grupo hispano más numeroso de este país. Son ciudadanos norteamericanos porque nacieron en este país y la mayoría vive en Texas y California. Estos dos estados, junto con otros del suroeste de los Estados Unidos de hoy en día, eran parte de México hasta 1848. En este momento, el porcentaje de mexicoamericanos supera los 10.000.000 millones. Algunos de ellos se llaman a sí mismos chicanos. La influencia de este grupo en la cultura de los Estados Unidos es evidente en el campo político, económico e intelectual. Su literatura, llamada literatura chicana, se estudia en muchas universidades de los Estados Unidos.

Segunda exploración. Indique a cuál de los grupos mencionados se aplica la siguiente información: a los puertorriqueños (P), a los cubanoamericanos (C) o a los mexicoamericanos (M).

1. ___ Son ciudadanos norteamericanos porque nacieron en este país, pero tienen padres de origen mexicano.
2. ___ Son ciudadanos de los Estados Unidos, porque vienen de una isla considerada territorio norteamericano.
3. ___ Un gran número de ellos llegó a este país por razones políticas.
4. ___ También se llaman chicanos.
5. ___ Más del 50% de ellos vive en Florida.

13-26 Segunda mirada. Primera Fase. Complete la tabla con los pronósticos para la población hispana en el año 2015. Comience con el estado que crecerá más. En la columna de **Expectativas**, indique si, en su opinión, éstas son expectativas realistas (R) o no (NR).

ESTADO	EXPECTATIVAS

Segunda fase. Con un/a compañero/a, comparen sus respuestas y discutan si están de acuerdo o en desacuerdo con los pronósticos. ¿Por qué?

13-27 Ampliación. Averigüe entre sus compañeros de qué grupos étnicos vinieron sus antepasados. ¿Cuál es el grupo mayoritario, el minoritario y el intermedio con relación a la población de la clase?

 A ESCRIBIR

13-28 Preparación. Entreviste a un/a inmigrante y obtenga la siguiente información:

1. nombre
2. lugar de origen
3. año en que llegó a los Estados Unidos
4. razones por las cuales inmigró
5. dos aspectos de la vida en los Estados Unidos que le resultaron difíciles al principio
6. aspectos de la vida en su país de origen que extraña
7. dos aspectos de la vida en este país que le gustan/no le gustan

13-29 Manos a la obra. Para la semana de celebraciones de la raza, el Alcalde (*mayor*) de su ciudad ha decidido hacer una campaña para promover el interés entre los ciudadanos por conocer y entender mejor a los diversos grupos étnicos del lugar. Según el alcalde, usted, como hijo/a de inmigrantes, es la persona indicada para escribir sobre las experiencias, los sentimientos, las dificultades, las contribuciones, etc. de un/a inmigrante.

Primera fase. Escoja primero a la(s) persona(s) sobre la(s) cual(es) usted quiere escribir. Indique tres o cuatro problemas que esta(s) persona(s) ha(n) enfrentado como inmigrante(s) y que, en su opinión, son representativos de su grupo étnico. Luego, identifique algunas maneras en que esta(s) persona(s) ha(n) contribuido a la sociedad norteamericana y a su comunidad étnica.

Segunda fase. Escriba el artículo para la página editorial del periódico local, usando la información recolectada en la actividad anterior. Al expresar su opinión sobre los inmigrantes, recuerde que el propósito de su escrito es promover el interés por conocer y entender mejor a los diversos grupos étnicos a través de experiencias reales.

EXPRESIONES ÚTILES

PARA EXPRESAR UNA OPINION PERSONAL

Me parece (que)…
Mi experiencia personal me indica que…
En mi opinión…
Creo/Pienso que…

PARA MENCIONAR LA OPINION DE OTROS

A(l)/(la)… le parece (que)…
Según el señor / la señora/señorita…
En la opinión de…
El señor… / La señora/señorita… dice/cree/piensa que…
Los expertos piensan/creen/afirman/sostienen que…

13-30 Revisión. Su compañero/a editor/a va a ayudarle a expresar mejor sus ideas para que el periódico publique su artículo. No se olvide de verificar:

- que el artículo editorial tenga toda la información que su lector/a necesita
- que el tono sea apropiado (formal, serio) y las ideas estén bien organizadas
- que haya conexión dentro de los párrafos y entre ellos (use conectores para hacer transiciones)
- que las expresiones relacionadas con el tema estén correctamente usadas y que su vocabulario sea variado e interesante
- que su ortografía, puntuación, acentuación, etc. sean apropiadas.

Vocabulario*

Personas

el/la ayudante	assistant
el/la ciudadano/a	citizen
el/la emigrante	emigrant
el/la escritor/a	writer
el/la inmigrante	immigrant
el/la lanzador/a	pitcher
el/la novelista	novelist
el/la poblador/a	settler

El país

el área	area
el campo	countryside
el comercio	commerce
el gobierno	government
el idioma	language
la juventud	youth
la mercancía	merchandise, goods
la obra	work
la población	population
la política	politics
la sociedad	society

Verbos

abrazar(se) (c)	to embrace
acabar	to finish
aceptar	to accept
actuar	to act
alcanzar (c)	to reach
besar	to kiss
contar (ue)	to tell/to count
convertirse (ie, i)	to become
criarse	to be brought up
cubrir	to cover
emigrar	to emigrate
escapar	to escape, to flee

establecerse (zc)	to settle
fundar	to found
haber	to have (auxiliary verb)
lanzar (c)	to throw, to pitch
llevarse bien	to get along well
morir (ue)	to die
nacer (zc)	to be born
ocupar	to occupy
odiar	to hate
pelear	to fight
romper	to break
saludar(se)	to greet

Palabras y expresiones útiles

a través de	through
acabar de + infinitive	to have just + past participle
la actuación	performance
el cargo	position
desde	since
la edad	age
en la actualidad	at the present time
estar enamorado/a	to be in love
la fama	fame
la mitad	half
la portada	cover (magazine)
el premio	award/prize
según	according to
tener éxito	to be successful
todavía	still, yet
ya	already

La inmigración

Para pensar

¿Conoce a algún inmigrante? ¿De dónde es? ¿Qué idioma(s) habla? ¿Sabe por qué, cómo y cuándo vino a este país? ¿Qué ocupación tiene?

En los Estados Unidos hay alrededor de 33 millones de personas de origen hispano. Muchos viven en la región suroeste del país, como en Texas, Arizona, California, Colorado; otros en la costa este, en Nueva York, Nueva Jersey, Florida, y también en la zona del medio oeste, mayormente en Illinois.

La emigración se debe a varias razones. A fines de los años cincuenta, cuando empezó la dictadura de Castro, miles de personas empezaron a salir de Cuba. Por lo general, estas personas pertenecían a la clase media o a la clase alta y tenían un alto nivel de educación. La mayor parte se estableció en el estado de la Florida, principalmente en Miami, pero algunos fueron a otros puntos del país. A través de los años, diferentes grupos de cubanos llegaron a los Estados Unidos, muchas veces arriesgando su vida.

Además de los cubanos, muchas personas de otros países han venido a los Estados Unidos. De América Central (principalmente de Nicaragua, El Salvador, Honduras, Guatemala) y de América del Sur (en especial de Argentina, Chile, Perú, Colombia) han venido huyendo de la guerra, de la guerrilla, de la dictadura, o del estancamiento económico de sus países. Otros han venido a buscar mejores oportunidades de trabajo o una educación más especializada de la que se ofrece en su lugar de origen.

Sin embargo, no todos los hispanos son inmigrantes. La historia de los chicanos (personas de ascendencia mexicana) ha estado siempre unida al suroeste de los Estados Unidos, ya que se cree que una parte de esta región era el lugar de origen de los aztecas. Más tarde, españoles y mexicanos conquistaron estas tierras, que formaron parte del territorio español hasta que en siglo XIX México obtuvo su independencia y pasaron a ser territorio mexicano. Como consecuencia de la guerra entre México y los Estados Unidos, toda esa región pasó a ser territorio estadounidense.

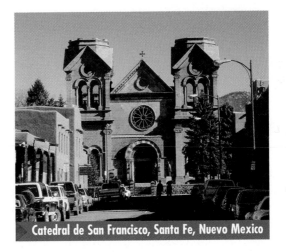

Catedral de San Francisco, Santa Fe, Nuevo Mexico

Como Puerto Rico es un Estado Libre Asociado de los Estados Unidos, los puertorriqueños son ciudadanos americanos desde 1917. Esto explica en parte el gran número que se ha establecido en el área metropolitana de Nueva York, donde viven más de un millón de puertorriqueños.

Los hispanos han traído consigo no sólo su rica y valiosa cultura, sino su voluntad de trabajo y deseos de superación, contribuyendo así al desarrollo cultural y económico de este país. Si desea saber más sobre la población hispana o latina en los Estados Unidos, visite: *www.prenhall.com/mosaicos*.

The *Enfoque cultural* is available in an interactive online format at *www.prenhall.com/mosaicos*

Para contestar

 A. La inmigración. Con su compañero/a responda a las siguientes preguntas:

1. ¿Cuáles son algunas razones que hacen que una persona emigre de su país?
2. ¿De qué países son los inmigrantes hispanos que han venido a los Estados Unidos? ¿Cuándo vinieron?
3. ¿Emigraría usted? ¿A qué país emigraría? Explique.
4. ¿Cómo se sentiría usted si tuviera que emigrar? ¿Qué extrañaría más de su país?

B. Riqueza cultural. En grupos de tres, mencionen las ventajas y las desventajas que tiene un país con muchos inmigrantes.

Para investigar en la WWW

Para obtener información, visite *www.prenhall.com/mosaicos*.

1. Averigüe cuántos hispanos viven en los Estados Unidos, de qué países vienen, cuándo vinieron, y en qué estados/ciudades viven. Luego, seleccione un grupo de hispanos e informe a sus compañeros/as sobre la influencia que han tenido en la zona donde viven ahora.
2. Busque el nombre de diez personas de origen hispano que tienen un alto puesto en el gobierno, en empresas privadas, en los deportes, en el arte o en la educación de los Estados Unidos. Seleccione a una de esas personas e informe a la clase sobre lo que esa persona ha hecho.
3. Averigüe cuántos estudiantes hispanos estudian en las universidades de los Estados Unidos. Informe a sus compañeros/as sobre las universidades que tienen más estudiantes hispanos, de qué países son esos estudiantes, qué carreras siguen, etc.

LOS ESTADOS UNIDOS:
Puerto Rico

Ciudades importantes y lugares de interés: San Juan, la capital, fue fundada en 1521 y tiene una hermosa parte antigua conocida como el Viejo San Juan. En esta zona hay muchas atracciones como tiendas de diferentes tipos, monumentos, hermosas plazas, cafés al aire libre, museos, galerías de arte e interesantes edificios que datan de los siglos XVI y XVII. Algunos de estos edificios son: el Fuerte San Felipe del Morro, la Iglesia de San José —construida en 1532 y una de las iglesias cristianas más antiguas del hemisferio occidental—, el Castillo de San Cristóbal y la Fortaleza. Al lado del Viejo San Juan está el San Juan moderno, una ciudad con una vida nocturna extraordinaria donde se puede disfrutar de la deliciosa

Calle Cristo, Old San Juan, Puerto Rico

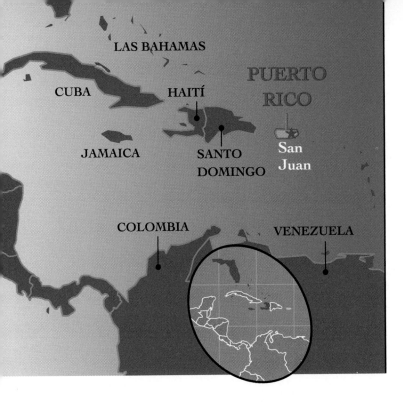

LAS BAHAMAS

CUBA HAITÍ

PUERTO RICO

JAMAICA SANTO DOMINGO San Juan

COLOMBIA VENEZUELA

comida caribeña, discotecas y casinos, además de las hermosas playas donde se puede practicar todo tipo de deporte acuático.

Además de San Juan, hay muchísimos lugares de gran interés y belleza en Puerto Rico. Uno de ellos es el bosque tropical El Yunque donde se puede caminar por diferentes senderos, explorar hermosas caídas de agua, admirar una gran variedad de orquídeas, helechos y diferentes especies de aves. Otro lugar es Ponce, la segunda ciudad más grande de Puerto Rico, conocida también como la ciudad señorial.

Expresiones puertorriqueñas:

cabuya	No le des cabuya.	*Don't give him/her ammunition to bother you.*
macacoa	Yo no compro la lotería porque tengo una macacoa terrible.	*I don't buy the lottery because I have a horrible bad luck.*
revolú	Se formó el revolú.	*Things got messy.*
bendito	¡Ay, bendito!	*Oh, my!*

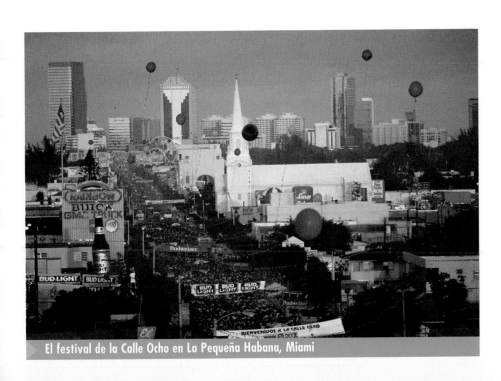

El festival de la Calle Ocho en La Pequeña Habana, Miami

457

ENFOQUE INTERACTIVO

Fortunas

 A MIRAR EL VIDEO 5:00

Watch the *Fortunas* video segment for *Lección 13* in class or on your CD-ROM. Do you agree with the group's idea for solving the sixth *misterio*? Is Sabrina right about Katie?

Now complete the accompanying video activities on the CD-ROM. This is your chance to interact with the video characters! **25:00**

El concurso

In this episode of *Fortunas* we see the sixth *misterio* solved and an unprecedented attempt at cooperation. One has to wonder, however, if Sabrina's aren't the most accurate feelings. Doesn't Katie benefit more than anyone else from cooperation at this point? Keep watching as the events of this year's *Fortunas* contest come to an exciting conclusion.

La cooperación

Misterio Nº 6: El arte de la vida

Pistas
1. Sede del gobierno
2. Franciscanos
3. El revolucionario ruso
4. Artistas famosas

 LA BÚSQUEDA 5:00

Imagine you're sitting in a room with three people and each of you has one of the clues. At what moment in the sharing does the *misterio* become clear? With *"el revolucionario ruso"* or with *"artistas famosas"*? For those who know Mexico City, this place could only be Coyoacán. There is one *misterio* left to be solved and it focuses on the same time period and location in Mexico City. Go to the *Fortunas* module to investigate how *Misterio Nº 6* was solved and to explore Coyoacán.

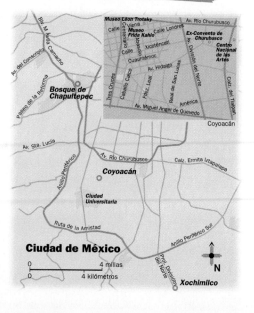

¿QUÉ OPINA USTED? 5:00

With only two opportunities left to vote in the viewer poll, the contest is tight. It has become difficult to know whom to trust. Efraín thought he knew. Sabrina thinks she knows. Whom do you trust? Go to the *Fortunas* module and click on *¿Qué opina usted?* to vote in this episode's viewer poll. Don't forget to review the contestants' diaries.

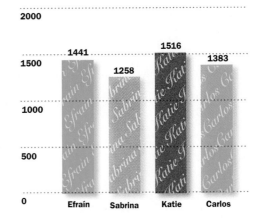

 PARA NAVEGAR 10:00

¡PUERTO RICO!

Puerto Rico tiene un pie en el pasado y otro en el futuro. Tiene una rica tradición hispana, además de mantener una relación especial con la cultura y la política norteamericana. La influencia de los Estados Unidos es innegable en algunos aspectos de la vida diaria. ¿Qué sabe usted de Puerto Rico?

Puerto Rico

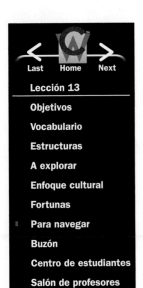

Go to the *Mosaicos Website* and click on the *Para navegar* module to explore links with information about Puerto Rico and immigration. How close is Puerto Rico to becoming an official state? What are the primary influences of Puerto Rico on the United States? How are immigrants from Puerto Rico different from other immigrants?

Lección 14

Cambios de la sociedad

COMUNICACION

- Describing and discussing demographics
- Describing social conditions
- Projecting conditions, goals, and purposes
- Expressing conjecture
- Talking about the past from a past perspective

ESTRUCTURAS

- Adverbial conjunctions that always require the subjunctive
- Adverbial conjunctions: subjunctive or indicative
- The past perfect
- Infinitive as subject of a sentence and as object of a preposition

MOSAICOS

A ESCUCHAR

A CONVERSAR

A LEER
- Identifying the tone of a text

A ESCRIBIR
- Persuading people to do something

ENFOQUE CULTURAL

- La democracia en los países hispanos

ENFOQUE INTERACTIVO

 WWW   VIDEO   CD ROM

A primera vista

La familia de hoy

La española

Hay 17.385.890 de españolas mayores de 10 años

Mis Padres		
Viven con sus padres		
Sí		35%
No		64,8%
Se van de casa		
Hasta los años 80		25,5 años
Década de los 90		27,7 años
Siguen en casa		
El 55,1 por ciento de las que tienen entre 23 y 32 años		
El 86,3 por ciento de las solteras		
Vuelven a casa		
El 24 por ciento de las separadas y divorciadas		

Mis Estudios	
Elementales	51,9%
Medios	11,3%
Superiores	7,5%*
Carecen de Estudios (%)	
Mayores de 70 años	29,4
Entre 10 y 19 años	0,5
Analfabetismo (%)	
Mayores de 70 años	20
Entre 10 y 19 años	0,3

Mi familia	
Casadas	51,4%
Solteras	47,7%
Número de hijos	1,5
Diferencia de edad	
Con el marido	1-2 años
Con el hijo mayor	25-29 años

El español

Hay 16.541.720 de españoles mayores de 10 años

Mis Padres		
Viven con sus padres		
Sí		40,1%
No		59,8%
Se van de casa		
Hasta los años 80		26,5 años
Década de los 90		28,5 años
Siguen en casa		
El 69,2 por ciento de los que tienen entre 23 y 32 años		
El 90 por ciento de los solteros		
Vuelven a casa		
El 37,9 por ciento de los separados y divorciados		

Mis Estudios	
Elementales	52,4%
Medios	6,1%
Superiores	8,8%
Carecen de Estudios (%)	
Mayores de 70 años	20,4
Entre 10 y 19 años	0,5
Analfabetismo (%)	
Mayores de 70 años	8,9
Entre 10 y 19 años	0,2

Mi familia	
Casados	54,6%
Solteros	44,4%
Número de hijos	1,4
Diferencia de edad	
Con la esposa	1-2 años
Con el hijo mayor	25-29

Practice activities for each vocabulary section are provided on the CD-ROM and website (www.prenhall. com/mosaicos)

■ (FEMPRESS) En un reciente estudio realizado en 553 empresas colombianas, Luz Gabriela Arango encontró que sólo el 23,7% de las directivas están constituidas por mujeres. Con todo, el estudio muestra que en este terreno, así como en otros, ha habido enormes cambios. En los años cincuenta, por ejemplo, todas las sucursales bancarias tenían un varón como gerente. En los noventa, una alta proporción era dirigida por mujeres.

Es interesante ver, dice CIDER (Centro Interdisciplinario de Estudios Regionales), las áreas en las cuales se ha concentrado la presencia femenina. Éstas son, en sectores financieros y de servicios en el caso de la empresa privada, y en instituciones de servicio y manejo de relaciones públicas en el sector público, como son los ministerios de Salud, Educación, Trabajo y Relaciones Exteriores. La mayor concentración de fuerza laboral femenina en un alto nivel se ubica en las labores ejecutivas, mientras que sólo el 8,2% de los funcionarios hombres está en ese nivel no directivo.

La encuesta "clase empresarial", realizada a ejecutivos, señala que la confianza en el desempeño profesional de la mujer es mayor que en el del hombre. De hecho, el 96,8% de los entrevistados le dio la más alta calificación a su honestidad; el 80% a la calidad de su trabajo; el 81,6% en materia de confiabilidad; el 79,2% lo dio a su cumplimiento.

En cuanto al manejo de la autoridad, las ejecutivas entrevistadas por *Dinero* consideran que mientras se valora a un hombre por ser enérgico, cuando una mujer asume posiciones fuertes puede causar rechazo. En cuanto al poder, se sienten menos ambiciosas, le dan menor prioridad que los hombres.

L as gerencias administrativas y de recursos industriales en manos de mujeres están aumentando. En algunas entrevistas de *Dinero*, se destaca y se apoya la participación de las mujeres en la empresa pues las consideran más responsables, más comprometidas, más honestas, se ausentan menos del trabajo que los hombres, demuestran mayor eficiencia en el manejo del tiempo y son más transparentes en el trabajo.

¿Qué dice usted?

👥 14-4 La mujer de hoy. Prepare un informe sobre la situación de la mujer en el mundo hispanohablante, utilizando la información que leyó en las encuestas y las citas (*quotes*) de más arriba. Compare su informe con el de su compañero/a.

A INVESTIGAR

En la siguiente dirección electrónica podrá encontrar mucha información sobre distintos aspectos de las mujeres latinas: *www.fempress.com.*

14-5 Mujeres ejecutivas. Cada uno/a de ustedes debe hacer una lista de cinco mujeres que ocupan puestos importantes. Hablen entre ustedes sobre estas mujeres basándose en los siguientes puntos:

- puesto que ocupan y responsabilidades que tienen
- personalidad y rasgos (*traits*) de carácter de estas mujeres
- cómo mantienen el equilibrio entre su vida profesional y su vida privada

14-6 Hacia un nuevo siglo. Converse con dos compañeros/as sobre los logros de la mujer en el último siglo. Hagan una lista de los cambios que han afectado a la mujer en las siguientes áreas en los últimos 50 años:

- la familia
- la casa
- la educación
- el trabajo
- el gobierno/la política

Temas de hoy

El 21% de los universitarios españoles usa Internet como fuente de noticias

Casi la mitad de los estudiantes se conecta a la Red habitualmente

Emilio Benito, **Madrid**
El 42% de los universitarios españoles utiliza de forma habitual Internet, frente a una media del 11,3% de la población general que se considera internauta, según una encuesta presentada ayer en Madrid por Telépolis.com. El estudio, realizado mediante 564 entrevistas en los campus de Barcelona, Bilbao, Madrid, Santiago, Sevilla, Valencia y Zaragoza apunta que la mitad de ellos consulta noticias en la Red.

Las principales ventajas que los entrevistados vieron en consultar las fuentes digitales de noticias (periódicos, revistas y portales) son que pueden tener acceso a diversos medios (posibilidad preferida por el 39%) y que no hace falta desplazarse (el 34%). También valoran la posibilidad de ampliar las noticias mediante enlaces a otras páginas *web*, la selección y resúmenes que se ofrecen y su rapidez (el 18%). Este último aspecto contrasta con el 37% que ve como principal desventaja que las conexiones son lentas, según el informe. Un 12% se queja de su precio.

Que a los universitarios les gusta Internet se refleja en que el 33% no le ve ninguna desventaja (proporción que llega al 50% entre catalanes y valencianos), y que las tres cuartas partes consideran que las noticias de la Red son igual de fiables que las ofrecidas por otros medios de comunicación. Pese a ello, el 92% complementa la información digital con la obtenida a través de la prensa escrita, televisión y radio.

Lo que más consultan es la información nacional e internacional (ver gráfico). Los varones están más interesados en noticias locales, de economía y deportes, y las mujeres, en sociedad, cultura y espectáculos.

Universitarios e Información en Internet
Secciones visitadas con más frecuencia. En %

Sección	%
Información nacional	55
Información internacional	34
Deportes	34
Información cultural	31
Información local	23
Espectáculos/conferencias	18
Investigación	17
Sociedad	13
Información meteorológica	10
Información económica	4
Otras	9

Fuente: Telepolis.com
El País

👥 **14-7 Entrevista. Primera fase.** Con su compañero/a, vuelva a leer el artículo anterior. En los papeles de periodista y estudiante, hagan una entrevista como la que sirvió de base para la encuesta que se menciona en el artículo.

MODELO: PERIODISTA: ¿Usas la Internet para leer las noticias?
            ESTUDIANTE: Sí, leo las noticias regularmente en la Internet.
            PERIODISTA: ¿Cuáles son las ventajas de usar este medio para obtener información?
            ESTUDIANTE:

👥 **Segunda fase.** Hagan entre todos una encuesta similar para averiguar los siguientes datos de toda la clase:

1. Número de estudiantes que leen las noticias en la Internet.
2. Secciones más visitadas por los estudiantes.
3. Salas de charla de mayor interés para los estudiantes.

 # A ESCUCHAR

La mujer en España. You will hear the response of a woman lawyer from Madrid, to a question about the status of women in Spain. Indicate whether each statement you hear is **Cierto** or **Falso**.

CIERTO	FALSO		CIERTO	FALSO
1. ____	____		4. ____	____
2. ____	____		5. ____	____
3. ____	____		6. ____	____

A INVESTIGAR

👥 Escoja uno de los siguientes temas: las migraciones, el sida (*AIDS*), el narcotráfico, el terrorismo, la clonación, el agujero de ozono. Busque información en periódicos en español en la Internet. Haga una presentación breve basándose en los siguientes puntos.

1. Titular y resumen de la noticia.
2. Problema que se plantea.
3. Posibles soluciones.
4. Opinión personal sobre el tema.

En el Salón de profesores de *www.prenhall.com/ mosaicos* hay una lista de periódicos en español.

Explicación y expansión

1. Adverbial conjunctions that always require the subjunctive

a menos que	*unless*	**para que**	*so that*
antes (de) que	*before*	**sin que**	*without*
con tal (de) que	*provided that*		

■ These conjunctions always require the subjunctive when followed by a dependent clause.

> Los empleados tienen una reunión **antes de que** su representante **hable** con el director.
> *The employees are having a meeting before their representative speaks with the director.*

> Ellos aceptan el mismo sueldo **con tal de que mejore** el plan de hospitalización.
> *They accept the same salary provided that the hospitalization plan improves.*

> El representante habla con el director **para que** los empleados **tengan** más beneficios.
> *The representative speaks with the director so that the employees may have more benefits.*

2. Adverbial conjunctions: subjunctive or indicative

aunque	*although, even though, even if*	**en cuanto**	*as soon as*
		hasta que	*until*
como	*as, how, however*	**mientras**	*while*
cuando	*when*	**según**	*according to, as*
después (de) que	*after*	**tan pronto**	
donde	*where, wherever*	**(como)**	*as soon as*

■ These conjunctions require the subjunctive when the event in the adverbial clause has not yet occurred. Note that the main clause expresses future time.

> Va a luchar **hasta que** la compañía **tenga** un programa de entrenamiento.
> *She is going to fight until the company starts a training program.*

> Nos reuniremos **después que comiencen** el programa.
> *We'll meet after they start the program.*

> Me llamará **tan pronto reciba** la aprobación del programa.
> *She'll call me as soon as she receives the approval of the program.*

- These conjunctions require the indicative when the event in the adverbial clause has taken place, is taking place, or usually takes place.

> Siempre apoya a los empleados **hasta que comienza** el programa de entrenamiento.
> *She always provides support to the employees until the training program starts.*

> Nos reunimos **después que comenzaron** el programa.
> *We met after they started the program.*

> Me llamó **tan pronto recibió** la aprobación del programa.
> *She called me as soon as she received the approval for the program.*

- **Como, donde,** and **según** require the indicative when they refer to something definite or known, and the subjunctive when they refer to something indefinite or unknown.

> Van a organizar el programa **como sugiere** el consejero.
> *They're going to organize the program as the adviser suggests.*

> Van a organizar el programa **como sugiera** el consejero.
> *They're going to organize the program as the adviser may suggest.*

> Vamos a reunirnos **donde** ella **dice.**
> *We're going to meet where she says.*

> Vamos a reunirnos **donde** ella **diga.**
> *We're going to meet wherever she says.*

> Llena el formulario **según dice** el consejero.
> *Fill the form according to what the adviser says.*

> Llena el formulario **según diga** el consejero.
> *Fill the form according to whatever the adviser says.*

LENGUA

You learned that in Spanish, the subject is normally placed after the verb when asking a question: **¿La llamó el consejero?** *Did the adviser call her?* You may also postpone the subject in statements, especially when you wish to emphasize the subject. **La llamó el consejero.** *The adviser called her.*

- **Aunque** also requires the subjunctive when it introduces a condition not regarded as fact.

> Lo compro **aunque es** caro.
> *I'll buy it although it is expensive.*

> Lo compro **aunque sea** caro.
> *I'll buy it although it may be expensive.*

¿Qué dice usted?

👥 **14-8 ¿Acepto o no acepto?** A usted le han ofrecido un puesto en otra ciudad y está considerando la posibilidad de aceptarlo. Complete la oración **(No) Acepto...** usando las expresiones adverbiales de la izquierda y las selecciones apropiadas de la derecha. Su compañero/a debe decirle lo que piensa, escogiendo otras expresiones o selecciones.

MODELO: a menos que suban el sueldo aquí / (no) paguen la mudanza
           E1: Lo acepto a menos que me suban el sueldo aquí.
           E2: No lo aceptes a menos que te paguen la mudanza. *o*
                 Acéptalo a menos que no te paguen la mudanza.

a menos que	esta semana termine
para que	(no) venda la casa
con tal (de) que	los alquileres no sean altos
sin que	mi familia conozca el lugar
antes (de) que	haya oportunidades de ascenso
	mi esposo(a)/amigo(a) consiga un trabajo allí
	la compañía pague el seguro de hospitalización
	tengan un buen plan de retiro (*retirement*)
	mi familia pueda vivir mejor
	...

👥 **14-9 El trabajo a distancia.** Usted y su compañero/a trabajan desde su casa en un proyecto para una compañía en otra ciudad. Todo lo hacen en la computadora y se comunican por correo electrónico, fax y teléfono. Digan lo que van a hacer usando las expresiones de la izquierda y una frase apropiada de la columna de la derecha.

MODELO: Yo voy a trabajar en la computadora... empezar las noticias / ser la hora de cenar
           E1: Voy a trabajar en la computadora hasta que empiecen las noticias.
           E2: Y yo voy a trabajar hasta que sea la hora de cenar.

1. Voy a enviarles un fax en cuanto...	leer los mensajes electrónicos
2. Comeré después de que...	tener tiempo
3. Voy a comprobar estos números tan pronto como...	hablar con el jefe de ventas
	terminar el proyecto
4. No me acostaré hasta que...	ser muy tarde
5. Voy a trabajar esta noche aunque...	ser las 12:00
6. Te mandaré mi sección antes de que...	tener mucho sueño
	recibir la información
	...

👥 **14-10 Después de que termine el año escolar. Primera fase.** Usted quiere descansar y divertirse después de que terminen las clases, pero también quiere hacer algo por su comunidad. Complete tres de las opciones que le interesen en cada columna y añada una más para expresar sus propias ideas. Después comparta sus planes con su compañero/a.

DIVERSION

1. Quiero dormir hasta que...
2. No voy a abrir los libros aunque...
3. Tomaré unas vacaciones tan pronto como...
4. Iré a la playa todos los días a menos que...
5. ...

AYUDA COMUNITARIA

1. Trabajaré de voluntario donde...
2. Ayudaré en la biblioteca después de que...
3. Les serviré comidas a los desamparados (*homeless*) mientras...
4. Organizaré juegos infantiles en el parque para que...
5. ...

👥 **Segunda fase.** En pequeños grupos, preparen un plan para ayudar a su comunidad. En su plan deben identificar lo siguiente:

▪ sector de la comunidad
▪ tipo de ayuda
▪ frecuencia
▪ medios que van a usar
▪ resultados que esperan obtener

👥 **14-11 El hombre y la mujer en la sociedad.** Indique su opinión con una X en la columna apropiada. Después compare sus respuestas con las de un/a compañero/a. Si la respuesta es negativa, defiendan su opinión y expliquen cuándo o bajo qué condiciones ocurrirán los cambios necesarios.

MODELO: ...ocupan más o menos el mismo número de puestos importantes. No, los hombres ocupan la mayoría de los puestos importantes en las compañías y en el gobierno. Esto va a cambiar cuando las generaciones jóvenes puedan decidir más cosas en la sociedad.

LOS HOMBRES Y LAS MUJERES...	SI	NO
...reciben la misma educación.		
...son tratados de la misma forma en el trabajo.		
...ganan el mismo sueldo por el mismo trabajo.		
...tienen las mismas oportunidades.		
...hacen las mismas tareas domésticas.		
...tienen los mismos derechos en un divorcio.		

SITUACIONES

1. **Rol A.** Usted es el representante de los empleados de su compañía. Muchos de los empleados tienen niños pequeños y no pueden encontrar una guardería (*nursery*) adecuada. En uno de los edificios de la compañía hay un salón vacío que podría convertirse en guardería. Hable con el/la presidente/a de la compañía y explíquele: a) las necesidades de los empleados, b) la existencia del salón y c) las ventajas que una guardería tendría para la compañía y los empleados. Conteste sus preguntas de acuerdo con esta información: 25 niños, de 1 a 4 años de edad, 20.000 pesos, 3 empleados adicionales.

    Rol B. Usted es el/la presidente/a de una compañía y el representante de los empleados viene a verlo/la. Escuche su explicación y pregúntele: a) el número y edad de los niños, b) el costo de la adaptación del salón, y c) el número de empleados adicionales que se necesitarían. Después, dígale que va a hablar con la Junta Directiva y que le comunicará su decisión.

2. Ustedes acaban de ganar diez millones de dólares en la lotería y han decidido hacer donaciones a tres instituciones: su universidad, un hospital y un museo. Decidan a) cuánto dinero van a dar a cada institución, b) para qué quieren ustedes que se use y c) bajo qué condiciones.

3. The past perfect

■ Form the past perfect with the imperfect tense of **haber** and the past participle of the main verb.

	IMPERFECT *haber*	PAST PARTICIPLE
yo	había	
tú	habías	
Ud., él, ella	había	hablado
nosotros/s	habíamos	comido
vosotros/as	habíais	vivido
Uds., ellos/as	habían	

■ Use the past perfect to refer to a past event or action that occurred prior to another past event.

Los estudiantes **habían buscado** la información en la Internet antes de escribir el informe.	*The students had looked for the information in the Internet before writing the paper.*
Todos **habían terminado** a las dos.	*Everyone had finished at two.*

¿Qué dice usted?

👤👥 14-12 ¡Recuerdos! Primera fase. Marque con una X las opciones que representen su realidad y la de sus parientes o amigos en diferentes momentos de su vida. Luego compare sus respuestas con las de un/a compañero/a.

1. ___ Cuando yo tenía 10 años, ya había escuchado discusiones políticas en mi casa.
2. ___ Cuando cumplimos 17 años, mis amigos y yo ya nos habíamos inscrito en un partido político.
3. ___ Cuando terminé la escuela secundaria, mis padres ya me habían comprado un carro.
4. ___ Cuando empecé la universidad, yo ya había trabajado por lo menos en dos lugares y había ahorrado (*saved*) algún dinero.
5. ___ Cuando pasó el primer mes de clases en la universidad, yo ya me había acostumbrado a todo el trabajo que tenía que hacer.
6. ___ Cuando visité a mi familia después de algunos meses, ellos ya sospechaban que yo me había hecho más independiente.

Segunda fase. Ahora hable con su compañero/a de un miembro de su familia o de un/a amigo/a con respecto a lo siguiente:

- Una experiencia divertida, triste o increíble que había tenido antes de graduarse de la escuela secundaria.
- Dos logros —económicos, académicos, personales— que había conseguido antes de entrar a la universidad o antes de los 18 años.
- Algo positivo que le había ocurrido en su vida sentimental antes de cumplir los 25 años.

👥👥 14-13 ¡Qué familia tan colaboradora! La Sra. Jiménez, que ocupa un puesto importante en una multinacional, llegó tarde a su casa hoy. Todos los miembros de su familia habían ayudado con las tareas domésticas. Túrnese con su compañero/a para decir qué había hecho cada uno.

MODELO: Cuando iba a salir, le dijo a su esposo que probablemente llegaría un poco tarde.
Su esposo había cocinado para toda la familia.

1. Después del desayuno dejó los platos sucios en la lavadora de platos.
2. Antes de irse a la oficina, vio que había muchas hojas secas en el jardín.
3. Cuando salía de casa notó que el garaje estaba sucio.
4. Los dormitorios de sus hijos estaban desordenados y había ropa en el piso.
5. Como tenía prisa, dejó en su casa unas cuentas importantes que quería mandar por correo.
6. No llevó una ropa que quería dejar en la tintorería (*dry cleaner*).

 **14-14 Un día terrible y un día maravilloso.** Usted y su compañero/a trabajan en empresas que dependen mucho de los adelantos de la nueva tecnología. Ayer fue un día terrible para usted en el trabajo y un día maravilloso para su compañero/a. Cada uno/a va a contar todas las cosas que habían pasado antes de terminar el día.

MODELO: E1: Ayer fue un día terrible. Cuando llegué a mi oficina, alguien había usado mi computadora y había perdido unos documentos importantes. Un compañero...

E2: Fue un día maravilloso para mí. Cuando llegué al trabajo, mi jefe me dijo que habían comprado computadoras nuevas para todos los empleados. Yo...

LENGUA

O changes to **u** when it precedes a word beginning with **o** or **ho**.

usted o su familia →
usted **u** otro miembro
  de su familia

horas o minutos →
minutos **u** horas

 **14-15 Una encuesta. Primera fase.** Marque sus respuestas en la columna correspondiente y dígale a su compañero/a si usted u otros miembros de su familia habían hecho estas cosas antes del nuevo siglo (*century*).

MODELO: buscar trabajo en la Internet.
E1: Mi hermano y yo habíamos buscado trabajo en la Internet.
E2: Sólo yo había leído las noticias en la Internet.

	SI	NO	QUIENES
1. manejar un carro eléctrico			
2. hacer trabajo voluntario en la comunidad			
3. ir a una protesta estudiantil			
4. leer periódicos extranjeros en la Internet			
5. encontrar amigos por medio del correo electrónico			
6. comprar un televisor digital			

Segunda fase. En pequeños grupos averigüen cuáles son las tres actividades de la lista que marcaron más personas del grupo y qué miembros de la familia las hicieron. ¿Eran hombres o mujeres? Después comparen sus resultados con los de otros grupos.

SITUACIONES

Rol A. Usted es un/a importante hombre/mujer de negocios que fundó una compañía de encuestas. Conteste las preguntas que le va a hacer un/a reportero/a. Dele información detallada sobre cómo cree usted que se harán las encuestas en el futuro.

Rol B. Usted es un/a reportero que entrevista a un/a importante hombre/mujer de negocios que fundó una compañía de encuestas. Hágale preguntas para saber: a) la fecha de la fundación de la compañía, b) qué había hecho antes de fundar su compañía (estudios, puestos que ocupó, lugares de residencia, etc.) y c) su opinión sobre las encuestas en el futuro.

4. Infinitive as subject of a sentence and as object of a preposition

■ The infinitive is the only verb form that may be used as the subject of a sentence. As the subject, it corresponds to the English *-ing* form.

Caminar es un buen ejercicio.   *Walking is a good exercise.*
Fumar no es bueno para la salud.   *Smoking is not good for your health.*

■ Use an infinitive after a preposition.

Llama **antes de ir.**   *Call before going.*
No llegues **sin avisarles.**   *Don't arrive without letting them know.*

■ **Al** + infinitive is the equivalent of **cuando** + *verb*.

Al llegar, llamó al director.   *Upon arriving, he called the director.*
Cuando llegó, llamó al director.   *When he arrived, he called the director.*

¿Qué dice usted?

👤👤 **14-16 Los letreros en nuestra sociedad. Primera fase.** Todos estamos acostumbrados a ver letreros o avisos (*signs*) en muchos lugares. Con su compañero/a, diga dónde se ven avisos como éstos.

MODELO: No correr.
           E1: En el pasillo de una escuela.
           E2: En el área/la zona de una piscina.

1. Usar el cinturón de seguridad.
2. No tirar basura.
3. Disminuir la velocidad.
4. No traer vasos de cristal.
5. Usar cascos en esta área.
6. No abrir esta puerta.
7. No fumar.
8. Hablar en voz baja.

Segunda fase. Con su compañero/a prepare un letrero para mostrárselo a otra pareja. Ellos/as tienen que decir dónde sería bueno ponerlo y por qué. Después pueden compartir sus letreros con la clase.

👥 **14-17 Opiniones.** Marque con una X el casillero correspondiente en la tabla de acuerdo con su opinión. Después, compare sus respuestas con las de su compañero/a y añadan comentarios adicionales.

MODELO: dormir ocho horas
E1: Para mí, es necesario dormir ocho horas.
E2: Pues, para mí, dormir ocho horas es difícil. Trabajo mucho y generalmente, duermo seis.

ACTIVIDAD	IMPORTANTE	NECESARIO	DIVERTIDO	ABURRIDO	TERRIBLE	DIFICIL
mejorar las escuelas						
mantener las tradiciones familiares						
saber lo que pasa en el mundo						
usar el correo electrónico						
entender la televisión hispana						
conocer otras culturas						
trabajar por la comunidad						
conocer a los hombres/las mujeres						
ser madre/padre en estos tiempos						

👥 **14-18 Reacciones diferentes.** Averigüe qué hace su compañero/a en estos casos. Después, comparta sus reacciones con las de otro/a estudiante.

MODELO: antes de viajar en avión
E1: ¿Qué haces antes de viajar en avión?
E2: Antes de viajar en avión, normalmente compro unas revistas o pongo un buen libro en mi mochila.

1. antes de hacer un viaje largo en auto
2. antes de preparar un informe
3. después de leer las noticias en la Internet
4. después de asistir a un partido de fútbol
5. antes de dormir
6. antes de ir a una entrevista para un trabajo

👥 **14-19 ¡Viva la independencia!** Al convertirse en una pequeña empresaria muy exitosa, la señora Suárez ya tiene un buen capital, por lo tanto desea hacer otras cosas interesantes. ¿Qué resultados van a tener sus planes?

MODELO: E1: Piensa trabajar menos horas
              E2: Al trabajar menos tiempo, va a levantarse un poco más tarde.
              E1: Y al levantarse más tarde va a sentirse más relajada.

1. Le gustaría viajar por América Latina.
2. Quiere aprender a esquiar.
3. Desea tomar clases de pintura con un discípulo de Picasso.
4. Piensa pasar más tiempo con amigos.
5. Quiere contratar a dos empleados para que hagan su trabajo.
6. Como es divorciada, le gustaría conocer a alguien que sea compatible con ella.

👥 **14-20 Unos avisos.** En pequeños grupos, preparen unos avisos, compártanlos con la clase, y digan dónde se deben poner.

SITUACIONES

La Asociación de Estudiantes quiere publicar un documento sobre los derechos y los deberes de los estudiantes y les ha pedido la cooperación a su compañero/a y a usted. Preparen una lista de cinco derechos y cinco deberes que ustedes consideran básicos en una universidad que represente la sociedad actual. Compartan su lista con la clase. Decidan entre todos cuáles son los cinco derechos y los cinco deberes más representados.

mosaicos

A ESCUCHAR

A. ¿Lógico o ilógico? Indicate whether each of the following statements is **Lógico** or **Ilógico**.

LOGICO   ILOGICO   LOGICO   ILOGICO

1. _____   _____   5. _____   _____
2. _____   _____   6. _____   _____
3. _____   _____   7. _____   _____
4. _____   _____   8. _____   _____

B. Los cambios en la familia. Read the statements below before listening to this informal talk. You may wish to take notes. Then, listen to the talk to determine whether each of the following statements is **Cierto** or **Falso**.

	CIERTO	FALSO
1. En esta charla sólo se habla de la familia moderna.	_____	_____
2. Se discuten las responsabilidades de las familias en las ciudades y en el campo.	_____	_____
3. Según la charla, las tareas domésticas se dividen por igual entre los matrimonios jóvenes.	_____	_____
4. En la familia moderna, las mujeres tienen más estrés que antes.	_____	_____
5. El complejo de culpa es el resultado de las presiones y conflictos de la vida diaria en la familia.	_____	_____
6. En la charla no se menciona el problema de los divorcios.	_____	_____

A CONVERSAR

14-21 La sociedad del presente y futuro. Primera fase. Lea la siguiente noticia publicada en un periódico puertorriqueño.

VOTO POPULAR FAVORECE A UNA MUJER

- En un proceso electoral histórico, los puertorriqueños eligieron y depositaron el futuro de la isla en manos de Sila María Calderón, la primera gobernadora de Puerto Rico, una mujer con una vasta experiencia administrativa en el sector público (fue seis años secretaria de la Gobernación y secretaria de Estado durante tres años) y también en el privado.

- Su nutrida y ambiciosa agenda política incluye, entre otros proyectos, desarrollar los polos industriales, poner bajo tierra la cablería en el centro de la ciudad, municipalizar el muelle y el aeropuerto de Mayagüez.

- El pueblo puertorriqueño, por su parte, tiene sus propias expectativas: una reforma gubernamental profunda, la erradicación de la corrupción del gobierno, la urgente creación de empleos, la reconciliación entre todos los sectores del país, la paz, la justicia y la equidad en Vieques después de 60 años de negligencia por parte del gobierno puertorriqueño y estadounidense.

Segunda fase. En grupos pequeños, primero identifiquen por lo menos tres problemas experimentados por los puertorriqueños antes de elegir a la señora Sila María Calderón. Luego, indiquen de qué manera los solucionará la nueva gobernadora. Finalmente, comparen sus conclusiones con otro grupo o con la clase.

14-22 ¡Problemas en casa! Con un/a compañero/a conversen sobre los siguientes temas de actualidad. Háganse preguntas y utilicen en sus respuestas las expresiones indicadas. Tomen notas de la información obtenida.

MODELO: la falta de seguridad en las escuelas
E1: ¿Crees que podamos terminar con la falta de seguridad en las escuelas?
E2: Sí, cuando haya más disciplina y eduquemos mejor a los niños.

TEMAS DE ACTUALIDAD	DESPUES DE QUE	TAN PRONTO COMO	EN CUANTO	CUANDO
la igualdad para las mujeres				
la eutanasia asistida				
la píldora abortiva				
el fin de las pandillas (*gangs*)				
la prohibición de las armas				
el descubrimiento de una cura para el sida (*AIDS*)				

14-23 La asistencia social. Con un/a compañero/a, identifique cuatro razones por las cuales algunas personas dependen de la asistencia social. Luego, comenten qué harían ustedes para solucionar cada uno de los problemas que la causan.

A LEER

14-24 Preparación. Con un/a compañero/a, discutan qué palabras o símbolos asocian ustedes con la relación de una pareja.

1. ___ una paloma (*dove*)
2. ___ el corazón
3. ___ querer, amar
4. ___ odiar, detestar
5. ___ un canario

6. ___ atrapar
7. ___ una jaula donde viven pájaros
8. ___ comprensión
9. ___ liberar
10. dar

14-25 Vivencias. Lea las frases siguientes. Luego comente con un/a compañero/a si ustedes mismos han dicho esas palabras alguna vez o las han escuchado decir. ¿En qué circunstancias dijeron estas frases o las escucharon?

1. Me siento como un/a prisionero/a.
2. Por favor, déjame escapar.
3. Te amo.
4. No me pidas que te comprenda.
5. El problema es que tú no me entiendes.

6. Quiero volar como un pájaro.
7. Vivo sin libertad como un pájaro en una jaula.
8. Suéltame. Déjame ir.

14-26 Primera mirada. Lea el siguiente poema y, luego, siga las instrucciones.

Hombre pequeñito
de Alfonsina Storni

Hombre pequeñito, hombre pequeñito,
Suelta a tu canario, que quiere volar…
Yo soy el canario, hombre pequeñito,
Déjame saltar.
Estuve en tu jaula, hombre pequeñito,
Hombre pequeñito que jaula me das,
Digo pequeñito porque no me entiendes,
Ni me entenderás.
Tampoco te entiendo, pero mientras tanto
Ábreme la jaula que quiero escapar;
Hombre pequeñito, te amé media hora.
No me pidas más.

Garganigo, et al. *Huellas de las literaturas hispanoamericanas.*
New Jersey: Prentice Hall, 1997.

Primera exploración. Indique si las siguientes afirmaciones son interpretaciones correctas (C) o incorrectas (I) del poema. Si son incorrectas explique por qué.

_____ 1. El poema tiene un tono alegre.

_____ 2. La persona que habla en este poema es un hombre.

_____ 3. La voz del poema siente que la persona con quien conversa es un/a opresor/a.

_____ 4. La persona con quien la voz dialoga lo/la trata bien y lo/la hace feliz.

_____ 5. La persona piensa que su pareja no la comprende ahora, pero lo hará en el futuro.

_____ 6. La expresión 'pequeñito' en este poema significa que la persona es 'de baja estatura'.

_____ 7. La voz del poema quiere continuar viviendo con su compañero/a.

_____ 8. El/La hablante del poema desea darle amor a su pareja.

14-27 Segunda exploración. Marque el tono de cada una de las siguientes citas según el contexto del poema: tono irónico (TI), tono de seguridad (TS), tono de ruego, súplica (TR), tono de desesperanza (TD).

_____ 1. Hombre pequeñito, hombre pequeñito,

_____ 2. Suelta a tu canario.

_____ 3. Digo pequeñito porque no me entiendes.

_____ 4. Ni me entenderás.

_____ 5. Tampoco te entiendo,…

_____ 6. Ábreme la jaula…

_____ 7. …quiero escapar

_____ 8. No me pidas más.

 # A ESCRIBIR

14-28 Preparación. Prepárese para escribir su propio poema, siguiendo como modelo el poema que acaba de leer.

▪ Primero, decida si su poema será para alguien del sexo femenino o masculino.

▪ Luego, piense en una o dos palabras que describan a esta persona a la que usted alude.

▪ Ahora, identifique un objeto, un animal, u otro elemento que describa sus sentimientos sobre su relación con esa persona.

▪ Después, escriba tres o cuatro cosas que usted le pide a la persona que haga por usted.

▪ Luego, indique un lugar que usted asocia con esta relación.

▪ Finalmente, mencione una o dos cosas que usted puede pedirle a la persona que no haga.

14-29 Manos a la obra. Ahora, escriba el poema. Puede darle un tono alegre o triste. No se olvide de darle un título.

Título: _____

Autor: _____

_____, _____,

_____ a tu _____, que quiere _____

Yo soy _____, _____,

_____.

_____, _____,

_____ que _____ me das.

Digo _____porque no _____,

Ni _____.

Tampoco te _____, pero mientras tanto

_____ que quiero _____;

_____, te _____ media hora.

No me _____ más.

14-30 Revisión. Lea su poema una vez más. ¿Esta usted satisfecho/a con el mensaje que le da a la persona a quien se lo escribe? ¿Son comprensibles y coherentes las ideas? ¿Siente usted que el poema tendrá el efecto que usted quiere darle? Dele el poema a un/a compañero/a para que lo disfrute.

Vocabulario*

La sociedad

la calidad	quality
el censo	census
la confianza	trust
la creencia	belief
el deber	duty
la desventaja	disadvantage
el divorcio	divorce
la eficiencia	efficiency
el enlace	link
la felicidad	happiness
la fuerza laboral	work force
el hogar	home
la honestidad	honesty
la igualdad	equality
el ministerio	ministry
la necesidad	need
el poder	power
la separación	separation
la ventaja	advantage

Encuestas

los datos	data
la estadística	statistic
la fuente	source
la mayoría	majority
el promedio	average
el perfil	profile
el porcentaje	percentage

Personas

el varón	male
el/la vecino/a	neighbor
la viuda	widow
el viudo	widower

Descripción

actual	present, current
adulto/a	adult
enérgico/a	energetic
fiable	trustworthy
financiero	financial
notable	notable, noteworthy
solo/a	alone

Verbos

anunciar	to announce, to tell
carecer (zc)	to lack
casarse	to get married
consultar	to consult
continuar	to continue
divorciarse	to divorce
encontrar (ue)	to find
independizarse (c)	to become independent/ liberated
proceder (de)	to come from
quejarse	to complain
realizar (c)	to carry out
saltar	to jump

Palabras y expresiones útiles

los demás	the rest, others
el nivel	level
por otra parte	on the other hand
la sucursal	branch (business)

* For a list of adverbial conjunctions, see page 468.

La democracia en los países hispanos

Para pensar

¿Qué tipo de gobierno existe en los Estados Unidos? ¿Cuántos años hace que existe este tipo de gobierno? ¿Sabe Ud. qué tipo de gobierno tienen los diferentes países hispanos? ¿Hay algún país hispano que tenga una monarquía? ¿Cuál? ¿Hay algún país hispano que tenga una dictadura? ¿Cuál?

La mayor parte de los países hispanos, con excepción de Cuba, tiene un gobierno democrático, pero ésta no ha sido siempre la situación.

Después que los diferentes países de la América Latina declararon su independencia de España en el siglo XIX, hubo un período de gran inestabilidad política y económica durante el cual muchos caudillos o dictadores conservadores dominaron la región. Esta inestabilidad política continuó durante gran parte del siglo XX. Así, hubo dictaduras militares en Nicaragua, Guatemala, Panamá, la República Dominicana, Venezuela, Colombia, Ecuador, Bolivia, Perú, Chile, Uruguay, Paraguay, Argentina, pero además hubo revoluciones que afectaron la estructura socioeconómica de muchos países como México, Bolivia, Cuba, Nicaragua, Chile y Perú.

Los cambios políticos de los últimos 35 años han restablecido la democracia en muchos países de América Latina. Sin embargo, debido a las grandes desigualdades sociales y a la multitud de problemas económicos han surgido grupos guerrilleros o revolucionarios en algunos países, como por ejemplo en el Perú, Colombia y México.

En algunos países, además de la guerrilla, existe el problema del narcotráfico, que también amenaza la paz y la democracia.

En España, después de la muerte del dictador Franco en 1975 y la subida al trono del Rey Juan Carlos I, se inició el camino hacia la democracia, lo que no fue fácil. En 1977 se celebraron elecciones generales donde se votó por las Cortes que elaborarían una nueva constitución; ésta fue aprobada en 1978. El carácter pacífico de la transición política española, que contó con el apoyo del rey, ha servido de ejemplo a numerosas democracias jóvenes de todo el mundo. Sin embargo, España aún no ha resuelto uno de sus más graves problemas: el terrorismo. A pesar de que la diversidad cultural de España está protegida y garantizada por los estatutos (*laws*) de autonomía de las distintas regiones, el grupo terrorista ETA exige la independencia política para el País Vasco, al norte de la península y, por esta causa, ha causado la muerte de cientos de personas inocentes.

Para contestar

La democracia. Con su compañero/a responda a las siguientes preguntas:

1. ¿Qué tipo de problemas políticos han tenido los países hispanoamericanos desde su independencia de España?
2. ¿Cuáles, en su opinión, son los problemas que afectan la democracia en América Latina más seriamente?
3. ¿Qué sistema de gobierno existe en España? ¿Cuándo se inició?

Riqueza cultural. En grupos pequeños, busquen información en la Internet sobre uno de los siguientes temas y mencionen cuáles han sido las causas y las consecuencias de su surgimiento. Después, informen a la clase sobre sus conclusiones.

- La revolución cubana
- El narcotráfico en Colombia
- El movimiento guerrillero en México (Chiapas)
- El proceso democrático en el Perú y Venezuela
- Las dictaduras de los años setenta (Chile, Uruguay, Argentina)

 ## Para investigar en la WWW

1. Busque el nombre y la afiliación política de los presidentes de cinco países hispanos. Traiga esta información a clase y haga una presentación acerca de lo que averiguó. Sus compañeros/as, divididos/as en grupos, escogerán a uno de esos presidentes y darán su opinión sobre su labor, basándose únicamente en lo que usted presentó.

2. Con un/a compañero/a, busque información sobre un movimiento guerrillero en un país hispano. Diga cuáles son sus objetivos y cuáles han sido sus actividades en los últimos años. Después, presenten un resumen de las acciones del gobierno de ese país para combatir la guerrilla. Sus compañeros/as darán su opinión sobre los efectos que ese movimiento ha tenido en la sociedad y la economía del país y sobre las acciones del gobierno. Si necesita información, puede ir a: *www.prenhall.com/mosaicos*.

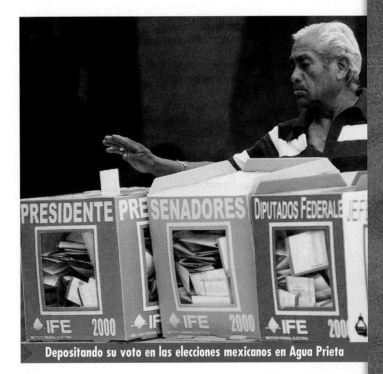
Depositando su voto en las elecciones mexicanos en Agua Prieta

3. Busque información acerca de un país hispano donde la democracia o el proceso democrático se vean amenazados. Presente esta información en clase y pídales a sus compañeros/as su opinión acerca de la situación, qué recomendaciones harían para solucionar esta situación, etc. Puede visitar *www.prenhall.com/mosaicos* para empezar su investigación.

ENFOQUE INTERACTIVO

Fortunas

  A MIRAR EL VIDEO 5:00

 Watch the *Fortunas* video segment for *Lección 14* in class or on your CD-ROM. Were you expecting the final twist in the seventh *misterio*? What do you think about Sabrina and Katie?

Now complete the accompanying video activities on the CD-ROM. This is your chance to interact with the video characters!
25:00

Triunfo final

El concurso

In this episode of *Fortunas* we see the last *misterio* solved and the final *fortuna* claimed. The contest is not over yet but the end is certainly within sight. It seems that Katie was actually able to win the admiration of the other contestants. Everyone saw her as the key to winning. And, after one more vote, we'll see if they were right.

Misterio Nº 7: Casa de belleza

Pistas
1. Accidente famoso
2. La bella y la bestia
3. Matrimonio tumultuoso
4. Vestidos de Tehuana

 LA BÚSQUEDA 5:00

For anyone who knows the story of Frida Kahlo, "*accidente famoso*" and "*vestidos de Tehuana*" are easy clues. "*La bella y la bestia*," of course, is a reference to her relationship with Diego Rivera. Did you figure out that the solution was the *Museo Frida Kahlo* located in Coyoacán? What is your unofficial score at this point? Go to the *Fortunas* module to review this year's *misterios* and their locations. How do the three *fortunas* follow the history and culture of Mexico and fall into three major time periods?

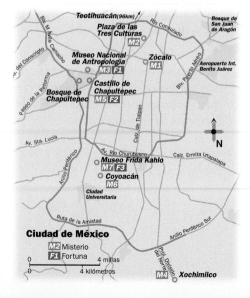

Ciudad de México
M2 Misterio
F1 Fortuna

¿QUÉ OPINA USTED? 5:00

After each episode, you vote in the *Fortunas* viewer poll and award points to different contestants. The final poll is worth 500 points and will determine this year's winner. The race is down to two players: Sabrina and Katie. Spend some time thinking about both women, their strong points, and the way they have played the game. Decide who you think should win. Then, go to the *Fortunas* module and click on *¿Qué opina usted?* to cast your final vote.

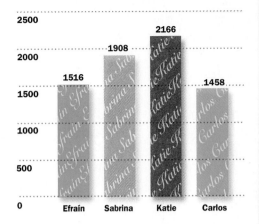

 PARA NAVEGAR 10:00

LA DEMOCRACIA

Hoy en día casi damos por sentada (*take for granted*) la democracia. El concurso *Fortunas* se basa en el derecho a votar y seleccionar democráticamente. Pero la democracia ha seguido un camino diferente en el mundo hispano. Desde la monarquía española a las guerras de la independencia y las dictaduras militares, la democracia ha sido un derecho ganado a través de la lucha constante y el sacrificio personal.

Vicente Fox, el presidente de México

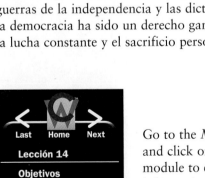

Go to the *Mosaicos Website* and click on the *Para navegar* module to explore links to information on democracy and politics in the Hispanic world. Follow the links and then complete the related activities.

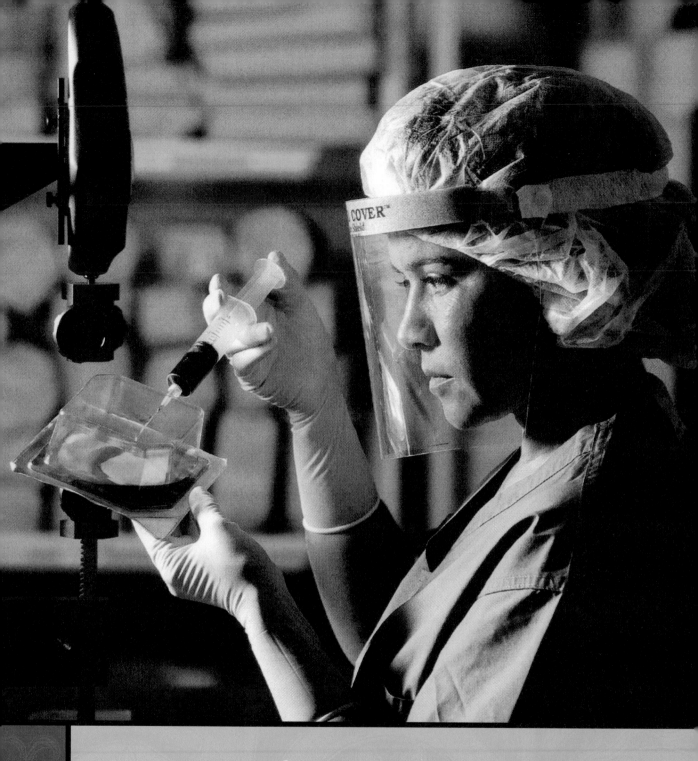

Lección 15

La ciencia y la tecnología

COMUNICACION

- Talking about advances in science and technology
- Giving opinions and making suggestions
- Hypothesizing about the present and the future
- Softening requests and statements
- Expressing unexpected occurrences
- Expressing contrary-to-fact conditions in the present

ESTRUCTURAS

- The imperfect subjunctive
- *If*-clauses
- **Se** for unplanned occurrences

MOSAICOS

A ESCUCHAR

A CONVERSAR

A LEER

- Identifying the narrator of the story
- Recognizing prefixes and suffixes

A ESCRIBIR

- Expressing agreement and disagreement
- Speculating about the future

ENFOQUE CULTURAL

- La economía, la industria y la tecnología en los países hispanos

ENFOQUE INTERACTIVO

 WWW   VIDEO   CD ROM

A primera vista

La conservación del medio ambiente

Practice activities for each vocabulary section are provided on the CD-ROM and website (www.prenhall. com/mosaicos)

¡AÚN ES TIEMPO! La reserva de la biosfera es nuestra oportunidad

La reserva de la biosfera del alto Golfo de California y del delta del río Colorado puede ser la salvación de nuestra cultura pesquera. Juntos vamos a desarrollar un plan que nos permita manejar la reproducción y recuperación de los recursos naturales y de esta manera, asegurar nuestro bienestar y el de nuestros hijos.

¡El éxito depende de su participación!

La cuenca del río Amazonas cubre un área de más de 7 millones de kilómetros cuadrados, región comparable en extensión a dos terceras partes del territorio de los Estados Unidos. Debido a su densa vegetación selvática, esta área es conocida como el "pulmón" del planeta. Hoy en día, miles de campesinos llegan a la selva en busca de tierra para cultivar. La deforestación se considera una pérdida irreparable para el medio ambiente del planeta.

¿Qué dice usted?

👤👤 **15-1 Amigos de la tierra.** Usted y su compañero/a van a llenar la siguiente tabla de acuerdo con la información presentada. Después, hablen de la gravedad de cada situación y den ideas para mejorarla.

TEMA	PROBLEMA	ESTRATEGIA
La industria pesquera		
Los bosques tropicales		

👤👤 **15-2 El futuro.** Haga una lista de por lo menos cinco adelantos científicos o cambios sociales que espera que se realicen en el siglo XXI. Compare su lista con la de su compañero/a.

👤👤👤 **15-3 El problema más serio de hoy.** Preparen un informe oral sobre su preocupación principal en cuanto al futuro del mundo y del ser humano. Incluyan soluciones posibles. Presenten sus ideas a la clase.

A INVESTIGAR

Busque información en la Internet sobre organizaciones como Greenpeace o el Club Sierra, cuyo propósito es la protección del medio ambiente. Escoja una de esas organizaciones y prepare un breve informe oral con la siguiente información:

- ¿Qué objetivos tiene la organización?
- ¿Cómo se financia? ¿Quiénes trabajan en ella?
- ¿Cuál fue una de sus campañas recientes? ¿Qué objetivos tenía? ¿Cómo la realizaron?

¿Qué nos espera en el futuro?

La ciudad del futuro

● LAS CIUDADES

- Se construirán ciudades verticales con edificios climatizados usando energía solar. Algunas se construirán sobre el mar.
- El 90% de la población vivirá en las ciudades.
- Las basuras urbanas serán recicladas.

● LA ATMOSFERA

- La atmósfera sufrirá un calentamiento que hará subir el nivel del mar por los deshielos, provocando inundaciones.
- La contaminación de los mares provocará la extinción de los bancos de peces.
- El agujero de la capa de ozono hará aumentar el número de enfermos de cáncer de piel.
- Se cultivarán plantas que mejoren la calidad del aire.

● LAS VIVIENDAS

▓ Todos los hogares estarán conectados a la Internet. Las compras de alimentos se harán virtualmente.

▓ Las puertas y los aparatos electrónicos serán activados por la voz.

▓ Habrá robots que se ocuparán de hacer la limpieza.

● EL TRANSPORTE

▓ Los trenes de alta velocidad conectarán las grandes ciudades y circularán por rieles suspendidos a la altura de los edificios.

▓ Los coches combinarán la energía eléctrica y la energía solar. Serán pequeñas cápsulas voladoras que podrán despegar y aterrizar verticalmente.

▓ El tráfico aéreo será controlado por satélite.

● LA CIENCIA Y LA TECNOLOGIA

▓ Habrá clonaciones de animales extinguidos.

▓ Los embriones humanos se seleccionarán genéticamente.

▓ Todos los teléfonos móviles tendrán una computadora incorporada.

▓ Los pacientes serán tratados en sus casas mediante la telemedicina.

¿Qué dice usted?

👥 **15-4 Un futuro mejor. Primera fase.** Con un/a compañero/a comparen las ciudades de hoy con las del futuro basándose en las ilustraciones anteriores. Consideren por lo menos dos de las siguientes variables: uso de ciencia-tecnología, medio ambiente, transporte, calidad de vida para los ciudadanos, criminalidad, delincuencia, consumismo, salud.

Segunda fase. Ahora hable con su compañero/a sobre dos problemas específicos que existen en la ciudad del presente. Hagan una lista de dos aspectos de cada problema que les gustaría mejorar. Luego, compartan sus ideas con el resto de la clase.

MODELO: En la ciudad contemporánea hay poca seguridad física. Cualquier persona puede tener un arma y matar a quien quiera. Nos gustaría proponer una ley para limitar el uso de las armas de fuego.

👥 **15-5 Un mundo de tecnología.** Piense en el impacto de la tecnología en su vida. Anote tres actividades diarias en las cuales usted usa una forma de telecomunicación o una computadora. Compare sus notas con las de dos de sus compañeros/as. Según ustedes, ¿es optativo u obligatorio el uso de la tecnología hoy en día?

👥 **15-6 ¡El futuro es hoy!** Haga una lista de cinco cosas que existen hoy y que no existían cuando sus padres tenían su edad. Compare su lista con las de dos de sus compañeros/as y expliquen el impacto y las consecuencias de estas nuevas cosas en sus vidas.

©Joaquín S. Lavado, QUINO, Toda Mafalda, Ediciones de la Flor, 1997.

👥 **15-7 Los OVNIS (Objetos Voladores No Identificados).** En grupo, imagínense que han visto una nave espacial de otro planeta. Describan todo lo que vieron, comentando las semejanzas y las diferencias entre ustedes y los vecinos desconocidos.

Nuevas fronteras

Alcanzando las estrellas

Franklin Chang Díaz inventó un motor de cohete que se espera transporte a seres humanos al planeta Marte.

Cuando tenía 9 años, Chang Díaz construyó su propia nave espacial usando una silla de la cocina y una caja de cartón. A los 15 años, diseñó un cohete mecánico y lo disparó hacia el cielo con un pobre ratoncito en la cabina, ¡y el ratón regresó a la tierra sano y salvo gracias a un paracaídas!

Originalmente de Costa Rica, Chang Díaz es el astronauta hispanoamericano más destacado de la NASA y el primer director latino del Laboratorio de Propulsión Avanzada de la NASA en Houston. En 1986, Chang Díaz llegó a ser el primer hispanoamericano que viajó en el transbordador espacial.

Fuente: *People en español*, Otoño, 1996

Ellen Ochoa es la primera mujer hispana astronauta. En 1990 fue seleccionada por la NASA y poco después cumplió su primera misión espacial. A bordo del *Discovery* fue en 1999 a la estación espacial internacional para llevar equipo y repuestos.

Una astronauta hispana

¿Qué dice usted?

👥 **15-8 ¿Vamos al planeta Marte?** ¿Cree usted que, durante su vida, será posible viajar al planeta Marte? Con un/a compañero/a, planee el viaje y explique con quiénes irán, qué llevarán, cuánto tiempo tardarán en llegar, qué verán allí y cómo se sentirán física y emocionalmente en este nuevo ambiente. Compartan su plan con otros "astronautas" para formular el mejor plan posible.

 A ESCUCHAR

El problema de la alimentación. You will hear a short talk about the problem of feeding the world population. You may read the statements below before listening to the talk and/or take notes. As a final step, determine whether each statement is **Cierto** or **Falso**.

	CIERTO	FALSO
1. Los científicos están trabajando para resolver el problema de la alimentación.	_____	_____
2. El Instituto Internacional para la Investigación del Arroz está en los Estados Unidos.	_____	_____
3. No hay centros de estudio para mejorar la alimentación en el Tercer Mundo.	_____	_____
4. La ingeniería genética ha producido mejoras en la producción de arroz.	_____	_____
5. Las viejas técnicas de cultivo tendrán que cambiar para aumentar la productividad.	_____	_____
6. Las nuevas técnicas de cultivo y la ingeniería genética han aumentado la producción de arroz en un 1 por ciento.	_____	_____

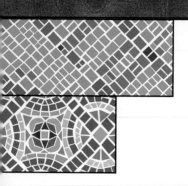

Explicación y Expansión

1. The imperfect subjunctive

In **Lecciones 10, 11, 12,** and **14,** you studied the forms and uses of the present subjunctive. Now you will study the past subjunctive, which is also called the imperfect subjunctive. All regular and irregular past subjunctive verb forms are based on the **ustedes, ellos/as** form of the preterit. Drop the **-on** preterit ending and substitute the past subjunctive endings. The following chart will help you see how the past subjunctive is formed. Note the written accent on **nosotros** forms.

		HABLAR (hablar~~on~~)	COMER (comier~~on~~)	VIVIR (vivier~~on~~)	ESTAR (estuvier~~on~~)
	yo	hablara	comiera	viviera	estuviera
	tú	hablaras	comieras	vivieras	estuvieras
Ud., él, ella		hablara	comiera	viviera	estuviera
nosotros/as		habláramos	comiéramos	viviéramos	estuviéramos
vosotros/as		hablarais	comierais	vivierais	estuvierais
Uds., ellos/as		hablaran	comieran	vivieran	estuvieran

PAST OR IMPERFECT SUBJUNCTIVE

- The present subjunctive is oriented to the present or future while the past subjunctive focuses on the past. In general, the same rules that determine the use of the present subjunctive also apply to the past subjunctive.

  HOY → PRESENT SUBJUNCTIVE

  Los astronautas quieren que los trajes espaciales **sean** más ligeros.
  The astronauts want that the space suits be lighter.

  Van a cambiar los trajes espaciales para que **sean** más ligeros.
  They are going to change the space suits so they'll be lighter.

  AYER → PAST SUBJUNCTIVE

  Los astronautas querían que los trajes espaciales **fueran** más ligeros.
  The astronauts wanted that the space suits be lighter.

  Cambiaron los trajes espaciales para que **fueran** más ligeros.
  They changed the space suits so they would be lighter.

- Use the past subjunctive after the expression **como si** (*as if, as though*). The verb in the main clause may be in the present or in the past.

  Gastan dinero en aparatos electrónicos **como si fueran** ricos.
  They spend money in electronic gadgets as though they were rich.

  Hablaba con el científico **como si entendiera** el problema.
  He talked with the scientist as if he understood the problem.

¿Qué dice usted?

👥 **15-9 Cuando era niño/a.** Con su compañero/a hable sobre lo que querían o no querían sus padres que ustedes hicieran cuando eran niños/as.

MODELO: mirar televisión por la noche
E1: ¿Querían que miraras televisión por la noche?
E2: Sí, (No, no) querían que mirara televisión por la noche.

1. comer vegetales
2. estudiar ciencias
3. ver programas violentos
4. cuidar el medio ambiente
5. tener juguetes electrónicos
6. ...

👥 **15-10 En el laboratorio.** Pedro es muy inteligente, pero muy distraído y un poco irresponsable. Hoy hizo unos experimentos con un científico en el laboratorio. ¿Qué le dijo el científico en estas situaciones? Túrnese con su compañero/a para dar respuestas lógicas.

MODELO: Pedro no se puso los guantes para hacer el experimento.
(El científico) le dijo que se pusiera los guantes.

1. Llegó tarde al laboratorio.
2. Él escuchaba música mientras hacía un experimento.
3. Dejó una botella de alcohol cerca de una estufa.
4. No esterilizó unos instrumentos.
5. Recibió una llamada en su celular.
6. La mesa donde Pedro trabajaba estaba muy desordenada.

👥 **15-11 Alguien que no nos cae bien.** Ustedes conocen a una persona que cree que es mejor que nadie. En pequeños grupos, digan cómo se comporta esta persona en cada uno de los siguientes aspectos. Pueden usar los verbos que aparecen más abajo o usar otros.

MODELO: hablar
Habla como si fuera más inteligente que sus amigos.

| manejar | vivir | usar | gastar |
| discutir | cambiar | vestirse | caminar |

▧ su dinero/finanzas
▧ su estilo de vestir
▧ conversaciones con otras personas
▧ la manera en que maneja su automóvil

👥 **15-12 Un tren de alta velocidad.** El mes pasado comenzó a prestar servicio un tren de alta velocidad que conecta diferentes ciudades en la zona donde usted vive. En grupos pequeños, hablen de la situación actual del tren y compárenla con la situación de antes. Compartan sus opiniones con las de otros grupos. ¿En qué está de acuerdo toda la clase?

SITUACIONES

Rol A. Usted es muy consciente de la contaminación y el deterioro del medio ambiente y se ha unido a un grupo ecológico que quiere mejorar la situación. Hable con su compañero/a y explíquele: a) quiénes forman parte del grupo, b) para qué lo formaron y c) qué han hecho hasta ahora. Conteste las preguntas de su compañero/a y dígale cómo se siente como miembro de este grupo.

Rol B. Su compañero/a le da información sobre un grupo ecológico al cual él/ella pertenece. Después de escucharlo/la, hágale preguntas para obtener más información (responsabilidades de los miembros, reuniones, etc.). Después dígale: a) que usted está interesado/a en participar y b) averigüe la fecha y la hora de la próxima reunión.

2. *If*-clauses   *use ppt.*

- Use the present or future indicative in the main clause and present indicative in the *if*-clause to express what happens or will happen if certain conditions are met.

> **Puedes** obtener información sobre el Amazonas si la **buscas** en la Internet.
> *You can get information on the Amazon if you look for it in the Internet.*

> Los bosques van a desaparecer si **continuamos** cortando árboles.
> *Forests will disappear if we continue cutting trees down.*

> Si **cuidamos** nuestros recursos naturales, las generaciones futuras **tendrán** una vida mejor.
> *If we take care of our natural resources, future generations will have a better life.*

- Use the imperfect subjunctive in the *if*-clause to express a condition that is unlikely or contrary-to-fact. Use the conditional in the main clause.

> Si le **dieran** más dinero al aeropuerto, el tráfico aéreo **podría** mejorar.
> *If the airport were to get more money, air traffic could improve.*

> Si **usáramos** la energía solar en las casas, **ahorraríamos** mucho petróleo.
> *If we used solar energy in our homes, we would save a lot of oil.*

¿Qué dice usted?

👤👤 **15-13 El mundo que todos queremos.** Con su compañero/a, complete las oraciones de la izquierda con una conclusión lógica. En algunos casos, puede haber varias posibilidades.

1. Si tuviéramos más disciplina en las escuelas, _b_

2. Si hubiera menos violencia en la televisión, _e_

3. Si cuidáramos más nuestro planeta, _a_

4. Tendríamos un mundo mejor

5. Si hubiera trenes de alta velocidad

6. Gastaríamos menos gasolina

a. no contaminaríamos tanto el medio ambiente.

b. los alumnos aprenderían más.

c. si todos nos respetáramos más.

d. las personas manejarían menos en las carreteras.

e. habría menos problemas en la sociedad.

f. si usáramos el transporte público.

👤👤 **15-14 ¿Qué pasa si... ?** Túrnese con su compañero/a para decir qué resultados se pueden obtener si se hacen ciertas cosas.

MODELO: leer los periódicos
                Si leen los periódicos regularmente, sabrán qué está pasando en el mundo.

1. aprender otra lengua
2. reciclar plásticos y papel
3. proteger los recursos naturales
4. decir que "no" a las drogas
5. tener correo electrónico
6. construir estaciones espaciales

👤👤 **15-15 ¿Cómo sería el mundo... ?** Con su compañero/a, den sus razones para explicar cómo sería el mundo si se dieran estas circunstancias. Después, compartan sus ideas con las de otros/as estudiantes.

1. si no hubiera televisión
2. si viviéramos 150 años
3. si no hubiera discriminación
4. si no hubiera fronteras entre los países
5. si pudiéramos viajar en autos supersónicos a todas partes
6. ...

👤👤👤 **15-16 Cambios.** En pequeños grupos, comenten qué harían en las siguientes áreas, si pudieran hacer cambios para mejorar las condiciones de vida en el país.

1. la falta de seguridad en las calles
2. las leyes de inmigración
3. la contaminación
4. los guetos (*ghettos*)
5. ...

SITUACIONES

Su universidad ha recibido una donación considerable de dinero para establecer un programa de reciclaje con la condición de que los alumnos participen y organicen parte del programa. Su compañero/a y usted desean participar en este proyecto. Expliquen detalladamente lo que harían (qué reciclar, dónde, personal necesario, gastos, etc.) si pudieran participar en el programa.

3. *Se* for unplanned occurrences

■ Use **se** + *indirect object* + *verb* to express unplanned or accidental events. This construction emphasizes the event in order to show that no one is directly responsible.

Se **les apagaron** las luces.	*Their lights went out.*
A él **se le acabó** el dinero.	*He ran out of money.*
Se **nos olvidó** el número.	*We forgot the number.*
A los Álvarez se **les descompuso** la computadora.	*The Álvarez's computer broke down.*
Se **te rompió** la chaqueta.	*Your jacket got torn.*

■ Use an indirect object pronoun (**me, te, le, nos, os, les**) to indicate whom the unplanned or accidental event affects. Place it between **se** and the verb. If what is lost, forgotten, and so on, is plural, the verb also must be plural.

Se **me quedó** el dinero en el hotel.	*I left the money in the hotel.*
Se **me quedaron** los boletos en casa.	*I left the tickets at home.*

¿Qué dice usted?

👥 **15-17 ¿Qué les pasó?** Con su compañero/a, túrnense para contestar las preguntas de la columna de la izquierda completando las oraciones de la columna de la derecha.

MODELO: E1: ¿Dónde está tu cámara? Se me perdió...
               E2: Se me perdió en la universidad.

1. ¿Qué les pasó anoche?	Se nos apagaron...
2. ¿Por qué llegaste tarde?	Se me descompuso...
3. ¿Por qué no almorzaron?	Se nos acabó...
4. ¿Qué le pasó al astronauta?	Se le cayó...
5. ¿Dónde está tu celular?	Se me quedó...
6. ¿Dónde están las computadoras portátiles?	Se nos olvidaron...

15-18 Muchos problemas. Ayer tuvieron muchos problemas en el laboratorio de ingeniería genética. Explique qué les pasó usando las sugerencias entre paréntesis.

MODELO: El doctor no pudo completar el experimento. (olvidarse la fórmula)
           Se le olvidó la fórmula.

1. Los técnicos estaban preocupados. (romperse el microscopio)
2. El director no fue. (enfermarse un hijo)
3. Los ayudantes llegaron tarde. (acabarse la gasolina)
4. La doctora Milán no pudo entrar en el laboratorio. (perderse las llaves)
5. El subdirector no recibió su correo electrónico. (descomponerse la computadora)
6. Un técnico estaba histérico. (perderse unos datos importantes)

15-19 ¿Qué pasó? Túrnense para describir lo que ustedes ven en los dibujos y después digan qué les pasó a las personas.

MODELO: María no se sentía bien y decidió llamar al doctor. Buscó un teléfono público y quiso llamar, pero se le olvidó el número.

¿Cuál es el número?

a.

b.

c.

 **15-20 Un día terrible.** Su compañero/a y usted tuvieron un día terrible ayer. Túrnense para decir qué les pasó usando **se** + un pronombre.

MODELO: No estudié porque...   No te llamé porque...
           E1: No estudié porque se me perdió el libro.
           E2: Y yo no te llamé porque se me descompuso el teléfono.

USTED	SU COMPAÑERO/A
Antes de salir de casa...	Cuando desayunaba...
No hice el experimento porque...	No almorcé porque...
Cuando iba a casa en el auto...	Cuando caminaba para casa...
...	...

SITUACIONES

Rol A: Usted está manejando por una zona escolar; un/a policía lo/la detiene y le hace varias preguntas porque sospecha que usted iba manejando a exceso de velocidad. Conteste las preguntas del/de la policía y explíquele que no tiene la licencia con usted. Trate de convencerlo/la de que usted es un/a buen/a chofer y que no iba a exceso de velocidad.

Rol B: Usted es policía. Es la hora de salida de los niños de la escuela, por eso usted controla que los conductores observen las reglas del tránsito en zona escolar. Usted acaba de detener a un/a chofer que maneja aparentemente a exceso de velocidad. Para confirmar sus sospechas, pregúntele: a) a qué velocidad se debe manejar en una zona escolar, b) a qué velocidad iba él/ella y c) pídale su licencia de manejar. Finalmente dígale que es ilegal manejar sin licencia y que usted le va a poner una multa (*fine*).

mosaicos

 A ESCUCHAR

A. ¿Qué les pasó? Pablo, Ignacio, Lidia, Gloria, and Agustina had a bad day. Listen to what happened to each person and write his or her name in the space provided.

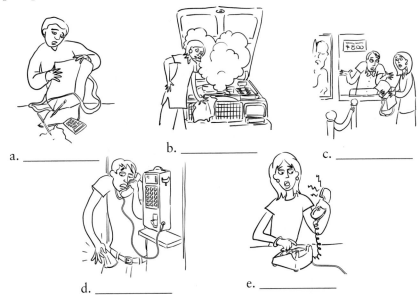

a. _____

b. _____

c. _____

d. _____

e. _____

B. Los implantes que salvan vidas. How has technology helped medicine in improving health care? With your partner, think of some advances and share this information with other students. Then, listen to a discussion about technology and medicine and what is expected to happen in the future. You may read the statements below before listening to the talk and/or take notes. As a final step, determine whether each statement is **Cierto** or **Falso**.

	CIERTO	FALSO
1. El marcapasos ha ayudado mucho a los diabéticos.	_____	_____
2. El marcapasos se usó por primera vez hace unos cincuenta años.	_____	_____
3. Las minibombas son unas pastillas para la diabetes.	_____	_____
4. El implante que se coloca en el oído es como una microcomputadora.	_____	_____
5. Hay un implante que les permite oír sonidos a los sordos.	_____	_____
6. Los científicos esperan que en el futuro los ciegos puedan ver.	_____	_____

15-21 Anécdotas. Primera fase. Lea las siguientes anécdotas anónimas que les ocurrieron a dos celebridades y luego, siga las instrucciones.

"Hace unos años, cuando comenzaba mi carrera artística, invité a comer a una amiga un sábado por la noche. Recuerdo que fuimos a un restaurante francés muy elegante y caro en San Francisco. Después de que habíamos comido y bebido con el mejor champán, me trajeron la cuenta. Llevé mi mano a la cartera de mi chaqueta y me di cuenta que se me había olvidado la billetera en casa. Llamé al camarero y le expliqué la situación. Incluso le dije quién era. Con una mirada y tono irónicos el camarero me dijo: "Si usted es...., yo soy John Travolta. Por favor, no me cuente historias.""

"Recuerdo como si fuera hoy. Mi esposo y yo decidimos salir de incógnito a Manhattan una tarde de invierno. Nos vestimos de vaqueros, nos pusimos el abrigo y salimos. Íbamos a pasar unas horas comprando en las tiendas chinas y, luego, íbamos a ver una película juntos. Después de manejar y conversar animadamente unos 20 minutos por las carreteras, se nos echó a perder el Ferrari. ¡Qué horrible! Tanto mi esposo como yo nos bajamos del carro para ver qué había pasado. Aparentemente no había ningún problema mecánico en el coche. Volvimos al carro y, de repente, mi esposo se dio cuenta de que se nos había descompuesto el marcador de gasolina y que se nos había olvidado llenar el tanque. Como estábamos bloqueando una ruta muy transitada, llegó la policía y nos preguntó qué nos había ocurrido. Le contamos la historia, pero no nos creyó y nos puso una multa."

Segunda fase. Con un/a compañero/a, compartan experiencias similares —positivas o negativas. Después compartan sus experiencias con la clase. Expliquen...

- Quién(es) estaba(n) presente(s) en la situación.
- Cuándo y dónde ocurrió. Describan el escenario.
- Qué ocurrió y cómo terminó la situación.

Ideas útiles:

perdérsele algo importante
olvidársele algo importante
descomponérsele algo
rompérsele algo de mucho valor

quedársele algo indispensable
en un lugar inapropiado
caérsele algo y rompérsele

15-22 La tecnología: ¿una ayuda o una limitación? Con un/a compañero/a comenten dos maneras en que la tecnología los/las ha afectado a ustedes en cada una de las siguientes áreas: estudios, casa, trabajo, transporte, salud y relaciones interpersonales. Luego, compartan sus conclusiones con otros compañeros.

15-23 Un nuevo mundo. En grupos pequeños, imagínense que ustedes pueden crear una nueva sociedad, utópica o real. Escojan un nombre que represente la posición/visión futurista del grupo y expliquen por qué lo escogieron. (Por ejemplo, "Los pacifistas": el objetivo del grupo es la paz en el mundo.) Luego, comenten sus ideas basándose en los siguientes puntos. Tomen notas y prepárense para compartir sus opiniones con el resto de la clase.

- Valores positivos de este nuevo mundo: ¿igualdad? ¿cooperación? ¿justicia? ¿solidaridad? ¿amor? ¿... ?
- Problemas que desaparecerán: ¿discriminación? ¿segregación? ¿machismo? ¿individualismo? ¿contaminación ambiental? ¿desempleo? ¿guerras? ¿hambre? ¿... ?
- Necesidades de infraestructura: ¿escuelas? ¿hospitales? ¿carreteras? ¿... ?
- Sistema de gobierno: ¿democracia? ¿tecnocracia? ¿dictadura? ¿teocracia? ¿... ?

LENGUA

Hay numerosas expresiones con **se** que forman parte del lenguaje diario de las personas de habla hispana.

Lea las siguientes expresiones y piense en qué situaciones se podrían usar.

- se me pone la piel de gallina (*goosebumps*)
- se me fue el alma a los pies (*heart sank*)
- se me va la lengua (*to give oneself away*)
- se me rompe el corazón (*my heart goes out to...*)

A LEER

15-24 Preparación. Con un/a compañero/a dé su opinión sobre qué harían los seres humanos si no existiera(n) ninguna de las cosas siguientes. Luego, compartan sus ideas con la clase.

1. el teléfono
2. el automóvil
3. el reloj
4. el servicio postal
5. la computadora
6. la imprenta
7. el avión
8. ...

15-25 ¿Qué ve usted? Con un/a compañero/a, hable del siguiente dibujo en cuanto a...

a. el lugar que representa.
b. los aparatos que se ven y los que, según ustedes, se necesitan en este ambiente de trabajo. ¿Por qué?
a. la calidad de vida del profesional que aparece en ella: su rutina diaria, sus intereses, sus pasatiempos, sus relaciones interpersonales, etc.

15-26 A leer. Lea el siguiente microcuento escrito por Marco Denevi, un conocido escritor argentino.

Apocalipsis I

La extinción de la raza de los hombres se sitúa aproximadamente a fines del siglo XXXI. La cosa sucedió así: las máquinas habían alcanzado tal perfección que los hombres no necesitaban comer, ni dormir, ni leer, ni escribir, ni siquiera pensar. Les bastaba apretar botones y las máquinas lo hacían todo por ellos.

Gradualmente fueron desapareciendo las mesas, los teléfonos, los Leonardo da Vinci, las rosas de té, las tiendas de antigüedades, los discos con las nueve sinfonías de Beethoven, el vino de Burdeos[1], las golondrinas, los cuadros de Salvador Dalí[2], los relojes, los sellos postales, los alfileres[3], el Museo del Prado, la sopa de cebolla, los transatlánticos, las pirámides de Egipto, las Obras Completas de don Benito Pérez Galdós[4]. Sólo había máquinas.

Después los hombres empezaron a notar que ellos mismos iban desapareciendo paulatinamente[5] y que en cambio las máquinas se multiplicaban. Bastó poco tiempo para que el número de los hombres quedase reducido a la mitad y el de las máquinas aumentase al doble y luego al décuplo[6]. Las máquinas terminaron por ocupar todo el espacio disponible. Nadie podía dar un paso, hacer un simple ademán[7] sin tropezarse[8] con una de ellas. Finalmente los hombres se extinguieron.

Como el último se olvidó de desconectar las máquinas, desde entonces seguimos funcionando.

Source: Denevi, Marco, *Falsificacions*, Buenos Aires, Corregidor, 1999.

---

[1] Región de Francia famosa por sus vinos.
[2] Famoso pintor y diseñador español conocido por su estilo surrealista y su excentricidad.
[3] *pins*
[4] Famoso novelista español y figura nacional.
[5] gradualmente
[6] *tenfold*
[7] *gesture*
[8] *stumble*

15-27 Primera mirada. Conteste las siguientes preguntas.

1. ¿Quién es el/la narrador/a de esta historia?

2. ¿En qué parte del texto descubrió usted quién era el/la narrador/a? Subráyela.

3. ¿Por qué los seres humanos confiaban tanto en las máquinas?

4. ¿Qué funciones vitales de los seres humanos realizaban las máquinas?

5. ¿De qué manera cambió la vida de los seres humanos cuando éstos hicieron uso generalizado de las máquinas?

6. ¿Qué les pasó a los seres humanos finalmente?

15-28 Ampliación. Escriba el antónimo de las siguientes palabras. Cuando sea posible, agregue uno de los siguientes prefijos para formar el antónimo: **in-, im-, des-.**

1. aumentar   _____

2. empezar   _____

3. conectar   _____

4. perfección   _____

5. aparecer   _____

6. completas   _____

A ESCRIBIR

15-29 Preparación. En parejas...

1. Identifiquen cuatro errores cometidos por el ser humano que tuvieron relación directa con su desaparición.

2. Propongan cuatro estrategias que ustedes utilizarían para evitar la extinción de la raza humana. ¿Por qué?

15-30 Manos a la obra. Usted es una de las computadoras que quedaron conectadas después de la desaparición de la raza humana. Puesto que su capacidad de pensar y razonar es superior a la del ser humano, usted quiere escribir un cibertexto para expresar su opinión —favorable o desfavorable— sobre la extinción del ser humano. Si usted está a favor de su desaparición, explique por qué piensa que es un hecho positivo. Si está en contra, diga qué haría usted para compensar esta pérdida de los humanos.

EXPRESIONES UTILES

PARA EXPRESAR UNA OPINION A FAVOR

En mi opinión es más beneficioso/mejor que…
Según mi parecer es mejor que…
Me parece excelente/acertado que…
Sin duda es positivo/bueno/favorable/ventajoso que…
Las ventajas de… son significativas/obvias/están a la vista.

PARA EXPRESAR UNA OPINION EN CONTRA

Me parece increíble/ridículo/inadmisible/desastroso que…
No encuentro nada bueno/positivo/ventajoso que…
Encuentro malo/desventajoso/dañino/desastroso que…
Las desventajas de… son significativas/obvias/están a la vista.

PARA ESPECULAR

■ Condicional

EJEMPLO: Desde que los humanos desaparecieron, la vida es triste y
monótona. Para alegrar mi vida, yo **crearía** otros humanos y
los **haría** perfectos.

15-31 Revisión. Lea su cibertexto. Recuerde que éste va a ser leído por
otras máquinas de inteligencia superior a la humana que no toleran errores
o imprecisiones de ningún tipo.

■ ¿Qué título le puso a su cibertexto?
■ ¿Son sus ideas claras y concisas?
■ ¿Son sus planteamientos lógicos para sus semejantes?

Vocabulario

(handwritten: USE PPT for notecards)

El universo

la biosfera	biosphere
el cielo	sky
el planeta	planet

El mundo

el bosque tropical	rain forest
la conservación	preservation
la cosecha	harvest
la cuenca	river basin
el daño	damage
la deforestación	deforestation
el medio ambiente	environment
la pérdida	loss
los recursos	resources
la reserva	reserve
la selva	jungle
la tierra	land, soil
la vida	life

Comunicaciones electrónicas

el correo electrónico	e-mail
el ratón	mouse

Viajes espaciales

el cohete	rocket
la nave espacial	space ship
el paracaídas	parachute
el transbordador espacial	space shuttle

Personas

el/la astronauta	astronaut
el/la campesino/a	peasant
el ser humano	human being

Descripciones

destacado/a	outstanding, distinguished
dispuesto/a	ready
liberado/a	released
portátil	portable
selvático/a	of the jungle

(handwritten: 15.1.1.0)

Verbos

amenazar (c)	to threaten, to menace
apagar	to turn off the lights
causar	to cause
construir	to build
dañar	to harm
demostrar (ue)	to show, to demonstrate
desarrollar	to develop
descomponer	to breakdown
desperdiciar	to waste
diseñar	to design
encontrar (se) (ue)	to meet, to find, to encounter
manejar	to manage, to handle
olvidar	to forget
romper	to tear

Palabras y expresiones útiles

el asunto	subject, matter, issue
el bienestar	well-being, welfare
(de) cartón	cardboard
contra	against
correr el riesgo	run the risk
debido a	due to
en busca de	in search of
sano/a y salvo/a	safe and sound

La economía, la industria y la tecnología en los países hispanos

Para pensar

¿Cuáles son algunas de las industrias más importantes en los Estados Unidos? ¿Qué avances tecnológicos se han llevado a cabo en los últimos años? ¿Cómo han influido estos avances la vida diaria de los ciudadanos? ¿Qué industrias cree Ud. que se han desarrollado en los países hispanos?

El desarrollo económico y los avances tecnológicos varían de país a país, pero tienen un punto en común: todos los países hispanos están haciendo grandes avances industriales y tecnológicos. Además existe una serie de acuerdos entre los diferentes países hispanos para integrar sus economías y bajar las barreras de exportación. Así tenemos El Pacto Andino formado por Colombia, Bolivia, Chile y el Ecuador; el Grupo de Tres, formado por México, Venezuela y Colombia; la Asociación Americana de Libre Comercio formada por México, Canadá y los Estados Unidos; el Mercado Común del Cono Sur, integrado por Argentina, Brasil, Paraguay y Uruguay; la Asociación Latinoamericana de Integración; la Asociación de Estados Caribeños; el Mercado Común de Centro América integrado por Costa Rica, El Salvador, Guatemala, Honduras y Nicaragua; y la Comunidad Caribeña y Mercado Común integrada por trece naciones caribeñas. Si quiere obtener más información sobre los acuerdos entre los países latinoamericanos, puede visitar: *www.prenhall.com/mosaicos*.

En general, los países hispanos han basado su economía en la agricultura y la minería. Por ejemplo, España ha sido hasta hace poco un país agrícola cuyos principales productos han sido los granos, vegetales, frutas cítricas, carne (cerdo), pollo, pescado, aceitunas, uvas, entre otros. De las uvas se hacen los famosos y deliciosos vinos españoles, y de las aceitunas, el aceite de oliva. Sin embargo, desde la década de los cincuenta España ha desarrollado también su industria textil, siderúrgica (*metalworks*), química, naviera y automotriz. España exporta no sólo ropa, zapatos, vinos y aceite de oliva, sino también automóviles, maquinarias, productos químicos y textiles. Además, al igual que México y Argentina, España tiene una industria cinematográfica muy famosa.

México es un país que tiene una gran riqueza minera entre la que se cuenta

Clase de telecomunicaciones en una universidad mex

petróleo, plata, oro y cobre. En las últimas décadas, la gran industrialización de México se ve reflejada en la creación de muchas fábricas que producen —entre otras cosas— comida y bebidas, ropa, productos de cuero y productos textiles, fertilizantes, productos químicos, automóviles, máquinas y equipo electrónico. Así, México exporta café, algodón, plata, petróleo, productos derivados del petróleo, máquinas y productos electrónicos. Al igual que en España, la industria turística en México está muy desarrollada.

La agricultura es la principal actividad económica de América Central aunque últimamente ha habido un movimiento hacia el desarrollo industrial y se han establecido fábricas que producen pintura, detergentes, fertilizantes e insecticidas. Sin embargo, los principales productos de exportación son agrícolas —caña de azúcar, café, algodón y plátanos— y se exportan no sólo a los Estados Unidos, sino también a Europa.

Venezuela es un país muy rico en petróleo y por eso su economía está fuertemente basada en el petróleo,

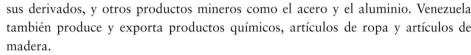
Industria minera en Puerto Ordaz, Venezuela

sus derivados, y otros productos mineros como el acero y el aluminio. Venezuela también produce y exporta productos químicos, artículos de ropa y artículos de madera.

La economía de Colombia se basa en la agricultura, la explotación de recursos minerales y la industria. Uno de los principales productos de exportación de Colombia es el café, pero también el país exporta bananas, flores, cacao, tabaco, algodón y caña de azúcar. La economía colombiana también se ha beneficiado de la producción del petróleo y productos mineros como la plata, las esmeraldas, el platino, el carbón, etc. Como Colombia es uno de los más grandes productores de coca y marihuana, se dice que la exportación de drogas ilegales ha traído más ingresos a su economía que cualquier otro producto.

La economía del Ecuador, al igual que la de otros países hispanos, se ha basado principalmente en la agricultura. Sin embargo, al igual que el Perú y Chile, su industria pesquera está muy desarrollada. Las fábricas de productos textiles, eléctricos y farmacéuticos también contribuyen a la diversificación de la industria ecuatoriana. Aún más, en los últimos años, el Ecuador ha estado modernizando su economía y para esto ha realizado una serie de modificaciones estructurales, administrativas y legales. El propósito es abrir su economía al mercado extranjero y atraer capital.

La economía del Perú está fuertemente basada en su agricultura, minería y pesquería. Los principales productos agrícolas son la papa, la caña de azúcar, el maíz, el café y el trigo (*wheat*). En cuanto a la minería, el Perú es uno de los más grandes productores mundiales de cobre, plata y cinc. La pesca es igualmente muy importante en la economía del país. El Perú es el primer productor mundial de harina de pescado. Desde la década de los cincuenta se está produciendo en el Perú un gran desarrollo de la industria textil, debido especialmente al algodón de gran calidad que se produce en el país. La industria artesanal también está experimentando un gran desarrollo al producir una variedad de productos de lana (alfombras, ponchos), de cuero, de madera tallada, de oro y de plata. El Perú también tiene industrias en el área de minerales y petróleo, en el procesamiento de alimentos, la construcción de barcos y el ensamble de automóviles.

Bolivia es el primer productor mundial de aluminio, pero también produce cinc, plomo, y plata, entre otros minerales. Últimamente las industrias del petróleo y del gas natural están contribuyendo al desarrollo económico de este país. Como en otros países hispanos, Bolivia también ha desarrollado la industria de procesamiento de alimentos, la industria del tabaco y la industria artesanal.

Argentina y Uruguay son mundialmente famosos por su industria agrícola y ganadera. Sin embargo, la industria manufacturera y minera de ambos países está experimentando gran crecimiento. En Uruguay, por ejemplo, se

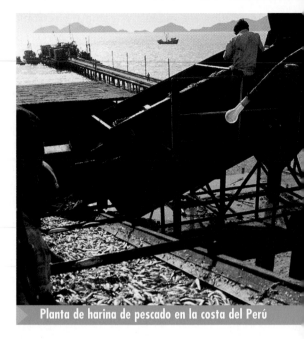
Planta de harina de pescado en la costa del Perú

manufacturan productos de lana, algodón y rayón. Paraguay es un país principalmente agrícola y su industria manufacturera está íntimamente ligada a los productos agrícolas, como por ejemplo productos alimenticios, productos de madera y productos químicos.

La economía de Chile es una de las más fuertes en América del Sur con una gran industria agrícola y minera además de su fuerte industria pesquera. Entre los principales productos agrícolas cabe mencionar las famosas frutas chilenas (uvas, manzanas, duraznos), y los vinos chilenos que gozan de gran fama en América Latina y en los Estados Unidos. En cuanto a la minería, Chile es uno de los más grandes productores mundiales de cobre y el mayor productor de acero en América del Sur.

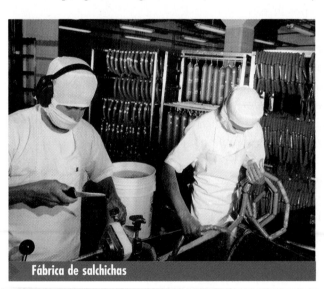
Fábrica de salchichas

Aunque la economía electrónica no está tan adelantada en los países hispanos como lo está en los Estados Unidos, se están haciendo adelantos en ese sentido. Hoy en día, las facultades de ingeniería y agronomía y las grandes empresas descubren, adaptan y aplican los más recientes adelantos tecnológicos para mejorar la comunicación, la producción y el desarrollo en los países hispanos.

Para contestar

 Las industrias del mundo hispano.
Trabajando con su compañero/a responda a las
siguientes preguntas:

Bodegas Cousino Macul, cerca de Santiago, Chile

1. Mencione algunas asociaciones de comercio
   internacional que han formado los países
   hispanos. ¿Qué ventajas ofrece pertenecer a uno
   de estos organismos?

2. ¿Qué países hispanos tienen una importante
   industria agrícola? ¿Cuáles son algunos de sus
   productos?

3. ¿Qué países hispanos tienen una gran industria
   pesquera? ¿A qué cree Ud. que se debe esto?

4. ¿Qué países gozan de una respetable industria
   turística y cinematográfica?

Riqueza cultural. En grupos de tres, discutan
las ventajas y desventajas de tener una economía basada en la agricultura.
Luego, presenten sus conclusiones a la clase.

Para investigar en la WWW

1. En grupos de tres, busquen información de la Bolsa de Valores de tres
   países hispanos diferentes. Digan qué productos tienen los precios más
   altos y qué productos tienen los precios más bajos. Luego, presenten sus
   resultados a sus compañeros/as de clase y discutan las posibilidades de
   que esta situación se mantenga o cambie.

2. Busque información acerca de oportunidades comerciales en los países
   hispanos. Traiga la información a la clase y comente con sus
   compañeros/as las ventajas/desventajas de esas oportunidades. Defienda
   sus opiniones.

ENFOQUE INTERACTIVO

A MIRAR EL VIDEO 5:00

Watch the *Fortunas* video segment for *Lección 15* in class or on your CD-ROM. Is this how you thought the contest would end? Where do you think Katie and Carlos will go from here?

Now complete the accompanying video activities on the CD-ROM. This is your chance to interact with the video characters! **25:00**

La ganadora es...

Finaliza el concurso

In this episode of *Fortunas,* the final viewer poll results are given and the winner is named. Perhaps, after the last few episodes, you expected this ending. But who would have guessed these results back at the beginning? We hope you've enjoyed watching the events of the *Fortunas* contest as they came to their exciting conclusion.

Reflexiones

¡FINALICEMOS LA BÚSQUEDA! 5:00

Were you surprised by the final results? How did your final vote stack up against the majority of viewers? How would you have done in the contest compared to the other contestants? Do you think viewers would have voted for you if you had participated in the contest? Go to the *Fortunas* module to review this year's contest and get a sneak preview of next year's treasure hunt.

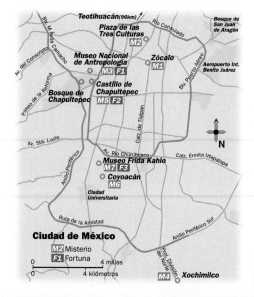

¿QUÉ OPINA USTED? 5:00

After each episode, you voted in the *Fortunas* viewer poll to award points to different contestants. The final poll was worth 500 points and determined this year's winner. If you still don't know the final results, go to the *Fortunas* module and click on *¿Qué opina usted?* to see the last poll and the viewers' choice for winner. Go back and review how you voted in the different polls. Did you generally pick the contestant who won that poll? What were you looking for in the contestants as you voted?

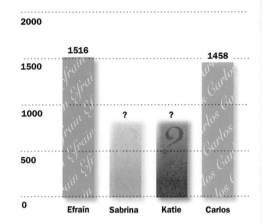

PARA NAVEGAR 10:00

LA TECNOLOGÍA

Con el desarrollo tecnológico, los países hispanos están avanzando rápidamente en cuanto a su importancia en la economía mundial. Compañías como Telefónica de España son parte importante en el campo de la Internet y de la comunicación mundial. Asimismo, los proveedores de servicios de tecnología se han dado cuenta de que Latinoamérica es una de las regiones que tiene más potencial para su expansión.

La tecnología

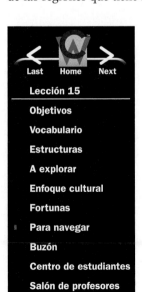

Go to the *Mosaicos Website* and click on the *Para navegar* module to explore links to information on Latin American technology and economic growth. Follow the links and then complete the related activities.

Expansión gramatical

This special grammatical supplement includes structures considered optional for the introductory level by instructors emphasizing proficiency, except for the *vosotros* command forms. These forms are included in this section for the instructors who use them to address their students. The functions and structures presented here are normally beyond the level of performance of first-year students, therefore most instructors would present them for recognition only.

The explanation and activities in this section use the same format as grammatical material throughout *Mosaicos* in order to facilitate their incorporation into the core lessons of the program or their addition as another chapter in the book.

Estructuras

✖ *Vosotros* commands

✖ The present perfect subjunctive

✖ The conditional perfect and the pluperfect subjunctive

✖ *If* clauses (using the perfect tenses)

✖ The passive voice

1. *Vosotros* commands

	AFFIRMATIVE	NEGATIVE
hablar:	hablad	no habléis
comer:	comed	no comáis
escribir:	escribid	no escribáis

- To use the affirmative **vosotros** command, change the final –r of the infinitive to –d.

- Use the **vosotros** form of the present subjunctive for the **vosotros** negative command.

- For the affirmative **vosotros** command of reflexive verbs, drop the final –d and add the pronoun **os**: **levantad + os = levantaos**. The verb **irse** is an exception: **idos**.

¿Qué dice usted?

EG-1 Buenos consejos. Usted quiere que sus mejores amigos cambien sus hábitos y vivan una vida más sana. Dígales qué deben hacer.

MODELO: caminar dos kilómetros todos los días
            Caminad dos kilómetros todos los días.

1. comer muchas frutas y vegetales
2. empezar un programa de ejercicios
3. no respirar por la boca
4. no cansarse mucho los primeros días
5. relajarse para evitar el estrés
6. dormir no menos de ocho horas

EG-2 Órdenes en grupo. Cada uno/a de ustedes va a hacer el papel de profesor/a de educación física y le va a dar una orden a los otros estudiantes del grupo. Los estudiantes deben hacer lo que el/la profesor/a les indica.

MODELO: Levantad los brazos y las piernas.

Usted y su compañero/a han alquilado una cabaña (*cabin*) en las montañas por un mes. Unos amigos van a usar la cabaña parte del mes y ustedes quieren darles algunas reglas (*rules*) para mantener todo en orden y en buen estado. Escriban las reglas y después compárenlas con las de otra pareja.

SITUACIONES

---

2. The present perfect subjunctive

The present perfect subjunctive is formed with the present subjunctive of the verb **haber** + *past participle*.

PRESENT SUBJUNCTIVE OF *HABER* + PAST PARTICIPLE		
yo	haya	
tú	hayas	
Ud., él/ella	haya	hablado
nosotros/as	hayamos	comido
vosotros/as	hayáis	vivido
Uds., ellos/as	hayan	

Use this tense to express a completed action, event, or condition in sentences that require the subjunctive. Note that the dependent clause using the present perfect subjunctive describes what has happened before the time expressed or implied in the main clause, which is the present. Its English equivalent is normally *has/have* + *past participle,* but it may vary according to the context.

    Me alegro de que **hayan llegado**   *I'm glad they arrived early.*
    temprano.

Es posible que **haya estado** enfermo.   *It's possible that he may have*
been sick.
Ojalá que la conferencia **haya**   *I hope that the lecture has been*
sido un éxito.   *successful.*

¿Qué dice usted?

👤👤 **EG-3 ¿Qué espera usted?** Escoja la oración que complete lógicamente las siguientes situaciones. Compare sus respuestas con las de su compañero/a.

1. Su computadora no estaba funcionando bien y usted se la dio a un técnico para que la reparara. Usted espera que...
   a. la haya vendido.
   b. haya destruido sus programas.
   c. haya encontrado el problema.

2. Su amigo acaba de regresar de Puerto Rico, donde fue a pasar sus vacaciones. Usted le dice: "Espero que...
   a. hayas visitado el Viejo San Juan."
   b. te hayas aburrido mucho."
   c. hayas perdido todo tu dinero."

3. Uno de sus compañeros ha estado muy grave en el hospital, pero ya está en la casa. Usted le habla y le dice: "Siento mucho que...
   a. hayas vendido la casa."
   b. hayas estado tan mal."
   c. hayas salido del hospital."

4. Usted llama por teléfono a un amigo para invitarlo a cenar, pero nadie contesta el teléfono. Es probable que su amigo...
   a. haya cenado ya.
   b. haya salido de su casa.
   c. haya cambiado su teléfono.

5. Uno de sus parientes dijo una mentira *(lie)*. Como es natural, a usted le molesta mucho que...
   a. no haya dicho la verdad.
   b. no haya dicho nada.
   c. no haya hablado con sus parientes.

👤👤 **EG-4 Un viaje.** Uno de sus amigos pasó un semestre en Los Ángeles. Túrnese con su compañero/a para decirle lo que esperan que haya hecho en su visita.

MODELO: ir a Beverly Hills / visitar la Biblioteca Huntington
   E1: Espero que hayas ido a Beverly Hills.
   E2: Y yo espero que hayas visitado la Biblioteca Huntington.

1. ver las Torres de Watts
2. ir a los Estudios Universal
3. caminar por la calle Olvera
4. comer comida mexicana
5. manejar hasta el observatorio del Monte Wilson
6. asistir al Desfile de las Rosas

👥 **EG-5 Los adelantos científicos.** Usted y su compañero/a trabajan con otros científicos en un laboratorio de ingeniería genética. Háganse preguntas para saber qué han o no han logrado en sus investigaciones.

MODELO: aislar el nuevo virus / es posible que
            E1: ¿Han aislado el nuevo virus?
            E2: Es posible que lo hayamos / hayan aislado.

1. cambiar la estructura de la célula / dudar
2. no hacer implantes nuevos / es una lástima
3. duplicar órganos / no creer que
4. regular el ritmo del corazón / esperar
5. reactivar los músculos atrofiados / es probable que
6. modificar los genes / es importante que

Usted y su compañero/a están a cargo de un equipo de trabajo que organiza una exposición sobre tecnología en el campus de la universidad. Preparen tres listas: la primera, con las cosas que ustedes saben que han hecho los miembros del equipo; la segunda, con las que esperan que hayan hecho; y la tercera, con las que dudan que hayan hecho. Comparen sus listas con las de otros/as estudiantes.

SITUACIONES

---

3. The conditional perfect and the pluperfect subjunctive

In this section you will study two new verb tenses: the conditional perfect and the pluperfect subjunctive.

■ Use the conditional of **haber** + *past participle* to form the conditional perfect.

CONDITIONAL PERFECT		
yo	habría	
tú	habrías	
Ud., él, ella	habría	hablado
nosotros/as	habríamos	comido
vosotros/as	habríais	vivido
Uds., ellos/as	habrían	

■ The conditional perfect usually corresponds to English *would have + past participle*.

> Sé que le **habría gustado** esta casa. *I know she would have liked this house.*

■ Use the past subjunctive of **haber** + *past participle* to form the pluperfect subjunctive.

PLUPERFECT SUBJUNCTIVE		
yo	hubiera	
tú	hubieras	
Ud., él, ella	hubiera	hablado
nosotros/as	hubiéramos	comido
vosotros/as	hubierais	vivido
Uds., ellos/as	hubieran	

■ The pluperfect subjunctive corresponds to English *might have, would have,* or *had + past participle.* It is used in constructions where the subjunctive is normally required.

Dudaba que **hubiera venido** temprano.	*I doubted that he had/would have come early.*
Esperaba que **hubieran comido** en casa.	*I was hoping that they would have eaten at home.*
Ojalá que **hubieran visto** ese letrero.	*I wish they had seen that sign.*

¿Qué dice usted?

👤👤 EG-6 **¿Qué habría hecho en estas situaciones? Primera fase.** Usted y su compañero/a deben decir qué habría hecho cada uno/a de ustedes en las siguientes situaciones. Después escojan la respuesta que les parezca mejor para cada situación.

MODELO: Usted recibió una invitación para una recepción en la Casa Blanca.
E1: Se lo habría dicho a todos mis compañeros.
E2: Habría leído la invitación varias veces porque habría pensado que era una broma.

1. En el aeropuerto le dijeron que podía viajar en primera clase todo el año sin pagar.
2. Le pidieron sugerencias para mejorar la situación de los vuelos y los aeropuertos.
3. La NASA lo/la llamó para ver si le interesaba vivir tres meses en una estación espacial.
4. Le dijeron que organizara la fiesta de fin de curso de su clase.
5. Le pidieron que revisara los programas en su universidad y sugiriera los cambios necesarios.

Segunda fase. Comparen las respuestas que escogieron con las de otra pareja y decidan cuál es la mejor. Después compartan sus respuestas con el resto de la clase.

EG-7 Nuestras esperanzas. Usted y su compañero/a esperaban que el nuevo gobierno hiciera muchas cosas en beneficio de la sociedad. Se lograron algunas cosas, pero otras no. Túrnese con su compañero/a para decir qué esperaban que el nuevo gobierno y su gabinete hubieran hecho y si lo han hecho o no.

MODELO: subir el sueldo mínimo / mejorar el sistema de educación
          E1: Esperaba que hubieran subido el sueldo mínimo y (no) lo han hecho.
          E2: Y yo esperaba que hubieran mejorado el sistema de educación y (no) lo han hecho.

1. bajar los impuestos *(taxes)*
2. mejorar el transporte público
3. terminar con la corrupción
4. construir viviendas *(housing)* para familias pobres
5. ofrecer mejores planes de salud
6. proteger el medio ambiente
7. ...
8. ...

Rol A. Usted tuvo una pelea *(quarrel)* con su pareja. Explíquele a su compañero/a qué fue lo que pasó entre ustedes y pregúntele que hubiera hecho él/ella en su situación. Después dígale qué piensa hacer.

Rol B. Su compañero/a le va a explicar los problemas que tuvo con su pareja. Hágale preguntas para obtener más detalles. Después a) dígale qué hubiera hecho usted en la misma situación y b) pregúntele qué piensa hacer para resolver la situación.

SITUACIONES

4. *If* clauses (using the perfect tenses)

The conditional perfect and pluperfect subjunctive are used in contrary-to-fact if-statements which refer to actions, events, experiences related to the past.

Si **hubieras venido,** te **habría gustado** la conferencia.	*If you had come (which you did not), you would have liked the lecture.*

¿Qué dice usted?

EG-8 La vida sería diferente. Con su compañero/a, diga cuáles habrían sido las consecuencias si...

MODELO: no se hubieran inventado los aviones
          E1: Habríamos viajado en barco, en tren o en autobús.
          E2: Habríamos contaminado menos la atmósfera.

1. no se hubiera inventado la bomba atómica
2. no se hubieran deforestado los bosques
3. los ingleses hubieran descubierto América
4. las mujeres hubieran tenido siempre las mismas oportunidades que los hombres
5. no se hubieran creado las vacunas *(vaccination)*
6. los jóvenes hubieran gobernado el mundo

EG-9 Unas excusas. ¿Qué excusas darían ustedes en las siguientes situaciones?

MODELO: Un amigo le pidió que participara en un experimento.
              E1: Si mis padres me lo hubieran permitido, habría participado.
              E2: Si hubiera tenido tiempo, habría participado.

1. Una organización quería que usted donara botellas y papeles para reciclar.
2. Le pidieron su coche para llevar unas ratas al laboratorio.
3. Lo/La necesitaban de voluntario/a para probar una vacuna contra el catarro.
4. Un/a compañero/a quería venderle su computadora portátil.
5. Una compañía necesitaba probar unos paracaídas y buscaba personas interesadas en las pruebas.
6. Alquilaban un robot para que hiciera las tareas domésticas.

EG-10 Volver a vivir. Piense en una experiencia negativa que usted ha ya tenido en su vida. Cuéntele a su compañero/a qué le pasó y dígale qué habría hecho si hubiera sabido en ese momento lo que sabe hoy. Después, su compañero/a debe hacer lo mismo.

SITUACIONES

Rol A. Usted asistió a una conferencia muy interesante sobre la ciudad del futuro. Explíquele a su compañero/a a) dónde y cuándo fue la conferencia, y b) qué habría aprendido su compañero/a si hubiera ido.

Rol B. Su compañero/a asistió a una conferencia sobre la ciudad del futuro. Hágale preguntas para obtener más información sobre cómo van a ser estas ciudades.

5. The passive voice

■ The passive voice in Spanish is formed with the verb **ser** + *past participle;* the passive voice is most commonly used in the preterit, though at times you may see it used in other tenses.

La planta nuclear **fue construida** en 1980.   *The nuclear plant was built in 1980.*

■ Use the preposition **por** when indicating who or what performs the action.

El bosque fue destruido.   *The forest was destroyed.*
(Who or what did it is not expressed.)

El bosque fue destruido **por** el fuego.   *The forest was destroyed by the fire.*
(The fire did it.)

■ The past participle functions as an adjective and therefore agrees in gender and number with the subject.

Los árboles fueron **destruidos** por la lluvia ácida.   *The trees were destroyed by the acid rain.*

La cura fue **descubierta** el año pasado.   *The cure was discovered last year.*

- You'll most often find the passive voice in written Spanish, especially in newspapers and formal writing. However, in conversation, Spanish speakers normally use two different constructions that you have already studied—a third person plural verb or a **se** construction.

Vendieron el laboratorio.   *They sold the laboratory.*
Se vendió el edificio.   *The building was sold.*

¿Qué dice usted?

EG-11 La comunicación oral. Túrnese con su compañero/a para decir lo que pasó en una reunión del presidente y los ministros. ¿Cómo lo dirían los periódicos? ¿Cómo lo dirían ustedes en una conversación?

MODELO: ministros / recibir / el presidente
            E1: Los ministros fueron recibidos por el presidente.
            E2: El presidente recibió a los ministros.

1. la agenda / preparar / el secretario
2. la agenda / aprobar / todos
3. el proyecto para disminuir la contaminación / escribir / el Sr. Sosa
4. el proyecto / presentar / la Ministra de Salud
5. unos comentarios / leer / el presidente
6. las preguntas / contestar / el ministro

EG-12 Dos reporteros. Túrnese con su compañero/a para decir cómo escribirían las siguientes noticias para un periódico.

MODELO: la lluvia ácida dañó las cosechas
            Las cosechas fueron dañadas por la lluvia ácida.

1. La zona del Amazonas se conoce como el "pulmón" del planeta.
2. Los campesinos deforestaron la selva.
3. Los campesinos cultivaron la tierra.
4. Estos grupos cortaron muchos árboles.
5. La invasión de los seres humanos exterminó muchas especies de animales.
6. El gobierno plantará mil árboles para mejorar la situación.

SITUACIONES

Usted y su compañero/a tienen que escribir una noticia muy breve sobre un gran descubrimiento. Digan: a) cuál es el descubrimiento, b) quién lo hizo, c) cuándo y d) cuáles serán las consecuencias de este importante descubrimiento.

Apéndice 1

Composition correction codes

As part of the process of developing good writing skills in Spanish, you will be exchanging compositions with a classmate. The following correction codes can be very helpful as you critique each other's work.

Code	Interpretation
C	Conjugation of a verb, or an error in some derived verb form, for example **la puerta estaba *abrida.**
Cog	False cognate, for example **sopa** for **jabón,** or **ropa** for **soga.**
D	Dictionary error, for example **banco** for **orilla,** or even **morderse las uñas** for **comerse las uñas.**
F	Form (often a "regularized" adjective, such as **una niña muy *jóvena**).
G	Incorrect gender assignment to a noun, for example **la programa** for **el programa.**
Mode	Mode confusion (if subjunctive, change to indicative and vice versa).
Nag	Noun agreements (gender, number) with adjectives and other noun-centered forms such as pronouns, demonstratives, possessives.
NE	**No existe.** Use this code to signal a made-up word or expression that does not exist in Spanish, for example ***en facto** for **en realidad.**
Prim	Preterite/imperfect confusion (if preterite, change to imperfect and vice versa).
R	Rewrite successfully completed.
Ref	Reflexive. Use this code to signal that a reflexive verb/construction is needed.
Sag	Subject-verb agreement error, for example ***Juan querías salir.**
S/E	**Ser/estar** confusion (if **ser,** change to **estar** and vice versa).
Sp	Spelling error. Use this code to signal errors in spelling. Note that written accent marks are considered part of a word's spelling in Spanish.
T	Tense. Use this code to signal any non-Prim (see above) tense error.
X	Any basic grammatical error not covered by some other symbol, but which the student should reasonably know, such as **después de *yendo** for **después de ir.**
Wo	Word order error, for example, ***es no grande** for **no es grande.**
+	Use this code to signal any especially nice touch in the student's writing.
?	Use this code to signal that the reader could not make any sense of the word, clause, sentence, or paragraph.

Adapted from Higgs, 1979

Word formation in Spanish

Recognizing certain patterns in Spanish word formation can be a big help in deciphering meaning. Use the following information about word formation to help you as you read.

- **Prefixes.** Spanish and English share a number of prefixes that shade the meaning of the word to which they are attached: **inter-** (between, among); **intro/a-** (within); **ex-** (former, toward the outside); **en-/em-** (the state of becoming); **in-/a-** (not, without), among others.

inter-	interdisciplinario, interacción
intro/a-	introvertido, introspección
ex-	ex-esposo, exponer *(expose)*
en-/em-	enrojecer *(to turn red)*, empobrecer *(to become poor)*
in-/a-	inmoral, incompleto, amoral, asexual

- **Suffixes.** Suffixes and, in general, word endings will help you identify various aspects of words such as part of speech, gender, meaning, degree, etc. Common Spanish suffixes are **-ría, -za, -miento, -dad/tad, -ura, -oso/a, -izo/a, -(c)ito/a,** and **-mente.**

-ría	place where something is made and/or bought: **panadería, zapatería** *(shoe store)*, **librería.**
-za	feminine, abstract noun: **pobreza** *(poverty)*, **riqueza** *(wealth, richness).*
-miento	masculine, abstract noun: **empobrecimiento** *(impoverishment)*, **entrenamiento** *(training).*
-dad/tad	feminine noun: **ciudad** *(city)*, **libertad** *(liberty, freedom)*
-ura	feminine noun: **verdura, locura** *(craziness).*
-oso/a	adjective meaning having the characteristics of the noun to which it's attached: **montañoso, lluvioso** *(rainy).*
-izo/a	adjective meaning having the characteristics of the noun to which it's attached: **rojizo** *(reddish)*, **enfermizo** *(sickly).*
-(c)ito/a	diminutive form of noun or adjective: **Juanito, mesita** *(little table)*, **Carmencita.**
-mente	attached to the feminine form of adjective to form an adverb: **rápidamente, felizmente** *(happily).*

- **Compounds.** Compounds are made up of two words (e. g. *mailman*), each of which has meaning in and of itself: **tocadiscos** *(record player)* from **tocar** and **disco**; **sacacorchos** *(cork screw)* from **sacar** and **corcho.** Your knowledge of the root words will help you recognize the compound; and likewise, learning compounds can help you to learn the root words. What do you think **sacar** means?

- **Spanish-English associations.** Learning to associate aspects of word formation in Spanish with aspects of word formation in English can be very helpful. Look at the associations below.

SPANISH	ENGLISH
es/ex. + consonant	*s* + consonant
esclerosis, extraño	*sclerosis, strange*
gu-	*w-*
guerra, Guillermo	*war, William*
-tad/dad	*-ty*
libertad, calidad	*liberty, quality*
-sión/-ción	*-sion/-tion*
tensión, emoción	*tension, emotion*

Stress and written accents in Spanish

In Spanish, normal word stress falls on the second-to-last syllable of words ending in a vowel, **-n,** or **-s,** and on the last syllable of words ending in other consonants.

hablo	clase	amiga	libros
escuchan	comer	universidad	venir

When a word does not follow this pattern, a written accent is used to signal where the word is stressed. Below are examples of words that do not follow the pattern.

1. Words accented on the third-to-last syllable:

física	sábado	simpático
catástrofe	gramática	matemáticas

2. Words that are accented on the last syllable despite ending in a vowel, **-n** or **-s.**

hablé	comí	están	estás
alemán	Belén	inglés	conversación

3. Words that are accented on the second-to-last syllable despite ending in a consonant other than **-n** or **-s.**

lápiz	útil	débil	mártir
Félix	cárcel	módem	fácil

Diphthongs

The combination of an unstressed **i** or **u** with another vowel forms a single syllable which is called a diphthong. When the diphthong is in the accented syllable of a word and a written accent is required, it is written over the other vowel, not over the **i** or **u**.

Dios	**adiós**	**bien**	**también**
seis	dieciséis	continuo	continuó

When a stressed **i** or **u** appears with another vowel, two syllables are formed, and a written accent mark is used over the **i** or **u**.

cafetería	país	Raúl	frío
continúa	río	leíste	economía

Interrogative and monosyllabic words

Some words in Spanish follow normal stress patterns but use written accents for other reasons. For example, interrogative and exclamatory words always use a written accent on the stressed vowel: **¿Dónde viven ellos?, ¿Cuántas clases tienes?, ¡Qué bueno!** Many one-syllable (monosyllabic) words carry a written accent to distinguish them from other words with the same spelling but different meanings.

dé	*give* (formal command)	**de**	*of*
él	*he*	**el**	*the*
más	*more*	**mas**	*but*
mí	*me*	**mi**	*my*
sé	*I know, be* (formal command)	**se**	*him/herself, (to)him/her/them*
sí	*yes*	**si**	*if*
té	*tea*	**te**	*(to) you*
tú	*you*	**tu**	*your*

Apéndice 2
Verb Charts

REGULAR VERBS: SIMPLE TENSES

Infinitive Present Participle Past Participle	Indicative						Subjunctive		Imperative
	Present	Imperfect	Preterite	Future	Conditional		Present	Imperfect	
hablar hablando hablado	hablo hablas habla hablamos habláis hablan	hablaba hablabas hablaba hablábamos hablabais hablaban	hablé hablaste habló hablamos hablasteis hablaron	hablaré hablarás hablará hablaremos hablaréis hablarán	hablaría hablarías hablaría hablaríamos hablaríais hablarían		hable hables hable hablemos habléis hablen	hablara hablaras hablara habláramos hablarais hablaran	habla tú, no hables hable usted hablemos hablen Uds.
comer comiendo comido	como comes come comemos coméis comen	comía comías comía comíamos comíais comían	comí comiste comió comimos comisteis comieron	comeré comerás comerá comeremos comeréis comerán	comería comerías comería comeríamos comeríais comerían		coma comas coma comamos comáis coman	comiera comieras comiera comiéramos comierais comieran	come tú, no comas coma usted comamos coman Uds.
vivir viviendo vivido	vivo vives vive vivimos vivís viven	vivía vivías vivía vivíamos vivíais vivían	viví viviste vivió vivimos vivisteis vivieron	viviré vivirás vivirá viviremos viviréis vivirán	viviría vivirías viviría viviríamos viviríais vivirían		viva vivas viva vivamos viváis vivan	viviera vivieras viviera viviéramos vivierais vivieran	vive tú, no vivas viva usted vivamos vivan Uds.

Vosotros commands

hablar	comer	vivir
hablad no habléis	comed no comáis	vivid no viváis

REGULAR VERBS: PERFECT TENSES

	Indicative							Subjunctive			
Present Perfect		**Past Perfect**		**Preterite Perfect**		**Future Perfect**		**Conditional Perfect**		**Present Perfect**		**Past Perfect**	
he	hablado	había	hablado	hube	hablado	habré	hablado	habría	hablado	haya	hablado	hubiera	hablado
has	comido	habías	comido	hubiste	comido	habrás	comido	habrías	comido	hayas	comido	hubieras	comido
ha	vivido	había	vivido	hubo	vivido	habrá	vivido	habría	vivido	haya	vivido	hubiera	vivido
hemos		habíamos		hubimos		habremos		habríamos		hayamos		hubiéramos	
habéis		habíais		hubisteis		habréis		habríais		hayáis		hubierais	
han		habían		hubieron		habrán		habrían		hayan		hubieran	

IRREGULAR VERBS

Infinitive / Present Participle / Past Participle	Indicative					Subjunctive		Imperative
	Present	**Imperfect**	**Preterite**	**Future**	**Conditional**	**Present**	**Imperfect**	
andar andando andado	ando andas anda andamos andáis andan	andaba andabas andaba andábamos andabais andaban	anduve anduviste anduvo anduvimos anduvisteis anduvieron	andaré andarás andará andaremos andaréis andarán	andaría andarías andaría andaríamos andaríais andarían	ande andes ande andemos andéis anden	anduviera anduvieras anduviera anduviéramos anduvierais anduvieran	anda tú, no andes ande usted andemos anden Uds.
caer cayendo caído	caigo caes cae caemos caéis caen	caía caías caía caíamos caíais caían	caí caíste cayó caímos caísteis cayeron	caeré caerás caerá caeremos caeréis caerán	caería caerías caería caeríamos caeríais caerían	caiga caigas caiga caigamos caigáis caigan	cayera cayeras cayera cayéramos cayerais cayeran	cae tú, no caigas caiga usted caigamos caigan Uds.
dar dando dado	doy das da damos dais dan	daba dabas daba dábamos dabais daban	di diste dio dimos disteis dieron	daré darás dará daremos daréis darán	daría darías daría daríamos daríais darían	dé des dé demos deis den	diera dieras diera diéramos dierais dieran	da tú, no des dé usted demos den Uds.

IRREGULAR VERBS (CONTINUED)

Infinitive Present Participle Past Participle	Indicative						Subjunctive		Imperative
	Present	Imperfect	Preterite	Future	Conditional		Present	Imperfect	

Infinitive Present Participle Past Participle	Present	Imperfect	Preterite	Future	Conditional	Present	Imperfect	Imperative
decir diciendo dicho	digo dices dice decimos decís dicen	decía decías decía decíamos decíais decían	dije dijiste dijo dijimos dijisteis dijeron	diré dirás dirá diremos diréis dirán	diría dirías diría diríamos diríais dirían	diga digas diga digamos digáis digan	dijera dijeras dijera dijéramos dijerais dijeran	di tú, no digas diga usted digamos digan Uds.
estar estando estado	estoy estás está estamos estáis están	estaba estabas estaba estábamos estabais estaban	estuve estuviste estuvo estuvimos estuvisteis estuvieron	estaré estarás estará estaremos estaréis estarán	estaría estarías estaría estaríamos estaríais estarían	esté estés esté estemos estéis estén	estuviera estuvieras estuviera estuviéramos estuvierais estuvieran	está tú, no estés esté usted estemos estén Uds.
haber habiendo habido	he has ha hemos habéis han	había habías había habíamos habíais habían	hube hubiste hubo hubimos hubisteis hubieron	habré habrás habrá habremos habréis habrán	habría habrías habría habríamos habríais habrían	haya hayas haya hayamos hayáis hayan	hubiera hubieras hubiera hubiéramos hubierais hubieran	
hacer haciendo hecho	hago haces hace hacemos hacéis hacen	hacía hacías hacía hacíamos hacíais hacían	hice hiciste hizo hicimos hicisteis hicieron	haré harás hará haremos haréis harán	haría harías haría haríamos haríais harían	haga hagas haga hagamos hagáis hagan	hiciera hicieras hiciera hiciéramos hicierais hicieran	haz tú, no hagas haga usted hagamos hagan Uds.
ir yendo ido	voy vas va vamos vais van	iba ibas iba íbamos ibais iban	fui fuiste fue fuimos fuisteis fueron	iré irás irá iremos iréis irán	iría irías iría iríamos iríais irían	vaya vayas vaya vayamos vayáis vayan	fuera fueras fuera fuéramos fuerais fueran	ve tú, no vayas vaya usted vamos (no vayamos) vayan Uds.

Infinitive / Present Participle / Past Participle	Indicative					Subjunctive		Imperative
	Present	Imperfect	Preterite	Future	Conditional	Present	Imperfect	
oír / oyendo / oído	oigo	oía	oí	oiré	oiría	oiga	oyera	
	oyes	oías	oíste	oirás	oirías	oigas	oyeras	oye tú,
	oye	oía	oyó	oirá	oiría	oiga	oyera	no oigas
	oímos	oíamos	oímos	oiremos	oiríamos	oigamos	oyéramos	oiga usted
	oís	oíais	oísteis	oiréis	oiríais	oigáis	oyerais	oigamos
	oyen	oían	oyeron	oirán	oirían	oigan	oyeran	oigan Uds.
poder / pudiendo / podido	puedo	podía	pude	podré	podría	pueda	pudiera	
	puedes	podías	pudiste	podrás	podrías	puedas	pudieras	
	puede	podía	pudo	podrá	podría	pueda	pudiera	
	podemos	podíamos	pudimos	podremos	podríamos	podamos	pudiéramos	
	podéis	podíais	pudisteis	podréis	podríais	podáis	pudierais	
	pueden	podían	pudieron	podrán	podrían	puedan	pudieran	
poner / poniendo / puesto	pongo	ponía	puse	pondré	pondría	ponga	pusiera	
	pones	ponías	pusiste	pondrás	pondrías	pongas	pusieras	pon tú,
	pone	ponía	puso	pondrá	pondría	ponga	pusiera	no pongas
	ponemos	poníamos	pusimos	pondremos	pondríamos	pongamos	pusiéramos	ponga usted
	ponéis	poníais	pusisteis	pondréis	pondríais	pongáis	pusierais	pongamos
	ponen	ponían	pusieron	pondrán	pondrían	pongan	pusieran	pongan Uds.
querer / queriendo / querido	quiero	quería	quise	querré	querría	quiera	quisiera	
	quieres	querías	quisiste	querrás	querrías	quieras	quisieras	quiere tú,
	quiere	quería	quiso	querrá	querría	quiera	quisiera	no quieras
	queremos	queríamos	quisimos	querremos	querríamos	queramos	quisiéramos	quiera usted
	queréis	queríais	quisisteis	querréis	querríais	queráis	quisierais	queramos
	quieren	querían	quisieron	querrán	querrían	quieran	quisieran	quieran Uds.
saber / sabiendo / sabido	sé	sabía	supe	sabré	sabría	sepa	supiera	
	sabes	sabías	supiste	sabrás	sabrías	sepas	supieras	sabe tú,
	sabe	sabía	supo	sabrá	sabría	sepa	supiera	no sepas
	sabemos	sabíamos	supimos	sabremos	sabríamos	sepamos	supiéramos	sepa usted
	sabéis	sabíais	supisteis	sabréis	sabríais	sepáis	supierais	sepamos
	saben	sabían	supieron	sabrán	sabrían	sepan	supieran	sepan Uds.
salir / saliendo / salido	salgo	salía	salí	saldré	saldría	salga	saliera	
	sales	salías	saliste	saldrás	saldrías	salgas	salieras	sal tú,
	sale	salía	salió	saldrá	saldría	salga	saliera	no salgas
	salimos	salíamos	salimos	saldremos	saldríamos	salgamos	saliéramos	salga usted
	salís	salíais	salisteis	saldréis	saldríais	salgáis	salierais	salgamos
	salen	salían	salieron	saldrán	saldrian	salgan	salieran	salgan Uds.

IRREGULAR VERBS (CONTINUED)

Infinitive Present Participle Past Participle	Indicative					Subjunctive		Imperative
	Present	Imperfect	Preterite	Future	Conditional	Present	Imperfect	
ser siendo sido	soy eres es somos sois son	era eras era éramos erais eran	fui fuiste fue fuimos fuisteis fueron	seré serás será seremos seréis serán	sería serías sería seríamos seríais serían	sea seas sea seamos seáis sean	fuera fueras fuera fuéramos fuerais fueran	sé tú, no seas sea usted seamos sean Uds.
tener teniendo tenido	tengo tienes tiene tenemos tenéis tienen	tenía tenías tenía teníamos teníais tenían	tuve tuviste tuvo tuvimos tuvisteis tuvieron	tendré tendrás tendrá tendremos tendréis tendrán	tendría tendrías tendría tendríamos tendríais tendrían	tenga tengas tenga tengamos tengáis tengan	tuviera tuvieras tuviera tuviéramos tuvierais tuvieran	ten tú, no tengas tenga usted tengamos tengan Uds.
traer trayendo traído	traigo traes trae traemos traéis traen	traía traías traía traíamos traíais traían	traje trajiste trajo trajimos trajisteis trajeron	traeré traerás traerá traeremos traeréis traerán	traería traerías traería traeríamos traeríais traerían	traiga traigas traiga traigamos traigáis traigan	trajera trajeras trajera trajéramos trajerais trajeran	trae tú, no traigas traiga usted traigamos traigan Uds.
venir viniendo venido	vengo vienes viene venimos venís vienen	venía venías venía veníamos veníais venían	vine viniste vino vinimos vinisteis vinieron	vendré vendrás vendrá vendremos vendréis vendrán	vendría vendrías vendría vendríamos vendríais vendrían	venga vengas venga vengamos vengáis vengan	viniera vinieras viniera viniéramos vinierais vinieran	ven tú, no vengas venga usted vengamos vengan Uds.
ver viendo visto	veo ves ve vemos veis ven	veía veías veía veíamos veíais veían	vi viste vio vimos visteis vieron	veré verás verá veremos veréis verán	vería verías vería veríamos veríais verían	vea veas vea veamos veáis vean	viera vieras viera viéramos vierais vieran	ve tú, no veas vea usted veamos vean Uds.

STEM-CHANGING AND ORTHOGRAPHIC-CHANGING VERBS

Infinitive / Present Participle / Past Participle	Indicative					Subjunctive		Imperative
	Present	Imperfect	Preterite	Future	Conditional	Present	Imperfect	
incluir (y) incluyendo incluido	incluyo incluyes incluye incluimos incluís incluyen	incluía incluías incluía incluíamos incluíais incluían	incluí incluiste incluyó incluimos incluisteis incluyeron	incluiré incluirás incluirá incluiremos incluiréis incluirán	incluiría incluirías incluiría incluiríamos incluiríais incluirían	incluya incluyas incluya incluyamos incluyáis incluyan	incluyera incluyeras incluyera incluyéramos incluyerais incluyeran	incluye tú, no incluyas incluya usted incluyamos incluyan Uds.
dormir (ue, u) durmiendo dormido	duermo duermes duerme dormimos dormís duermen	dormía dormías dormía dormíamos dormíais dormían	dormí dormiste durmió dormimos dormisteis durmieron	dormiré dormirás dormirá dormiremos dormiréis dormirán	dormiría dormirías dormiría dormiríamos dormiríais dormirían	duerma duermas duerma durmamos durmáis duerman	durmiera durmieras durmiera durmiéramos durmierais durmieran	duerme tú, no duermas duerma usted durmamos duerman Uds.
pedir (i, i) pidiendo pedido	pido pides pide pedimos pedís piden	pedía pedías pedía pedíamos pedíais pedían	pedí pediste pidió pedimos pedisteis pidieron	pediré pedirás pedirá pediremos pediréis pedirán	pediría pedirías pediría pediríamos pediríais pedirían	pida pidas pida pidamos pidáis pidan	pidiera pidieras pidiera pidiéramos pidierais pidieran	pide tú, no pidas pida usted pidamos pidan Uds.
pensar (ie) pensando pensado	pienso piensas piensa pensamos pensáis piensan	pensaba pensabas pensaba pensábamos pensabais pensaban	pensé pensaste pensó pensamos pensasteis pensaron	pensaré pensarás pensará pensaremos pensaréis pensarán	pensaría pensarías pensaría pensaríamos pensaríais pensarían	piense pienses piense pensemos penséis piensen	pensara pensaras pensara pensáramos pensarais pensaran	piensa tú, no pienses piense usted pensemos piensen Uds.

STEM-CHANGING AND ORTHOGRAPHIC-CHANGING VERBS (CONTINUED)

Infinitive Present Participle Past Participle	Indicative					Subjunctive		Imperative
	Present	Imperfect	Preterite	Future	Conditional	Present	Imperfect	
producir (zc) produciendo producido	produzco produces produce producimos producís producen	producía producías producía producíamos producíais producían	produje produjiste produjo produjimos produjisteis produjeron	produciré producirás producirá produciremos produciréis producirán	produciría producirías produciría produciríamos produciríais producirían	produzca produzcas produzca produzcamos produzcáis produzcan	produjera produjeras produjera produjéramos produjerais produjeran	produce tú, no produzcas produzca usted produzcamos produzcan Uds.
reír (i, i) riendo reído	río ríes ríe reímos reís ríen	reía reías reía reíamos reíais reían	reí reíste rio reímos reísteis rieron	reiré reirás reirá reiremos reiréis reirán	reiría reirías reiría reiríamos reiríais reirían	ría rías ría riamos riáis rían	riera rieras riera riéramos rierais rieran	ríe tú, no rías ría usted riamos rían Uds.
seguir (i, i) (ga) siguiendo seguido	sigo sigues sigue seguimos seguís siguen	seguía seguías seguía seguíamos seguíais seguían	seguí seguiste siguió seguimos seguisteis siguieron	seguiré seguirás seguirá seguiremos seguiréis seguirán	seguiría seguirías seguiría seguiríamos seguiríais seguirían	siga sigas siga sigamos sigáis sigan	siguiera siguieras siguiera siguiéramos siguierais siguieran	sigue tú, no sigas siga usted sigamos sigan Uds.
sentir (ie, i) sintiendo sentido	siento sientes siente sentimos sentís sienten	sentía sentías sentía sentíamos sentíais sentían	sentí sentiste sintió sentimos sentisteis sintieron	sentiré sentirás sentirá sentiremos sentiréis sentirán	sentiría sentirías sentiría sentiríamos sentiríais sentirían	sienta sientas sienta sintamos sintáis sientan	sintiera sintieras sintiera sintiéramos sintierais sintieran	siente tú, no sientas sienta usted sintamos sientan Uds.
volver (ue) volviendo vuelto	vuelvo vuelves vuelve volvemos volvéis vuelven	volvía volvías volvía volvíamos volvíais volvían	volví volviste volvió volvimos volvisteis volvieron	volveré volverás volverá volveremos volveréis volverán	volvería volverías volvería volveríamos volveríais volverían	vuelva vuelvas vuelva volvamos volváis vuelvan	volviera volvieras volviera volviéramos volvierais volvieran	vuelve tú, no vuelvas vuelva usted volvamos vuelvan Uds.

Spanish to English Vocabulary

This vocabulary includes all words presented in the text, except for proper nouns spelled the same in English and Spanish, diminutives with a literal meaning, typical expressions of the Hispanic countries presented in the **Enfoque cultural**, and cardinal numbers (found on pages 14 and 15). Other cognates and words easily recognized because of the context, which are presented after lesson 11, are not included either.

The number following each entry corresponds to the **lección** in which the word was first introduced. Numbers in italics followed by *r* signal that the item was presented for recognition rather than as active vocabulary.

A

a *at, to* B; es a las *it's at* B; a veces *sometimes* 1
abajo *below 4r*
abierto *open 10r,* 13; *opened* 13
el/la abogado/a *lawyer* 9
abrazar(se) (c) *to embrace* 13
el abrazo *embrace, hug 1r*
el abrelatas *can opener 5r*
el abrigo *coat* 6
abril *April* B
abrir *to open* Br, 11
abrupto/a *abrupt 10r*
absoluto/a *absolute 5r*
la abuela *grandmother* 4
el abuelo *grandfather* 4
los abuelos *grandparents* 4
abundar *abound, to be plentiful 13r*
aburrido/a *boring* 1; *bored* 2
aburrirse *to be bored 7r*
acabar *to finish, to end* 13; acabar de + inf. *to have just + past. part. 2r,* 13
académico/a *academic 3r*
acampar *to camp 10r*
acceder *to agree 10r; to access 14r*
el acceso *access 9r*
el accesorio *accessory* 5
el accidente *accident 9r*
la acción *action 8r*
el aceite *oil* 10
la aceituna *olive 10r*
el acento *accent 3r*
la acentuación *accentuation 2r*
aceptar *to accept 8r,* 13
acerca de *about 1r*
el acero *steel 5r*
aclarar *to clarify 8r*

aclaratorio/a *clarifying 14r*
acogedor/a *friendly 6r*
acompañar *to accompany 2r,* 8
aconsejable *advisable 12r*
aconsejar *to give advice 5r,* 10
el acontecimiento *event 1r*
el acorazado *battleship 3r*
acortar *to shorten* 13
acostar *to put to bed* 7; acostarse (ue) , *to go to bed* 7
acostumbrado/a *used to 10r; accustomed 14r*
acreditar *to accredit 12r*
la actitud *attitude 5r*
la actividad *activity 1r*
activo/a *active* B
el actor *actor 3r,* 9
la actriz *actress* 9
la actuación *performance 9r*
actual *present, current* 14
la actualidad *present time 4r,* 13
actualmente *at the present time* 9
actuar *to act 5r,* 13
acuático/a adj. *water 7r*
el acuerdo *agreement 5r;* estar de acuerdo *to agree 2r,* 3; de acuerdo con/a *according to 4r*
el acumulador *battery* 12
acumular *to accumulate 9r*
acusar *to accuse 9r*
la adaptación *adaptation 3r*
adaptar(se) *to adapt 5r*
adecuado/a *appropriate 4r*
adelante *forward 9r;* más adelante *later on 11r;*
el adelanto *advance 14r*
adelgazar (c) *to lose weight 10r*
el ademán *gesture 15r*
además adv. *besides 1r*

adepto/a *follower 7r*
el aderezo *salad dressing* 10
adicional *additional 4r*
adicto/a *addicted 10r*
adiós *good-bye* B
el/la adivinador/a *fortune teller 4r*
la adivinanza *riddle 2r*
adivinar *to guess, to figure out 1r*
la administración *management 1r*
administrativo/a *administrative 5r*
la admiración *admiration 2r*
admirar *to admire* 2r
la admisión *admission 1r*
admitido/a *admitted 1r*
el/la adolescente *adolescent 4r*
adonde *where (to) 1r*
adónde *where (to)* 3
adoptar *to adopt 10r*
adornado/a *decorated 8r*
el adorno *decoration 10r*
adquirir *to acquire 4r*
la aduana *customs* 12
adulto/a *adult 3r,* 14
la adversidad *adversity 9r*
advertir (ie, i) *to observe, to warn 14r*
aéreo/a adj. *air 3r*
aeróbico/a *aerobic 5r*
la aerolínea *airline* 12
el aeropuerto *airport 4r,* 12
afectar *to affect 8r*
afeitar(se) *to shave* 7
el/la aficionado/a *fan* 7
afilado/a *sharp 5r*
la afirmación *statement 8r*
afirmar *to assure 5r*
afirmativamente *in the affirmative 5r*
afortunado/a *fortunate 5r*

africano/a *African* 2r
las afueras *outskirts* 5
la agencia *agency;* agencia de viajes *travel agency* 12
la agenda *agenda* 3r
el/la agente *agent* 5r, 12; agente de viajes *travel agent* 12
agitar *to shake* 5r
agosto *August* B
agradable *nice* 2
agradecer (zc) *to thank* 8r
el agradecimiento *gratitude* 8r
el agregado *addition* 2r
agregar *to add* 10r
agresivo/a *aggressive* Br
agrícola *agricultural* 9r
agrio/a *sour* 10
agrupar *to group together* 8r
el agua *water* 3; agua con gas *carbonated water* 3
el aguacate *avocado* 10
el agujero *hole* 14r
el/la ahijado/a *godchild* 4
ahí *there* 1r
ahora adv. *now* 1r, 2
ahorrar *to save* 6r
el aire *air, flair* 2r, 3; aire acondicionado *air conditioning* 3r, 5; al aire libre *outdoors* 3
el ají *pepper* 10r
el ajiaco *type of soup* 4r
el ajo *garlic* 5r, 10
al *to the* (contraction of *a* + *el*) 1r, 3; al lado (de) *next to* B
la alarma *alarm* 5r
el albergue *lodgings* 8r
el/la alcalde/sa *mayor* 10r
alcalino *alkaline* 10r
alcanzar (c) *to reach* 11r, 13
alcohólico/a *alcoholic* 10r
la aldea *village* 9r
alegrarse (de) *to be glad (about)* 11
alegre *happy, glad* 2
la alegría *joy* 1r, 8
alemán/alemana *German* 1r
la alergia *allergy* 3r
el alfabeto *alphabet* Br
el alfiler *pin* 15r
la alfombra *carpet, rug* 5
el alga *seaweed* 10r
algo *something* 1; *anything* 12
el algodón *cotton* 6
alguien *someone, anyone, somebody* 12
algún *some* 1r, 12; *any* 12
alguno/a *some* 1r, 2; *any* Br, 12
algunos/as *any, some* 5r, 12
la alimentación *diet* 10r

alimentar *to feed* 10r
el alimento *food* 5r, 10
alineado/a *lined-up* 6r
el aliño *seasoning* 10
allá *over there* 3r
allí *there* 1r, 3r, 5
el almacén *department store* 6
almacenar *to keep, to sore* 2r
la almohada *pillow* 5
almorzar (ue) *to have lunch* 4
el almuerzo *lunch* Br, 3
aló *hello* 3
el alojamiento *lodging* 12r
alquilar *to rent* 3
el alquiler *rent* 5r
alrededor *around* 1r
el altar *altar* 8r
alternar *to alternate* 12r
alto/a *tall,* 2; *high* 1r, 2; más alto *louder* Br
altruista *altruistic* 9r
la altura *height* 7r
el/la alumno/a *student* 1
la alusión *reference* 9r
el ama de casa *housewife, homemaker* 5r, 9
amable *nice* 2r
el/la amante *lover* 8r
amar *to love* 14r
amarillo/a *yellow* 2
amasar *to knead* 10r
amazónico/a *Amazonian* 6r
la ambición *ambition* 2r
ambicioso/a *ambitious* Br
ambiental *environmental* 8r
el ambiente *atmosphere, environment* 4r
el ámbito *scope, world* 9r
ambos/as *both* 2r
ambulante: vendedor/a ambulante *street vendor* 8r
amenazar (c) *to threaten, to menace* 15
americano/a *American* 3r
amigable *friendly* 2r
el/la amigo/a *friend* B
la amistad *friendship* 2r, 8
el amor *love* 3
la ampliación *enlargement, expansion* 1r
ampliar *to expand* 14r
amplio/a *wide* 1r
amueblado/a *furnished* 5r
el amuleto *amulet* 10r
el analfabetismo *illiteracy* 14r
el análisis *analysis* 11
analizar (c) *to analyze* 6r
anaranjado/a *orange* 2

ancho/a *wide* 6
el anda *platform to place an image* 8r
el andinismo *mountaineering* 9r
andino/a *Andean* 6r
la angustia *anguish* 12r
el anillo *ring* 6
el/la animador/a *host, hostess* 9r
la animación *animation* 9r
animado/a *animated, lively* 9r
el/la animador/a *host (of a program)* 9r
el animal *animal* 1r, 2
animar *to entertain, to host* 9r
el anisado *anisette (licor)* 3r
el aniversario *anniversary* Br
anoche *last night* 6
anotar *to jot down* 6r
la ansiedad *anxiety* 11r
ante(a)noche *night before last* 6
anteayer *day before yesterday* 6
el/la antepasado/a *ancestor* 8
anterior adj. *previous, prior* 1r
anterioridad: con anterioridad *in advance* 8r
antes adv. *in advance, before* 1r, 8
el antibiótico *antibiotic* 11r
la anticipación *anticipation, in advance* 1r
la antigüedad *antique* 9r
antiguo/a *old* 1r, 8; *former* 8
antipático/a *unpleasant* 2
la antropología *anthropology* 1
anual *annual* 7r
anunciar *to advertise* 5r; *to announce, to tell* 8r, 14
el anuncio *ad (advertisement), announcement* 3r, 9
añadir *to add* 6r, 10
el año *year* B; el año pasado *last year* 6; el año próximo *next year* 3; Año Nuevo *New Year's Day* 8
apagar (gu) *to extinguish, to put out* 9; *to turn off (the light)* 15
el aparato *instrument, set* 10r
aparecer (zc) *to appear, to show up* 4r
la aparición *appearance* 9r
la apariencia *appearance* 2r
el apartado postal (de correos) *P.O. box* 9r
el apartamento *apartment* 1r, 5
aparte (de) *besides* 2r
apasionante *exciting* 4r
el apellido *last name* 2r, 14
el aperitivo *appetizer, apéritif* 3r
el apetito *appetite* 10r
aplaudir *to applaud* 7
apoyar *to support, to back up* 7r

el apoyo *support* 9r
apreciar *to appreciate* 4r
aprender *to learn* 1r
apretar (ie) *to press* 15r
la aprobación *approval* 14r
apropiado/a *appropriate* 4r
aprovechar *to take advantage* 7
aproximadamente *approximately* 6r
apuntes: tomar apuntes *to take notes* 1
aquel/aquella adj. *that* 3r, 5; aquél/aquélla pron. *that one* 2r, 5
aquellos/aquellas adj. *those* 5; aquéllos/aquéllas pron. *those* 5
aquí *here* 5
el árabe *Arab* 10r; *Arabian* 1r
arbitrar *to referee* 7r
el árbitro *umpire, referee* 7
el árbol *tree* 4r, 7
el archivo *file cabinet* 2r
la ardilla *squirrel* 2r
el área *area* 5r, 13
la arena *sand* 7r
arenoso/a *sandy* 7r
el arete *earring* 6
argentino/a *Argentinian* 2
el argumento *argument* 12r
el arma *arm* 14r
el armario *closet, armoire* 5
la armonía *harmony* 4r
armonioso/a *harmonious* 10r
la arqueología *archaeology* 8r
arqueológico/a *archaelogical* 8r
el/la arquitecto/a *architect* 9
la arquitectura *architecture* 1
arreglar *to fix, to repair* 9r
arrendar (ie) *to rent* 5r
arriba *above* 5r
arriesgar *to risk* 13r
arrogante *arrogant* Br
el arroz *rice* 3
el arte *art* Br; bellas artes *fine arts* 9r
el artefacto *artifact* 9r
artesanal adj. *handicrafts* 10r
la artesanía *handicrafts* 4r, 10
el/la artesano/a *craftsman/woman* 2r
el artículo *article* 1r
el/la artista *artist* 2r
artístico/a *artistic* 6r
la arveja *pea* 10r
asado/a *baked* 3r; *roast* 6r
la asamblea *assembly* 9r
la ascendencia *ancestry, origin* 2r
ascender *to ascend, to advance (in business)* 14r
el ascenso *promotion* 13r, 14
el ascensor *elevator* 5r
asegurar *assure* 9r

el aserrín *sawdust* 8r
el asesinato *assassination, murder* 12r
la asfixia *asphyxia* 12r
así *so* 1r; *this way* 6; así como *as well as* 2r
asiático/a *Asian* 2r
el asiento *seat* 12; asiento de pasillo *aisle seat* 12
asimilar/se *to assimilate, to incorporate* 12r
asimismo *likewise* 10r
la asistencia *attendance* 7r; asistencia social *welfare* 14
el/la asistente *assistant* 5r, 13
asistir *to attend* 4r
la asociación *association* 1r
asociado/a *associated* 7r
asociar *to associate* 4r
el aspecto *aspect* 2r; *appearance* 8r
la aspiradora *vacuum cleaner* 5
la aspirina *aspirin* 11
el/la astronauta *astronaut* 9r
el/la astrónomo *astronomer* 3r
asumir *to assume (responsibilities)* 13
el asunto *subject, matter, issue* 15
la atención *attention, service* 3r
atender (ie) *to take care of* 5r; *to attend, to answer (telephone)* 9
atendido/a *attended* 6r
atentamente *sincerely* 2r
aterrizar (c) *to land* 15r
aterrorizar (c) *to terrorize* 9r
atípico/a *atypical* 4r
atlántico/a adj *Atlantic* 2r
el/la atleta *athlete* 7r
atlético/a *athletic* Br
la atmósfera *atmosphere* 7
la atracción *attraction* 12r
el atractivo *attraction* 8r; adj. *attractive* Br
atragantar *to choke* 12r
atrapar *to catch* 14r
atrasado/a *late* 12r
el atún *tuna* 3r
el auditorio *auditorium* 3r
el aula *classroom* 13r
aumentar *to increase* 6r
el aumento *increase* 5r; *raise* 9r
aun *even* 9r
aún *still* 9r
aunque *although* 2r, 14
la ausencia *absence* 9r
ausentarse *to be absent* 14r
ausente adj. *absent* Br
auténtico/a *authentic* 8r
auto(móvil) *car* 2
autobiográfico/a *autobiographic* 2r

el autobús *bus* 4r, 12
la autopista *freeway* 12
el/la autor/a *author* 5r
la autoría *authorship* 9r
la autoridad *authority* 7r
autoritario/a *authoritarian* 9r
el/la auxiliar: auxiliar de vuelo *steward, stewardess* 12
el avance *advance* 9r
avanzado/a *advanced* 1r
el ave *fowl, bird (poultry)* 8r, 10
la avenida *avenue* Br
la aventura *adventure* 9r
averiguar *to find out* 1r
el avión *airplane* 3r, 12
avisar *to let (someone) know* 14r
el aviso *advertisement, notice* 4r, *sign* 14r
ayer *yesterday* 6
la ayuda *help* 4r
el/la ayudante *assistant* 13
ayudar *to help* 4
azar: el azar *at random* 12r
azteca *Aztec* 5r
el/la azúcar *sugar* 9r, 10
azul *blue* 2
el azulejo *tile* 5r

B

bailar *to dance* 1
el bailarín/la bailarina *dancer* 2r
el baile *dance* 1r
la bajada *slope* 7r
bajar *to get off, to come down* 7r; bajar de peso *to lose weight* 3r
bajo/a *short* 2; prep. *under* 3r
el balboa *monetary unit of Panamá* 1r
el balcón *balcony* 5r
el balneario *(seaside) resort* 2r
el baloncesto *basketball* 7
bancario adj. *bank* 14r
el banco *bank* 5r
la banda *band* 8r
la bandeja *tray* 10
el banquete *banquet* Br
la bañadera/bañera *tub* 5
bañar(se) *to bathe, to take a bath* 4; bañarse en la playa *to go swimming* 3r
el baño *bathroom* 2r, 5
el bar *bar* 4r
barato/a *inexpensive, cheap* 6
la barbacoa *barbecue* 5
el barco *ship, boat* 3r, 2
barrer *to sweep* 5
el barrio *neighborhood* Br, 5

el barro *mud, clay* 3r
basar(se) *to base* 4r
la base *base* 2r
básicamente *basically* 4r
básico/a *basic* 1r
el basquetbol *basketball* 2r, 7
bastante adv. *enough* 1; **bastante bien** *pretty well, rather well* B; *a lot* 10r
bastar *to be enough* 15r
la basura *garbage* 5
la bata *robe* 6
batallar *to fight* 4r
el bate *baseball bat* 7
la batería *battery* 12
el batido *shake* 3r
la batidora *beater* 5r
batir *to beat* 5r, 10
el bautizo *baptism, christening* 4
el/la bebé *baby* 4r
beber *to drink* 3
la bebida *drink* 3
la beca *scholarship* 13r
el béisbol *baseball* 2r, 6
la belleza *beauty* 1r
bello/a *beautiful* 1r
la bendición *blessing* 8r
la beneficiencia *charity* 9r
el beneficio *benefit* 5r
besar *to kiss* 13
el beso *kiss* 1r
la biblioteca *library* 1
el/la bibliotecario/a *librarian* 9
la bicicleta *bicycle* 1
bien adv. *well* B; **¡Qué bien!** *That's great* 3
los bienes *goods* 9r; **bienes raíces** *real estate* 5r
el bienestar *well-being, welfare* 15
bienvenido/a *welcome* B
bilingüe *bilingual* 2r
el billete *ticket* 3r
la billetera *wallet* 6
la biología *biology* 1r
la biosfera *biosphere* 15
el bistec *steak* 3
blanco/a *white* 1
bloquear *to block* 15
la blusa *blouse* 6
la boca *mouth* 11
el bocado *bite* 10r
la boda *wedding* 8
la boletería *ticket office* 3r
el boleto *ticket* 3r, 12; **boleto de ida y vuelta** *roundtrip ticket* 12
el bolígrafo *ball-point pen* B
el bolívar *monetary unit of Venezuela* 1r

el boliviano *monetary unit of Bolivia* 1r; *Bolivian* 2r
los bolos *bowling* 7
la bolsa/el bolso *purse, bag* 6
bolsa de valores *stock market* 15r
el/la bombero/a *firefighter* 9
bonito/a *pretty* 2
el bono *bonus* 9r
el borde *edge* 10r
el borrador *eraser* B
el bosque *forest* 5r, 15; **bosque tropical** *rain forest* 5r, 15
la bota *boot* 6
el bote *boat* 10r
la botella *bottle* 5r, 10
el botones *bellhop* 12
el boxeador *boxer* 7r
boxear *to box* 7r
la brasa: **a la brasa** *barbecued* 6r
brasileño/a *Brazilian* 7r
el brazo *arm* 11
brillante *brilliant* 5r
el brote *outbreak* 11r
el/la bruto/a *brute, stupid* 9r
el buceo *skin diving* 7r
buen *good* 2r, 5
bueno/a *good* 1; *well* 1r
la bufanda *scarf* 6
el bulevar *boulevard* 2r
el bus *bus* 12
busca: **en busca de** *in search of* 9r, 15
el buscapersonas *beeper* 11r
buscar (qu) *to look for* 1
la búsqueda *search* 1r
la butaca *armchair* 5
el buzón *mailbox* 1r, 12

C

el caballero *gentleman* 2r
el caballo *horse* 3r
el cabello *hair* 11
la cabeza *head* 11
la cabina *cabin, cockpit* 15r
cada adj. *each, every* 1r, 7
la cadera *hip* 11
caer(se) *to fall* 11; **caer bien** *to like* 6r
café *brown* 2
el café *coffe house* 1; *coffee* 1r, 3; **plus café** *after dinner drink* 3r
la cafeína *caffeine* 10r
la cafetería *cafeteria* 1
la caída *drop* 6r
la caja *cash register* 9r *box* 12r; **caja fuerte** *safe* 12
el/la cajero/a *cashier* 9; **el cajero automático** *ATM (machine)* 6r

el calcetín *sock* 6
el calcio *calcium* 10r
la calculadora *calculator* B
calcular *to calculate* 7r
el cálculo *calculus* 1r
la calefacción *heater* 5
el calentamiento *warming* 15r
calentar (ie) *to warm up, to heat up* 12r
la calidad *quality* 5r, 14
cálido/a *warm* 3r
caliente *hot* 3
la calificación *qualification* 2r, *rating* 14r
calificar (qu) *to qualify, to describe* 4r
callado/a *quiet* 2
callarse *to be quiet* 2r
la calle *street* B
el calor: **tener calor** *to be hot* 5; **hacer calor** *to be hot (weather)* 4r, 7
la caloría *calorie* 10r
el calzado *footwear* 7r
los calzoncillos *boxer shorts* 6
la cama *bed* 5
la cámara *camera* 9r, *chamber* 13r
la camarera *waitress* 3
el camarero *waiter* 3
el camarón *shrimp* 3
el camarote *cabin (on boat)* 12r
cambiar *to change, to exchange* 2r, 6; **cambiar de papel** *switch roles* Br
el cambio *change* 2r
el camello *camel* 8r
el/la caminante *walker* 3r
caminar *to walk* 1
la caminata *walk* 10r
el camino *road, way* 8
el camión *truck* 9r
la camisa *shirt* 6
la camiseta *T-shirt* 6
el camisón *nightgown* 6
el campamento *camp* 6r
la campaña *campaign* 9r
el/la campeón/a *champion* 7
el campeonato *championship* 5r, 7
el/la campesino/a *peasant* 15
el campo *field* 7; *countryside* 13
el canal *channel* 7r; *canal* 12r
canalizar (c) *to channel* 7r
cancelar *to cancel* 12
el cáncer *cancer* 3r
la cancha *court* 7
la canción *song* 2r, 3
el/la candidato/a *candidate* 2r
cansado/a *tired* 2
el cansancio *fatigue* 10r
cansar(se) *to get tired* 10
cantado/a *sung* 8r

el/la cantante *singer* 3r
cantar *to sing* 3
la cantidad *quantity, amount* 4r
la cantina *bar* 9r
cantonés/cantonesa *Cantonese* 3r
la caña *rattan* 5r
la capacidad *capacity* 4r
la capacitación *training* 9r
la capa *layer* 15r
capaz *capable* 12r
la capilla *chapel* 4r
la capital *capital* 1r
el capitán/la capitana *captain* 7r
el capó *car hood* 12
la cara *face* 11
el carácter *character* 8r
la característica *characteristic* 1r
el caramelo *candy* 8r
el carbón *coal* 15r
el/la cardiólogo/a *cardiologist* 9r
carecer (zc) *to lack* 2r, 14
cargar *to load* 8r
el cargo *position* 9r, 13
caribeño/a *from the Caribbean* 6r
el cariño *affection, love* 5r, 14r
cariñosamente *affectionately* 4r
cariñoso/a *affectionate* 2r
carmelita *brown* 2r
el Carnaval *Mardi Gras* 8
la carne *meat* 6r, 10; carne
    molida/picada *ground meat* 10;
    carne de res *beef* 10
caro/a *expensive* 4r, 6
la carrera *career* 1r; *race* 2r, 6
la carreta *cart, wagon* 8
la carretera *highway* 12
el carro *car* 12
la carroza *float* 8
la carta *letter* 2r, 12; *menu* 3r
el cartero *mailman* 12
el cartón: de cartón *(made of)
    cardboard* 15
la casa *home, house* 1
casado/a *married* 2
casarse *to get married* 4r, 14
el cascabel *bell* 4r
el casco *helmet* 13r
casero/a adj *house* 11r
el casete *cassette* 1
casi adv. *almost* 8r
el casillero *pigeonhole* 5r
el caso *case* 9r
castaño *brown* 2
el castellano *Castillian (Spanish)
    language* 1r
el/la catador/a *wine taster* 9r
catalán *Catalonian* 1r
el catálogo *catalogue* 7r

la catarata *cataract, fall* 2r
el catarro *chest cold* 11
catastrófico/a *catastrophic* 12r
la catedral *cathedral* 1r
la categoría *category* 4r
católico/a *Catholic* 8r
el caudillo *strong man, dictator* 14r
la causa: *cause* 12r; a causa de
    because of 12
causar *to cause* 15
el cayo *key* 12r
la cebolla *onion* 5r, 10
la cédula *identification card* 2r
la ceja *eyebrow* 11
la celebración *celebration* 1r, 8
celebrar *to celebrate* 3
celta *Celt* 2r
la célula *cell* 15r
el celular *cellular phone* 10r
el cementerio *cemetery* 8
la cena *dinner, supper* 3
cenar *to have dinner* 3
el censo *census* 13r, 14
la censura *censorship* 8r
centenario/a *hundred-year old* 8r
centrar(se) *to center* 10r
céntrico/a adj. *central* 5r
el centro *center* 1r, 5; *downtown* 5;
    centro comercial *shopping center*
    5r, 6
centroamericano/a *Central American* 2r
la cepa *roostalk* 9r
cerca (de) *near* 2r, 5
cercano/a *close, near by* 4r
el cerdo *pork* 10
el cereal *cereal* 3
el cerebro *brain* 11
la ceremonia *ceremony* 6r
la cereza *cherry* 10
cerrado/a *closed* 5r
cerrar (ie) *to close* Br, 4
certificado/a *certified* 9r
la cerveza *beer* 3
el cesto *wastepaper basket* B; el
    cesto/la cesta *basket, hoop* 7
el ceviche *raw fish dish* 3
el champaña *champagne* 4r
chao/chau *good-bye* B
la chaqueta *jacket* 6
la charcutería *delicatessen* 6r
la charla *talk, chat* 1r
charlar *to chat* 14r
el cheque *check* 6r; cheque de
    viajero *traveller's check* 12
la chica *girl* B
el chico *boy* B
chileno/a *Chilean* 2
la chimenea *fireplace* 5

chino/a *Chinese* 5r
el chiste *joke* 8r
chocar (qu) *to crash* 12r
el chocolate *chocolate* 3r
el chofer *driver* 9
la chuleta *chop* 10
el churro *batter deep fried* 10r
el ciberespacio *cyberspace* 15r
el ciclismo *cycling* 7
el/la ciclista *cyclist* 7
ciego/a *blind* 15r
el cielo *sky* 12r, 15
la ciencia *science* 1; ciencia-ficción
    science-fiction 2r
el/la científico/a *scientist* 9
cierto adv. *true, certain* 1r, 10; por
    cierto *by the way* 9
la cifra *figure* 14r
la cima *summit, top* 8r
el cine *movies* Br, 3
cinematográfico/a adj. *movie* 3r
el/la cineasta *film director* 9r
la cinta *movie* 9r
la cintura *waist* 11
el cinturón *belt* 6; cinturón de
    seguridad *safety belt* 12
circular *to circulate* 11r
el círculo *circle* 8r
la circunstancia *circumstance* 5r
la cirugía *surgery* 9r
el/la cirujano/a *surgeon* 11r
la cita *date* 2r; cita a ciegas *blind
    date* 2r; cita (textual) *quote* 7r
la ciudad *city* 1r, 3
el/la ciudadano/a *citizen* 13
civil *civil, civilian* 2r
la civilización *civilization* 4r
la clara (de huevo) *egg white* 5r
claro/a *light, clear* 2r; *of course* 5
la clase *class* B
clásico/a *classic* 1r
clasificado/a *classified* 1r
clasificar (qu) *to classify* 4r
clasificatorio/a *preliminary* 7r
el/la cliente *client* 6r, 9
el clima *climate* 3r
climatizado/a *air conditioned* 15r
la clínica *clinic, hospital* 11r
el club *club* 2r
el cobre *copper* 9r
la cocaína *cocaine* 14r
el coche *car* 4r, 12
la cocina *kitchen,* 5; *cooking, cuisine* Br
cocinado/a *cooked* 10r
cocinar *to cook* 5
el/la cocinero/a *cook* 2r
el coco *coconut* 4r
el código: código postal *zip code* 3r

el codo *elbow* 11
el cognado *cognate* Br
la coherencia *coherence* 4r
el cohete *rocket* 15
coincidir *to coincide* 6r
colaborar *to collaborate* 5r
el colador *colander, strainer* 5r
colar *to strain* 5r
la colección *collection* 4r
el/la coleccionista *collector* 9r
colectivo/a *collective* 8r
el/la colega *colleague* 4r
el colibrí *hummingbird* 8r
la colina *hill* 9r
el collar *necklace* 6
colocar (qu) *to place* 13r
colombiano/a *Colombian* 2
el colón *monetary unit of Costa Rica and El Salvador* 1r
colonial *colonial* 2r
el color *color* 2; de color entero *solid color* 6
colorado/a *red* 10r
el colorante *colouring* 10r
el colorido *color* 8r; *colorful* 8r
la columna *column* 4r
la coma *comma* 3r
el comandante *commander, major* 12r
combatir *to fight* 14r
combinar *combine* 3r
la comedia *comedy* 3r
el comedor *dining room* 5
comentar *to comment, to discuss* 6r
el comentario *comment, commentary* 3r
comenzar (ie, c) *to begin* 1r, 8
comer *to eat* 1r, 3
comercial *commercial* 2r; centro comercial *shopping center* 6
la comercialización *commercialization* 6r
el/la comerciante *business person, trading* 13r
el comercio *commerce, business* 5r, 13
cómico/a *comic, funny* Br
la comida *dinner, supper* 3; *food* 10
el comienzo *beginning* 8
el comino *cumin* 10r
la comisión *commission* 7r
el comité *committee* 6r
como adv. *as, like* 1r, 8
cómo *how, what* B; *as* 8; ¿cómo te va? *How is it going?* 1; cómo no *of course* 9
la cómoda *dresser* 5
la comodidad *comfort* 5r
cómodo/a *comfortable* 3r
compacto/a *compact* 2r

el/la compañero/a *partner, classmate* Br, 1
la compañía *company, corporation* 2r, 9
comparar *to compare* 4r
la comparación *comparison* 8r
la comparsa *costumed group* 8
compartir *to share* 1r
el compás *rhythm* 4r
la compensación *compensation* 5r
la competencia *competition* 1r
competente *competent* Br
competir (i) *to compete* 7
el complejo *complex* 14r
complementar *to complement* 10r
complementario/a *complementary* 1r
completar *to complete* Br
completo/a *complete* 1r
la complicación *complication* 11r
complicado/a *complex* 10r
el componente *component* 4r
el comportamiento *behavior* 9r
composición *composition* 1r
el/la compositor/a *composer* 9r
la compra *shopping* 6; ir de compras *to go shopping* 3r, 6
el/la comprador/a *buyer* 6r
comprar *to buy* 1
la compraventa *buying and selling* 4r
comprender *to understand* Br
comprobar (ue) *to check, to confirm* 9r
comprometidola *committed* 14r
el compromiso *obligation, commitment* 2r
compuesto/a *compound* 5r
la computadora *computer* B
común *common* 1r
la comunicación *communication* 2r
comunicar(se) (qu) *to communicate* 3r, 9
la comunidad *community* 4r
con *with* B; con permiso *excuse me* B
la concentración *concentration* 4r
concentrar *to concentrate* 7r
la concepción *conception* 8r
el concepto *concept* 6r
el concierto *concert* Br
conciliar: conciliar el sueño *to get to sleep* 10r
la concordancia *agreement* 4r
el concurso *contest* 1r
la condición *condition* 10r
el condimento *condiment* 10r
el condominio *condominium* 1r
el/la conductor/a *driver* 12r
la conducta *behaviour* 10r
la confección *making* 8r
confeccionar *to make* 8r
la conferencia *lecture* 1r; *conference* 2r

la confiabilidad *trust* 14r
la confianza *trust* 14
configurar *to shape, to form* 4r
confiscar (qu) *to confiscate* 14r
confundido/a *confused* 11r
confundir(se) *to mix up, to confuse, to be confused* 13r
congelado/a *frozen* 10r
congelar(se) *to freeze* 7
congénito/a *congenital* 15r
el/la congresista *congressman-woman* 13r
el congreso *congress, convention* 5r
conjugar *to conjugate* 4r
el conjunto *set, group* 12r; adj. *joint* 9r
conmemorar *to commemorate* 8r
conmigo *with me* 2r, 7
el/la conocedor/a *expert* 9r
conocer (zc) *to know, to meet* 1r, 5
conocido/a *known, famous* 2r; *acquaintance* 2r
la conquista *conquest* 7r
el/la conquistador/a *conqueror* 8r
conquistar *to conquer* 13r
consagrado/a *recognized* 9r
la consecuencia *consequence* 2r
conseguir *to obtain, to get* 2r; *to accomplish* 12r
el/la consejero/a *counselor, adviser* 9r
el consejo *advise* 11r
el/la conserje *concierge* 12
la conservación *preservation* 15
conservado/a *kept, preserved* 5r
el/la conservador/a *conservative* 2r
el conservante *preservative* 10r
conservar(se) *to keep, preserve* 4r
considerablemente *considerably* 7r
considerar(se) *to consider* 2r
consistir *to consist of, to be composed of* 6r
la constancia *perseverance* 4r
constante *constant* 1r
constar *to consist* 10r
constituir *constitute* 2r
la construcción *construction* 5r
construido/a *built* 5r
construir (y) *to build* 1r, 15
el cónsul *consul* 2r
el consulado *consulate* 2r
consultar *to consult* 1r, 14
el consultorio *doctor's office* 9
consumado/a *accomplished* 9r
el/la consumidor/a *consumer* 6r
consumir *to consume, to eat* 3r
la contabilidad *accounting* 1r
contactar *to contact* 9r
el contacto *contact* 1r

el/la contador/a *accountant* 9
contagiar(se) *to give or spread/to get a desease by contagion* 11
el contagio *contagion, spreading of a desease* 11r
la contaminación *contamination* 8r, 15
contaminado/a *contaminated* 3r, 7
contar (ue) *to tell* 8r, 13
contemporáneo/a *contemporary* 1r
contener (g, ie) *to contain* 10r
el contenido *contents* 4r, 11; contenido *controlled* 11r
contento/a *happy, glad* 2
la contestación *answer* Br
el contestador: *el contestador automático answering machine* 15
contestar *to answer* Br, 6
el contexto *context* 3r
contigo *with you* 5r, 7
continuación: a continuación *below* 10r
continuamente *continuously* 10r
continuar *to continue* 8r, 14
contra *against* 7r, 15
contraer (g) *to contract* 11r
contrario/a *opposite, contrary* 7
el contraste *contrast* 4r
contratar *to hire* 14r
el contrato *contract* 9r
la contribución *contribution* 13r
contribuir *to contribute* 2r
controlar *to control* 7r
conveniente *convenient* 5r
convenir (g, ie) *to suit, to be convenient* 6r
el convento *convent* 8r
la conversación *conversation* Br
conversar *to talk, to converse* 1
convertir(se) (ie, i) *to make, to become* 4r, 13
cooperar *to cooperate* 4r
la cooperativa *cooperative society* 9r
la coorporación *corporation* 3r
la copa *stemmed glass* 10; *drink* 3r; la Copa Mundial *World Cup* 7
la copia *copy* 6r
copiar *to copy* 1r
el coraje *courage* 12r
el corazón *heart* 11
la corbata *tie* 6
el corcho *cork* 5r
el córdoba *monetary unit of Nicaragua* 1r
correcto/a *correct* 4r
el corredor/a *runner, cyclist* 6
el correo *mail, post office* 9; el correo electrónico *e-mail* 2r, 15; por correo *by mail* 9r
correr *to run* 4; correr el riesgo *run the risk* 15
la correspondencia *correspondence, mail* 2r
corresponder *to correspond* 2r
correspondiente *corresponding* 7r
la corrida (de toros) *bullfight* 1r, 8
el cortado *coffee with a small amount of milk or cream* 2r; adj. *cut up*
cortar *to cut* 5r, 10
el cortavientos *windbreaker* 7r
la cortesía *courtesy* Br
la cortina *curtain* 5
corto/a *short* 2
la cosa *thing* 1r
la cosecha *harvest* 15
coser *to sew* 5r
el cosmético *cosmetic* 6r
cosmopolita *cosmopolitan* 6r
la costa *coast* 2r
costar (ue) *to cost* 4; ¿cuánto cuesta? *How much is it?* 1
la costilla *rib* 10
el costo *cost* 1r
la costumbre *custom, use* 8
la creación *creation* 8r
el/la creador/a *inventor, creator* 4r
crear *to create* 4r
la creatividad *creativity* 4r
creativo/a *creative* Br
crecer (zc) *to grow up* 4r
el crecimiento *growth* 15r
el crédito *credit* 3r
la creencia *belief* 14
creer *to believe, to think* 3r, 5
el/la creyente *believer* 8r
la crianza *upbringing* 4r
criarse *to be brought up* 13
el crimen *crime* 8r, 14
criollo/a adj. *Spanish American* 3r
la crisis *crisis* 14r
cristiano/a *christian* 8r
Cristo *Christ* 8r
criticar (qu) *to criticize* 13r
el/la crítico/a *critic* 14r
la crónica *chronicle* 8r
el crucero *cruise* 6r, 12
el crucigrama *crossword puzzle* 6r
cruzar (c) *to cross* 2r
el cuaderno *notebook* B
la cuadra *city block* 3r, 12
cuadrado/a *square* 15r
el cuadrilátero *boxing ring* 7r
el cuadro *picture* 5; de cuadros *plaid* 6
cuál/es *what* B; *which (one)* 1
el/la/los/las cual(es) *which* 8r
cualquier/a *any* 1r
cuándo interrog. *when* B

cuando adv. *when* 1r, 2
cuanto: en cuanto *as soon as* 14
cuánto/a/os/as interrog *how much, how many* 1
la Cuaresma *Lent* 8
el cuarto *quarter* B; *room, bedroom* 2r, 5; *fourth* 5
cubano/a *Cuban* 2
cubanoamericano/a *Cuban American* 5r
los cubiertos *silverware* 5r
el cubo: en cubitos *in cubes* 10r
cubrir *to cover* 5r, 13
la cuchara *spoon* 5r, 10
la cucharada *spoon(full)* 10r
la cucharadita *teaspoon* 10r
la cucharita *teaspoon* 10
el cuchillo *knife* 5r, 10
la cueca *typical Chilean music* 12r
el cuello *neck* 11
la cuenca *river basin* 15
el cuenco *bowl* 5r
la cuenta: cuenta corriente *checking account* 9r
el cuento *story* 3r
el cuero *leather*; de cuero *(made of) leather* 6
el cuerpo *body* 4r, 11
la cueva *cave* 10r
el cuidado *care* 4r, 5; tener cuidado *to be careful* 5
cuidar(se) *to take care of* 5r, 11
la culpa *guilt* 14r
culpable *guilty* 11r
el cultivo *cultivation* 15r
la cultura *culture* 2r
cultural *cultural* 1r
la cumbia *Colombian music and dance* 4r
el cumpleaños *birthday* Br, 3
el cumplimiento *fulfillment* 14r
cumplir *fulfill, to keep* 5r
la cura *cure* 9r
el/la curandero/a *quack doctor* 11r
curar(se) *to cure, to get well* 10r
curativo/a *curative* 10r
la curiosidad *curiosity* 1r
curioso/a *curious* 5r
el currículum *résumé* 9
el cursillo *short course of studies* 12r
el curso *course* 1r
cuyo/a *whose* 5r

D

la dama *lady* 2r
la danza *dance* 1r

dañar *to damage, to harm* 15

el daño *damage, harm* 15

dar *to give 1r*, 6 dar por sentado *to take for granted 14r*

el dato *piece of information, data 3r*, 14

de *about 2; of, from 2;* de nada *you're welcome* B

debajo (de) adv. *under* B

deber *ought to, should 3;* el deber *duty 14*

debido: debido a *due to 4r, 15*

débil *weak 2*

decidir *to decide 3*

décimo/a *tenth 5*

decir (g, i) *to say, to tell Br, 4;* es decir *that is to say 2r*

la decisión *decision 6r*

decisivo/a *decisive 6r*

la declaración *declaration 9r*

declarado/a *declared 8r*

declarar *to declare 9r*

la decoración *decoration 6r*

el décuplo *decuple, tenfold 15r*

la dedicación *dedication 5r*

dedicar (qu) *to dedicate 4r*

el dedo *finger 11*

defender (ie) *to defend 4r,*

la defensa *defense 11r*

el/la defensor/a *defender 13r*

la deficiencia *deficiency 10r*

la deforestación *deforestation 15*

la degustación *tasting 9r*

dejar *to leave (behind) 5r, 9; to let, to allow 9*

del *of the (contraction of de + el) 1r, 2*

delante de *in front of 9r*

delgado/a *thin 2*

delicioso/a *delicious 2r*

la delincuencia *delinquency 8r*

la demanda *demand, claim 9r*

demás: los demás *the rest, others 14*

demasiado *too, excessively 5r*

democrático/a *democratic 5r*

demostrar (ue) *to show, to demonstrate 4r*

el demostrativo *demonstrative 5r*

la denominación *denomination 14r*

denotar *to denote, to indicate 4r*

denso/a *dense 15r*

el/la dentista *dentist 11r*

dentro *inside, in 4r*

el departamento *department 1r*

depender *to depend 5r*

el/la dependiente/dependienta *salesperson 1*

el deporte *sport Br, 7*

el/la deportista *sportsman/woman 7r*

deportivo/a adj. *sport 1r, 6*

deprimido/a *depressed 10r, 11*

la derecha *right 4r, 12*

el derecho *law 1r;* adv. *right 14r, straight 12*

el desacuerdo *disagreement 13r*

el/la desamparado/a *homeless 14r*

desaparecido/a *missing 2r*

desapercibido/a *unnoticed 9r*

desarrollar(se) *to develop 3r, 15*

el desarrollo *development 8r*

desayunar *to have breakfast 3r, 4*

el desayuno *breakfast 3*

descansar *to rest 3*

el descanso *rest 7r*

el/la descendiente *descendant, offspring 13r*

descomponer *to breakdown 15*

desconocido/a *unknown 9r*

el descontento *discontent 9r*

descremado/a *skim (milk) 10r*

describir *describe 1r*

la descripción *description Br*

descubrir *to discover 5r*

el descuento *discount 6r*

desde *from 2r, since 13;* desde luego *of course 7r*

desear *to wish, to want 1r, 2*

desempleado/a *unemployed 9r*

el deseo *wish 9r*

desesperado/a *desperate 11r*

el desfile *parade 8;* desfile de modas *fashion show 6r*

el deshielo *thaw 15r*

el desierto *desert 3r*

la desigualdad *inequality 14r*

desmontar *to dismantle, dismount 12r*

desordenar *to disarrange 4r*

desorganizado/a *disorganized 9r*

el despacho *study, office 5r*

despacio *slowly Br*

la despedida *farewell Br*

despedir (i) *to fire, to terminate 9r;* despedirse *to say good-bye 3r*

despegar *to take off 15r*

despejado/a *clear (weather) 7*

desperdiciar *to waste 15*

el despertador *alarm clock 7r*

despertarse (ie) *to wake up 7*

después *after, later 1r, 3; then 4r*

destacado/a *outstanding, distinguished 15*

destacar (qu) *to stand out 7r*

destinar(se) *to address 4r; to destine 9r*

el destino *destination 3r, 12*

destruir (y) *to destroy 15r*

la desventaja *disadvantage 1r, 14*

la desventura *misfortune 9r*

el detalle *detail 5r*

el detective *detective Br*

detener (g, ie) *to stop 7r*

el deterioro *damage 7r*

determinad/a *specific 6r*

determinar *to determine 1r*

detestar(se) *to detest 11r*

detrás (de) *behind* B

la devoción *devotion 8r*

devolver (ue) *to return, to give back 6r*

el día *day B;* buenos días *good morning B;* todos los días *every day 1;* el Día de Acción de Gracias *Thanksgiving 8;* el Día de las Brujas *Halloween 8*

el/la diabético/a *diabetic 10r*

la Diablada *Hispanoamerican folkloric festival 8*

el diablo *devil 8r*

el dialecto *dialect 1r*

el diálogo *dialog 5r*

el diámetro *diameter 10r*

diariamente *daily 10r*

diario/a *daily 3r*

el dibujo *drawing 4r*

el diccionario *dictionary 1*

diciembre *December* B

la dicotomía *dichotomy 10r*

el dictador *dictator 14r*

la dictadura *dictatorship 13r*

dictar *to give (classes) 9r*

el diente *tooth 5r, 11*

la dieta *diet 3*

la diferencia *difference 3r*

diferenciar *to differenciate 3r*

diferente *different 1r*

difícil *difficult 1*

la dificultad *difficulty 13r*

difunto/a *dead, deceased 8;* Día de los Difuntos *All Souls Day 8*

digerir (ie) *to digest 10r*

la digestión *digestion 10r*

dinámico/a *dynamic Br*

el dinero *money 3r, 6*

Dios *God 8r*

la diplomacia *diplomacy 2r*

diplomático/a *diplomatic 2r*

la dirección *address B; direction 12r*

la directiva *board of directors 14r*

directo/a *direct 10r*

el/la director/a *director, manager 2r*

el directorio *directory 5r*

dirigido/a *addressed 6r, managed 14r*

dirigir (j) *to send, to address 2r*

la disciplina *discipline 4r*

el disco *disk, record 2r*

la discoteca *discotheque 1*

la discriminación *discrimination* 14r
disculpar *to excuse* 8r
discutir *to argue, to discuss* 2r, 7
el/la diseñador/a *designer* 5r
diseñar *to design* 9r, 15
el diseño *design* 1r
el disfraz *costume* 8r
disfrazarse (c) *to wear a costume* 8
disfrutar *to enjoy* 1r
disminuir *to decrease* 13r
disparar *to fire* 15r
disponible *available* 2r, 12
la disposición *disposal* 6r
dispuesto/a *ready, determined to* 15
disputado/a *played, disputed* 7r
el disquete *disquette* Br, 1
la distancia *distance* 12r
distintivo/a *distinctive* 2r
distinto/a *different* 4r
distraido/a *absent minded* 15r
la distribución *distribution* 9r
la distribuidora *distributor* 13r
distribuir *to distribute* 8r
el distrito *district* 8r
disuelto/a *dissolved* 10r
la diversidad *diversity* 2r
la diversión *entertainment* 3r, 5
diverso *diverse, different* 5r
divertido/a *funny, amusing* 2
divertirse (ie, i) *to have a good time/fun* 3r, 8
dividir *to divide* 9r
división *division* 4r
divorciado/a *divorced* 2r, 4
divorciarse *to divorce* 9r
el divorcio *divorce* 8r, 14
doblado/a *dubbed* 3r
doblar *to fold* 5; *to bend* 11r; *to turn* 12
doble *double* 5r, 12
el/la doctor/a *doctor* Br, 11
la doctrina *doctrine* 10r
el documental *documentary* Br
el documento *document* Br
el dólar *dollar* 1
doler (ue) *to hurt* 11
el dolor *pain, ache* 8r, 10
doméstico/a *domestic* 4r
el domicilio *residence, home* 2r
domingo *Sunday* B; **Domingo de Resurrección** *Easter Sunday* 8
el/la dominicano/a *Dominican* 11r
el dominio *control, knowledge* 9r
don *title of respect* m. B
donar *to donate* 9r
dónde *interrog. where* 1r; *wherever,* 14
doña *title of respect* f. B
dormir (ue, u) *to sleep* 4; **dormir la siesta** *to take a nap* 4;

dormirse (ue, u) *to fall asleep* 7
el dormitorio *bedroom* 5
dramatizar (c) *to dramatize* 8r
el/la dramaturgo/a *playwright* 9r
la droga *drug* 8
la ducha *shower* 5
ducharse *to take a shower* 10r
la duda *doubt* 4r
dudar *to doubt* 10
dudoso/a *doubtful* 10
el/la dueño/a *owner* 10r
dulce adj. *sweet* 3r, 10; *candy* 8r, 10
duplicar *duplicate* 15r
la duración *duration* 1r
durante *during* 1r, 3
durar *to last* 1r, 7
el durazno *peach* 15r
duro/a *hard* 10r

E

e *and* 2r
ecológico/a *ecological* 7r
el/la ecólogo/a *ecologist* 15r
la economía *economics* 1; *economy* 13r
económico/a *economic* 2r; *inexpensive* 5r
economista *economist* 2r
ecuatoriano/a *Ecuadorian* 10r
la edad *age* 2r, 13; **tercera edad** *senior citizen* 3r, 14
la edición *edition* 8r
el edificio *building* 1r, 5
la educación *education* 1r
educado/a *educated* 5r
efectivo/a *effective* 15r; **en efectivo** *cash* 6
el efecto *effect* 10r
efectuar (se) *to take place, to carry out* 15r
la eficiencia *efficiency* 14
eficiente *efficient* Br
el/la ejecutivo/a *executive* 9
el ejemplo *example* 1r, 3
el ejercicio *exercise* 4r, 11
el *the* B
él *he* B
la elaboración *making* 8r
elaborar *to make* 8r
la elección *election* 5r
el/la electricista *electrician* 9
eléctrico/a *electric* 3r
el electrodoméstico *electrical appliance* 5
electromagnético/a *electromagnetic* 10r

electrónico/a *electronic* 3r, 15
el elefante *elephant* 3r
elegante *elegant* Br
elegir (i, j) *to select, to choose* 11r
el elemento *element* 8r
eliminar *to eliminate* 10r
ella *she* B
ellos/as *they* 1
el elote *corn (on the cob)* 10
embarazada *pregnant* 11r
embargo: **sin embargo** *nevertheless* 1r
el embudo *funnel* 5r
la emergencia *emergency* 9r
el/la emigrante *emigrant* 13
emigrar *to emigrate* 13
emisor/a adj. *issuing, transmitting* 10r
emocionado/a *excited* 7
emocional *emotional* 12r
empacar (qu) *to pack* 12r
la empanada *small meat pie* 10r; **empanadas salteñas** *typical Bolivian meat pies* 10r
empezar (ie, c) *to begin, start* 3r, 4
el/la empleado/a *employee* 2r, 12
la empresa *company, corporation* 9
en *in, at* B; **en punto** *sharp, on the dot* B; **en cuanto a** *in regards to* 12; **en la actualidad** *at the present time* 13; **en busca de** *in search of* 15
enamorado/a *in love* 13
enamorarse *to fall in love* 11r
encantado/a *delighted* B
encantar *to delight, to love* 6
el/la encargado/a *person in charge* 8r
el encanto *charm* 1r
encargarse *to be in charge* 9r
encender (ie) *to turn on* 13r
encerrado/a *locked up* 12r
encerrar (ie) *to lock up* 8
la enchilada *Mexican dish* 5r
el encierro (de los toros) *penning (of bulls)* 8r
encima *on top* 10r
encontrar (ue) *to find* 1r, 6; **encontrarse** *to be* 5r; *to meet, to encounter* 15
el encuentro *encounter, meeting* Br
la encuesta *survey* 3r, 14
la energía *energy* 1r
enérgico/a *energetic* 14
enero *January* B
enfermar(se) *to get sick* 8r
la enfermedad *sickness* 11
el/la enfermero/a *nurse* 9
enfermo/a adj. *sick* 3r, 11
enfrentar *to confront* 12r
enfrente (de) *in front of* B

enfriar *to cool down* 10r
engordar *to gain weight* 10r
enharinado/a *lightly covered with flour* 10r
el enlace *link* 14
enlatado/a *canned* 10r
enmendar (ie) *to correct* 11r
la enmienda *correction* 2r
enojado/a *angry, mad* 2
enorme *enormous, huge* 2r
enriquecer (zc) *to enrich* 1r
la ensalada *salad* 3
el ensayo: el ensayo nuclear *nuclear test* 15
enseguida *immediately* 6
la enseñanza *teaching* 4r
enseñar *to teach* 1r
entender (ie) *to understand* 4
entero/a *whole* 4r; de color entero *solid color* 6
entonces *then* 2r, 8
el entorno *sorrounding* 7r
la entrada *appetizer* 3r; *ticket for admission* 3r, 8; *entrance* 5r
entrar *to go in, to enter* 6
entre *between, among* B
entregar *to deliver* 5r
el/la entrenador/a *coach* 7
el entrenamiento *training* 10r
entrenar *to train* 10r
entretenido/a *entertaining* 10r
el entretenimiento *entertainment* 3r
entrevista *interview* 2r, 9
el/la entrevistador/a *interviewer* 9r
entrevistar *to interview* 4r
entusiasmado/a *enthusiastic* 9r
el entusiasmo *enthusiasm* 10r
envejecer (zc) *to get old* 10r
enviar *to send* 2r, 9
envolver (ue) *to wrap* 10r
el episodio *episode* 4r
la época *time* 2r
la equidad *equity* 14r
equilibrar *to balance* 10r
el equilibrio *equilibrium, balance* 10r
el equipaje *luggage* 12
el equipo *team* 2r, 7; el equipo deportivo *equipment* 7
equivalente *equivalent* 5r
equivocado/a *wrong* 2r
erguido/a *erect* 10r
la escala *stopping point* 12r
escalar *to climb* 10r
la escalera *stairs, stairway* 5
el escáner *scanner* 6r
escapar *to escape, to flee* 13
el escaparate *shop window* 6r
la escasez *lack, scarcity* 7r

la escena *scene* 8r
escencial *essential* 10r
escoger (j) *to choose* 1r
escolar adj. *school* 4r
escribir *to write* Br, 3
escrito/a *written* 2r
el/la escritor/a *writer* 2r, 13
el escritorio *desk* B
escuchar *to listen* Br, 1
la escuela *school* 1r
la escultura *sculpture* 3r
el escurridor *colander* 5r
escurrir *to drain* 5r
ese/a adj. *that* B; ése/a pron. *that one* 5
esforzarse (ue) *to strive* 6r
eso pron. *that* 5; por eso *that, that's why* 3
esos/as adj. *those* 5; ésos/as pron. *those* 5
espacial adj. *space* 9r
el espacio *space* 7r
espacioso/a *spacious* 5r
el espagueti *spaghetti* 3
la espalda *back* 11
el español *Spanish* Br, 1; español/a adj. *Spanish* 1r, 2
la especia *spice* 5r
especial *special* 3r; en especial *especially* 8r
la especialidad *specialty* 1r
el/la especialista *specialist* 2r
especializado/a *specialized* 6r
especializarse (c) *to specialize* 6r
especialmente *specially* 2r
la especie *species* 3r
específicamente *specifically* 3r
especificar (qu) *to specify, to point out* 4r
espectacular *spectacular* 8r
el espectáculo *show* 3r
el/la espectador/a *spectator* 7r
el espejo *mirror* 5; el espejo retrovisor *rearview mirror* 12
la esperanza *hope* 10r
esperar *to hope, to expect* 4r, 10; *to wait for* 2r, 9
la espinaca *spinach* 10
el espíritu *spirit, disposition* 7r; joven de espíritu *young at heart* 2r
la espontaneidad *spontaneity* 4r
la esposa *wife* 4
el esposo *husband* 4
el esqueleto *skeleton* 8r
el esquí *skiing, ski* 7
el/la esquiador/a *skier* 7
esquiar *to ski* 2r, 7
la esquina *corner* 11r, 12
la estabilidad *stability* 14r

establecer(se) (zc) *to establish, to settle* 11r, 13
la estación *season* 6r, 7; *station* 4r, 12
estacionar *to park* 14r
el estacionamiento *parking* 5r
el estadio *stadium* 3r
la estadística *statistic*; adj. *statistical* 8r, 14
el estado *state* 1r; *status* 2r; *condition* 7r
estadounidense *U.S.A. citizen* 13r
el estancamiento *stagnation* 13r
estándar *standard* 10r
estar *to be* Br, 1; estar bien/mal *to be well/not well* B; estar a cargo *to be in charge* 9r; estar a dieta *to be on a diet* 3; estar de acuerdo *to agree* 2r, 3; estar de moda *to be fashionable* 6; estar enamorado/a *to be in love* 13; estar en forma *to keep fit* 4r; estar seguro/a *to be sure* 7
la estatua *statue* 4r
estatura *height* 14r
el estatuto *law* 14r
el este *east* 1r
este/a adj. *this* 1; éste/a pron. *this one* 5; esta noche *tonight* 3
el estéreo *stereo* 5r
estereotipado/a *stereotyped* 14r
el estilo *style* 5r
estimado/a *estimated, dear* 2r
el estímulo *stimulant* 1r
estirar *to stretch* 11r
esto *this* 4r, 5
el estómago *stomach* 3r, 11
estornudar *to sneeze* 11
estos/as adj. *these* 5; éstos/as pron. *these* 5
la estrategia *strategy* 7r
estrecho/a *narrow, tight* 6
la estrella *star* 3r
el estreno *première* 9r
el estrés *stress* 12r
estricto/a *strict* 11r
la estructura *structure* 4r
el/la estudiante *student* B
estudiantil adj *student* 1r
estudiar *to study* 1
el estudio *study* 1r; *studying* 9r
estudioso/a *studious* 1
la estufa *stove* 5
la etapa *stage* 4r
eterno/a *eternal* 5r
la etiqueta *etiquette* 5r
étnico/a *ethnic* 2r
euro *monetary unit of Spain* 1
europeo/a *European* 2r

el euskara *Basque language* 1r
el evento *event* 1r
la evidencia *evidence* 12r
evidente *evident* 2r
evitar *to avoid* 10r
la evolución *evolution* 4r
evolucionar *to evolve* 4r
exacto/a *exact* 8r
el examen *examination* 1
examinar *to examine* 11
excelente *excellent* 1
la excepción *exception* 13r
excepcional *exceptional* 5r
excepto *except* 7
excesiva *excessive* 10r
el exceso *excess* 9r
exclusivo/a *exclusive* 12r
la excursión *excursion* 3r
la excusa *excuse* 10r
exhaustivamente *exhaustingly* 12r
exhibir *to exhibit* 2r
existente *existent* 3r
existir *to exist* 2r
el éxito *success* 7r, 13; tener éxito
    to be successful 13
exótico/a *exotic* 5r
la expectativa *expectation* 12r
la experiencia *experience* 1r, 9
experimentar *to experience* 12r
el experimento *experiment* 15r
el/la experto/a *expert* 7r
la explicación *explanation* 9r
explicar (qu) *to explain* 1r
la exploración *exploration* 9r
explorar *to explore* 1r
el explorador *explorer* Br
la exportación *export* 9r
exportador/a adj. *exporting* 9r
la exposición *exhibit* 1r
expresar *to express* 10r
la expresión *expression* Br
el exprimidor *fruit-squeezer* 5r
exquisito/a *delicious, exquisite* 3r
extender(se) (ie) *to extend,
    to expand* 13r; *to spread out,
    to extend* 13
la extensión *extension* 2r
la extinción *extinction* 5r
extranjero/a adj *foreign* 1r; *foreigner* 2r
extrañar *to miss* 13r
extraordinario/a *extraordinary* 6r
extraterrestre adj *extraterrestrial* Br
extremadamente *extremely* 5r
extrovertido/a *extrovert* Br

F

la fábrica *factory* 15r
fabricar *to make* 8r
fabuloso *fabulous* 3
fácil *easy* 1
fácilmente *easily* 9r
factible *feasible* 13r
facturar *to check (luggage)* 12
la facultad *college, school of* 1
la falda *skirt* 4r, 6
fallecido/a *dead* 8r
falso/a *false* 1r
falta: hacer falta *to need* 14r
la fama *fame* 13
la familia *family* Br, 4
el familiar *relative* 2r; adj *family* 2r
famoso/a *famous* 1r
fanático/a *fanatic* 4r
la fantasía *fantasy* 3r
fantástico/a *fantastic* 3r
el/la farmacéutico/a *pharmacist* 11
la farmacia *pharmacy* 11
la fascinación *fascination* 2r
fascinante *fascinating* 4r
fascinar *to fascinate* 3r
la fase *phase* 1r
el fastidio *annoyance* 4r
la fatiga *fatigue* 10r
fatigado/a *fatigued, tired* 10r
favorecer (zc) *to favour, to help* 7r
favorito/a *favorite* Br, 1
febrero *February* B
la fecha *date* B
la federación *federation* 7r
la felicidad *happiness* 14
felicitar *to congratulate* 7r
feliz *happy* 2
el fenómeno *phenomenon* 14r
feo/a *ugly* 2
la feria *fair* 1r
el feriado: día feriado *holiday* 3r
la ferretería *hardware shop* 6r
el ferrocarril *railroad* 12
fértil *fertile* 2r
el festival *festival* 7r
la festividad *festivity* 8r
festivo *festive* 8r
fiable *trustworthy* 14
la fibra *fiber* 10r
la fiebre *fever* 11
fielmente *faithfully* 7r
la fiesta *party* Br, 3
fijarse *to pay attention* 11r
fijo/a *fixed* 6r
la filmoteca *film society, film club* 3r
la filosofía *philosophy* 1r
el fin: *end* 1, 7; fin de semana
    weekend 1; *objective* 9r
el final *end* 5r

final adj *final* 2r
finalista *finalist* 7r
finalmente *finally* 1r
financiado/a *financed* 11r
financiero/a *financial* 6r, 14
financiar *to finance* 15r
fino/a *fine* 3r
la firma *signature* 1r
firmar *to sign* 1r
la física *physics* Br
físicamente *physically* 7r
físico/a *physical* 2r
el/la fisioterapista *physiotherapist* 11r
la flexibilidad *flexibility* 9r
flexible *flexible* 2r
la flor *flower* 5r, 7
el flujo *flow* 14r
la fobia *phobia* 12r
el folclor *folklore* 1r
folclórico/a *folkloric* 2r
el folleto *pamphlet, brochure* 3r
fomentar *to foment* 14
los fondos *money* 9r; *fund* 11r
la fonoventa *phone sale* 3r
forma *form* 2r
la formación *formation* 7r
formar *to form* 2r
la fórmula *formula* 15r
el formulario *form* 1r
la fortaleza *fortress* 3r
la fortuna *fortune* 1r
la fotocopiadora *photocopier* 9r
la foto(grafía) *photography* 2r
fracturar(se) *to fracture, to break* 11
el francés/francesa *French* 2r
la frase *phrase* 8r
la frecuencia *frequency* 1r
frecuentemente *frequently* 1r, 4
el fregadero *sink* 5
freír(i) *to fry* 10
el frenesí *frenzy* 11r
la frente *forehead* 11
la fresa *strawberry* 10
fresco/a *cool* 7; *fresh* 10r
los frijoles *beans* 3r
el frío adj. *cold* 3; tener frío *to be
    cold* 5
la frontera *frontier, border* 2r
la fruta *fruit* 3
la fuente *fountain* 1r; *source* 8r, 14
fuera *out, outside* 3
fuerte *strong* 1r, 2
la fuerza *force* 10r, 14
fuerza laboral *work force* 14
fumar *to smoke* 11
la función *show, function* 2r
el funcionamiento *functioning* 14r
funcionar *to function* 6r

fundamental *fundamental, basic* 4r
fundar *to found* 1r,13
furioso/a *furious* 6r
la fusión *fusion* 8r
el fútbol *soccer* 2r, 7
el/la futbolista *football player* 7r
el futuro *future* 4r

G

la gabardina *raincoat* 7r
el gabinete *cabinet (presidential)* 13r
las gafas: gafas de sol *sun glasses* 6
la galería *gallery* 3r
el gallego *Galician* 1r
la galleta *cookie* 10
la gamba *shrimp (in Spain)* 10r
el/la ganador/a *winner* 7r
ganar *to win* 4r, 7 ; *to earn, to make* 6r
ganas: tener ganas de *to feel like* 10r
el garaje *garage* 5
la garganta *throat* 11
el gas: agua con gas *carbonated water* 3
la gasolina *gasoline* 12r
gastar *to spend* 4r, 6
la gastronomía *gastronomy* 9r
el/la gato/a *cat* 2
la gelatina *gelatin* 9r, 10
el/la gemelo/a *twin* 4
genealógico/a *genealogical* 4r
la generación *generation* 4r
generalmente *generally* 4
generar *to generate* 10r
el género *type* 4r
generoso/a *generous* Br
genético/a *genetic* 15r
la generosidad *generosity* 9r
genial *great* 2r
la gente *people* 6r, 8
la geografía *geography* 1
geográfico/a *geographic* 2r
el gerente *manager* 9; gerente de ventas *sales manager* 9
la gestión *matter, business* 9r
el gesto *gesture* 4r
gigante adj. *giant* 5r
el gimnasio *gymnasium* 1
el glaciar *glacier* 2r
el gobierno *government* 6r, 13
el golf *golf* 7
la golondrina *sparrow* 15r
el golpe: golpe militar *military coup* 13
gordo/a *fat* 2
la gorra *cap* 6
gozar (c) *to enjoy* 8r
la grabación *recording* 3r

la grabadora *taperecorder, cassette player* B
gracias *thank you* B; Día de Acción de Gracias *Thanksgiving Day* 8
gracioso/a *funny* 2r
el grado *degree* 7r; *grade* 8r
la graduación *graduation* Br
graduado/a *graduated* 5r
gradualmente *gradually* 15r
graduarse *to graduate* 14r
gráfico/a *graphic* 1r
gramatical *grammatical* 4r
gran *great* 1r, 5
grande *big* 1
el grano *grain* 10r
la grasa *fat* 10r
gratis *free* 3r
la gratitud *gratitude* 10r
gratuito/a *gratuitous, free of charge* 11r
grave *seriously ill, serious* 14r
la gravedad *seriousness* 15r
el griego *Greek* 10r
la gripe *flu* 11
gris *gray* 2
gritar *to shout, scream* 8r
grueso/a *coarse* 7r
el grupo *group* 1r
el/la guacamayo/a *macaw* 8r
el guajolote *turkey* 10r
el guante *glove* 6; *baseball mit* 7
guapo/a *good-looking, handsome* 2
el guaraní *monetary unit of Paraguay* 1r; *language spoken in Paraguay* 10r
guardar *to keep* 12
el guardarropa *wardrobe* 5r
la guardería *nursery* 6r
guatemalteco/a *Guatemalan* 2
la guayabera *loose-fitting men's shirt* 6r
gubernamental adj. *government* 6r
la guerra *war* 5r
el gueto *ghetto* 15r
el/la guía *guide* 3r
guiar *to guide* 9r
la guitarra *guitar* 1r, 3
gustar *to like* 2; *to be pleasing to* 6; me gustaría *I would like* 2r, 6
el gusto *liking, taste* 6r; mucho gusto *pleased to meet you* B

H

haber *to have* 13
había *there was, there were* 8
la habitación *room* 5r, 12; habitación doble/sencilla *double/single room* 12

el/la habitante *inhabitant, resident* 2r
el hábito *habit* 6r
hablador/a *talkative* 2
hablar *to speak* 1
hace *ago* 7
hacer (g) *to do, make* 1r, 4; hacer cola *to stand in line* 12; hacer escala *to make a stopover* 12; hacer la maleta *to pack* 12r; hacer preguntas *to ask questions* 4r; hacerse *to become* 4r; hacer el papel *play the part* 6r; ¿Qué tiempo hace? *What's the weather like?* 7
hacia *towards, near* 8r
el hambre: tener hambre *to be hungry* 5
la hamburguesa *hamburger* 1r, 3
la hamburguesería *hamburger place* 3r
la harina *flour* 10
hasta *until* B; hasta luego, hasta pronto *see you later* B; hasta la vista *see you later* 1; hasta que *until* 14
hay *there is, there are* B; hay que + inf. *it's necessary to + verb* 5
el hebreo *Hebrew* 2r
el hecho *fact* 9r; de hecho *in fact* 5r; adj. *made* 8r
el helado *ice cream* 3
el helecho *fern* 13r
la hermana *sister* 4
el hemisferio *hemisphere* 10r
la hermanastra *stepsister* 4
el hermanastro *stepbrother* 4
el hermano *brother* 4
hermoso/a *beautiful* 1r
el héroe *hero* 10r
hervir (ie, i) *to boil* 10
el hielo *ice* 7
la hierba/yerba *herb* 3r
la hija *daughter* 4; hija única *only daughter* 4
el hijo *son* 2r, 4; hijo único *only son* 4
hiperactivo/a *hyperactive* 1r
el hipermercado *large market* 6r
hípico/a adj. *horse* 7r
hipocondríaco/a *hypodondriac* 1r
el hipódromo *race track* 3r
el hipopótamo *hippopotamus* 2
hispánico *Hispanic* 8r
hispano/a *Hispanic* 1r
hispanoamericano/a *Spanish American* 2r
hispanohablante *Spanish speaker* 13r
la historia *history* 1
histórico/a *historic* 4r

el hogar *home 5r, 14*
hola *hello, hi* B
el hombre *man 4r, 4;* hombre de negocios *businessman 9*
el hombro *shoulder 11*
el homenaje *homage 10r*
homogéneo/a *homogenous 2r*
hondureño/a *Honduran 5r*
la honestidad *honesty 14*
honrado/a *honoured 8r*
la hora *time, hour* B; hora americana//inglesa *precise time Br*
el horario *schedule Br;* horario corrido *uninterrupted schedule*
hornear *to bake 10r*
el horno *oven 5;* horno microondas *microwave oven 5*
el hospital *hospital 1r, 11*
el hotel *hotel 4r, 12*
hoy *today* B; hoy en día *nowadays 4r, 8*
hubo *there was, there were* (pret, of haber) *14r*
el hueso *bone 11*
el/la huésped *guest 1r, 12*
el huevo *egg 3;* huevo duro *hard-boiled egg 10r*
huir *to flee, to escape 13r*
las humanidades *humanities 1*
humano/a *human 5r, 11;* ser humano *human being 15*
húmedo/a *humid, damp 10r*

I

la ida: ida y vuelta *round trip 3r, 12*
la idea *idea 2r*
ideal *ideal 2r*
idealista adj, *idealistic Br*
la identidad *identity 2r*
la identificación *identification Br*
identificar (qu) *to identify 4r*
el idioma *language 1r, 13*
la iglesia *church 1r, 8*
igual adj. *the same 1r; alike, equal 2r;* al igual que *like, same as 1r*
la igualdad *equality 14*
igualmente *likewise* B
ilógico/a *illogical 5r*
la ilustración *illustration 5r*
ilustre *illustrious 3r*
la imagen *image, statue 8r*
la imaginación *imagination 6r*
imaginar(se) *to imagine 4r*
imaginario/a *imaginary 12r*
imitar *to imitate 5r*

el impacto *impact 10r*
imparcial *impartial Br*
impartir (la bendición) *to give 8r*
impedir (i) *to prevent 7r*
el imperio *empire 3r*
el impermeable *raincoat 6*
el implante *implant 15r*
implicar (qu) *to involve, implicate 10r*
la importación *import 10r*
importado/a *imported 4r*
la importancia *importance 2r*
importante *important Br, 9*
importar *to import 10r*
la imprenta *printing 15r*
imprescindible *essential 9r*
impresionante *impressive 1r*
impresionar *to impress 2r*
la impresora *printer 2r*
imprimir *to print 4r*
el impuesto *tax 12r*
impulsivo/a *impulsive Br*
impulso *impulse 7r*
inapropiado/a *inappropriate 9r*
inaugurar *to inaugurate 6r*
la inauguración *inauguration 9r*
el/la inca *Inca 3r*
el incendio *fire 9*
incentivar *to encourage, to incite 7r*
el incentivo *incentive 13r*
el incienso *incense 8r*
la iniciativa *initiative 9r*
incluido/a *including 10r*
incluir (y) *to include 3r*
incluso *including 5r; even 7r*
inconcluso/a *unfinished 12r*
incorporar *to incorporate 4r*
incorrecto/a *incorrect 14r*
increíble *incredible 2r*
incrementar *increment 10r*
indeciso/a *undecided 5r*
independencia *independence 3r, 8*
independiente *independent Br*
independizarse (c) *to become independent/liberated 14*
indicado/a *indicated, recommended 8r*
indicar (qu) *to indicate 2r, 9*
el índice *index, percentage 9r*
el/la indígena *indigenous, native 2r*
el/la indio/a *Indian 12r*
indiscutible *indisputable 8r*
el individuo *individual 6r*
la industria *industry 5r*
inesperado *unexpected 8r*
la infancia *childhood 4r*
infantil adj. *children's 3r*
la infección *infection 11*

infeccioso/a *infectious 11r*
infectado/a *infected 11*
infectar *to infect 11r*
la inflación *inflation 9r*
la inflamación *inflammation 11r*
la influencia *influence 5r*
influenciar *to influence 10r*
influir *to influence 15r*
la información *information 1r*
informal *informal Br*
informar(se) *to inform, to become informed 2r*
la informática *computer science 1*
el informe *report 2r*
el/la ingeniero/a *engineer 9*
ingerir (ie) *to ingest 10r*
el inglés *English 1r*
el ingrediente *ingredient 5r*
ingresar *to be admitted 1r*
el ingreso *income 9r*
iniciar *to begin 8r*
injusto/a *unjust 5r*
inmaculado/a *immaculate 8r*
inmediatamente *immediately 2r*
inmenso/a *immense, vast 4r*
la inmersión *immersion 1Br*
inmerso/a *immerse 4r*
la inmigración *immigration 2r*
el/la inmigrante *immigrant 13*
inmigrar *immigrate 13r*
innegable *undeniable 13r*
innovador/a *innovatory 6r*
el inodoro *toilet 5*
inolvidable *unforgettable 1r*
inoxidable *stainless 5r*
inquieto/a *restless 7r*
inscribir *to register 14r*
el/la inspector/a *inspector 12*
la inspiración *inspiration 4r*
la institución *institution 9r*
el instituto *institute 9r*
la instrucción *instruction 9r*
el instrumento *instrument 3r*
insultar(se) *to insult 13r*
el/la integrante *member 11r*
intelectual *intelectual 2r*
inteligente *intelligent Br, 2*
la intención *intention 15r*
intenso/a *intense 1r*
intercambiar *to exchange 2r*
el intercambio *exchange 1r*
interceptar *to intercept 14r*
el interés *interest 1r*
el/la interesado/a *interested (person), applicant 9r*
interesado/a *interested 1r*
interesante *interesting Br*
interesar *to interest 2r, 6*

interminable *endless* 5r
internacional *international* 1r
el/la internauta *Internet user* 14r
el/la intérprete *interpreter* 9
interrogativo/a *interrogative* Br
interrumpir *to interrupt* 9r
intervenido *intercepted* 14r
intervenir (g, ie) *to intervene* 9r
íntimo/a *intimate, close* 1r
intrigante *intriguing* 3r
intrínseco/a *intrinsic* 2r
introducir (zc) *to introduce* 7r
introvertido/a *introvert* Br
inusual *unusual* 3r
inventar *to invent* 7r
invertir (ie, i) *to invest* 11r
la investigación *investigation,
    research* 3r
investigar (gu) *to investigate* 8r
integral
el invierno *winter* 6
la invitación *invitation* 2r, 8
el/la invitado/a *guest* 3r
invitar *to invite* 3r, 8
la inyección *injection* 11
ir *to go* Br, 3; ir a + *inf. to go to +
    verb* 3; irse *to go away, to
    leave* 7; ir de compras *to go
    shopping* 3r, 6
irónico/a *ironic* 9r
irracional *irrational* 12r
irradiado/a *irradiated* 10r
irresponsable *irresponsible* 4r
irritado/a *irritated* 11
irse *to go away, to leave* 7
la isla *island* 6r
italiano/a *Italian* 2r
el itinerario *itinerary* 12r
la izquierda *left* 4r, 12

J

el jabón *soap* 5r, 15
jamás *never* 3r, 12; por siempre
    jamás *forever and ever* 3r
el jamón *ham* 3
Januká *Hanukka* 3r
japonés/a *Japanese* 4r
el jardín *backyard, garden* 5
la jarra *jar, pitcher* 5r
la jaula *(bird) cage* 14r
el/la jefe/a *manager, boss* 2r, 9
el jesuita *Jesuit* 10r
Jesús *Jesus* 8r
el joropo *typical Venezuelan music* 12r
el/la joven *young man/woman* 3;
    joven adj. *young* 2

la joya *jewel, jewelry* 5r
la joyería *jewelry* 3r
judío/a *Jewish* 2r
el juego *game* 3r, 7; *set* 5r;
jueves *Thursday* B
el/la juez/a *judge* 9
el/la jugador/a *player* 7
jugar (ue) *to play (game, sport)* 4;
    jugar a los bolos *to bowl* 7
el jugo *juice* 3
el juguete *toy* 6r
la juguetería *toy store* 6r
julio *July* B
la jungla *jungle* 5r
junio *June* B
junto a *next to* 4
juntos *together* 2r, 15
el jurado *jury* 9r
la justicia *justice* 15r
justo/a *right* Br
juvenil adj. *young* 5r
la juventud *youth* 13

K

el kilómetro *kilometer* 6r

L

la art. *the* 1; pron. *you, her, it*
el labio *lip* 11
la labor *labor, work* 4r
laboral adj. *labor* 5r
el laboratorio *lab* 1
lacrimógeno/a *tear-producing* 15
lácteo/a *dairy (product)* 6r, 10
lado: al lado de *next to* B
el ladrón *thief* 13r
el lago *lake* 2r, 7
lamentar *to be sorry* 10r
la lámpara *lamp* 5
la lana *wool* 6; de lana *wool (made
    of)* 6
la langosta *lobster* 10
el/la lanzador/a *pitcher* 13
lanzar (c) *to throw* 7r, 13
el lápiz *pencil* B
largo/a *long* 2; a lo largo
    throughout, along 4r
las art. *the*; pron. *you, them*
lástima: ¡Qué lástima! *What a pity!* 1
la lata *can* 5r
latinoamericano/a *Latin-American* 7r
el lavabo *washbowl* 5
la lavadora *washing machine* 5
la lavandería *laundry room* 5r

el lavaplatos *dishwasher* 5
lavar(se) *to wash* 4; lavarse los
    dientes *to brush one's teeth* 7
la leche *milk* 3
la lechuga *lettuce* 3
el/la lector/a *reader* 2r
la lectura *reading* 4r
leer *to read* Br, 3
la legumbre *legume, vegetable* 10r
lejano/a *distant, remote* 13r
lejos (de) adv. *far* 2r, 5
el lempira *monetary unit of
    Honduras* 5r
la lencería *linen* 6r
la lengua *language* 1; *tongue* 11
el lenguaje *language* 4r
lentamente *slowly* 4
los lentes *glasses* 2; lentes de
    contacto *contact lenses* 2
el león *lion* 3r
la letra *letter* 9r
el letrero *sign* 14r
levantar *to raise, to lift* Br, 7;
    levantarse *to get up, to stand up*
    Br, 4
la ley *law* 14r
la leyenda *legend* 3r
liberado/a *released* 15r
liberal *liberal* Br
liberar *to release* 10r; *to liberate* 12r
la libra *pound* 10r
libre *free* 1r, 3
la librería *bookstore* 1
el libro *book* B
el liceo *school* 4r
el licor *alcoholic beverage* 10r
la liga *league* 13r
ligero/a *light* 15r
limitar *to limit* 7r
el limón *lemon* 5r
el limpiaparabrisas *windshield
    wiper* 12
limpiar *to clean* 5
el limpiavidrios *window cleaner* 5r
la limpieza *cleaning* 4r
limpio/a *clean* 5
la línea *line* 2r
el líquido *liquid* 5r
lírico/a *lyric* 9r
la lista *roll, list* B; la lista de espera
    waiting list 12
listo/a *smart, ready* 2
la literatura *literature* 1
literario/a *literary* 4r
la llamada *call* 9
llamar *to call* 3r; llamarse *to be
    called, to be named* B
llano/a *flat* 2r

la llanta *tire* 12
la llave *key* 12
la llegada *arrival 8r,* 12
llegar *to arrive* 1
llenar *to fill out 1r,* 9
lleno/a *full 2r,* 12
llevar *to wear, to carry 3r,* 6; llevar a cabo *to carry out 8r;* llevarse bien *to get along well 9r,* 13; llevarse mal *not to get along 13r*
llorar *to cry 9r*
llover (ue) *to rain 6r,* 7
la lluvia *rain* 7; la lluvia ácida *acid rain 15r;* lluvia de ideas *brainstorm 2r*
lo *pron. you, him, it;* lo + adj.) *the 1r;* lo que *what, that which 1r*
el local *site, place 6r*
la localización *location 5r*
localizado/a *situated 5r*
localizar (c) *to locate 8r,* 14
loco/a *crazy 6r*
el/la locutor/a *radio announcer* 9
lógicamente *logically* 4
lógico/a *logic Br*
lograr *to achieve 10r*
el logro *accomplishment 8r*
la loma *hill 5r*
la longitud *length 7r*
los *art. the* 1; *pron. you, them* 5
la lotería *lottery 5r*
luchar *to fight 5r*
luego *then 1r,* 3; *after 6r*
el lugar *place Br,* 1; tener lugar *to take place 8r*
lujo: con lujo de *with great*
lujoso/a *luxurious 6r*
la luna *moon;* luna de miel *honeymoon 7r*
lunar: de lunares *polka-dotted* 6
lunes *Monday* B
la luz *light 6r*

M

el machismo *machismo* 14
la macrobiótica *macrobiotics 10r*
la madera *wood 5r*
la madrastra *stepmother* 4
la madre *mother* 4
el/la madrileño/a *person from Madrid 1r*
la madrina *godmother* 4
la madrugada *early morning, dawn 1r*
la madurez *maturity 14r*
mágico/a *magic 10r*
magnífico/a *great, magnificent* 6

el maíz *corn* 10; palomita de maiz *pop corn*
majar *to crush, to pound 5r*
mal *not well, sick* B; *bad* 5
la maleta *suitcase* 12
el maletero *trunk (in a car)* 12
el maletín *briefcase* 12
el mallorquín *Majorcan language 1r*
malo/a *bad* 1; ser malo/a *to be bad* 2; estar malo/a *to be ill* 2
la mamá *mom 1r,* 4
la mancha *spot 11r*
mandar *to send 5r,* 9
el mandato *order, command 9r*
mandón/mandona *bossy 9r*
manejar *to drive 3r,* 12; *to manage, to handle* 15
el manejo *working knowledge 9r; handling 14r*
la manera *way 4r*
el mango *mango 10r*
maniático/a *fussy, finical 5r*
manifestar (ie) *to express 4r*
la mano *hand Br,* 11; manos a la obra *let's get down to work 1r*
la manta *blanket* 5
la manteca *lard* 10
el mantel *tablecloth* 10
mantener(se) (g, ie) *to mantain 2r,* 8
el mantenimiento *maintenance 5r*
la mantequilla *butter 3r,* 10
el manual *manual 5r*
manufacturero/a *manufacturing 9r*
la manzana *apple 2r,* 10
la manzanilla *camomile 11r*
mañana *adv. tomorrow* B; hasta mañana *until tomorrow* B
la mañana *morning* B; de la mañana *A.M.* B
el mapa *map* 1
maquillarse *to put on makeup* 7
máquina *machine 15r;* la máquina fotográfica *camera 6r;* máquina de escribir *typewriter 9r*
el mar *sea 1r,* 3
la maravilla *marvel 2r*
maravilloso/a *marvelous 4r,* 8
la marca *brand name 6r*
el marcapasos *pacemaker 15r*
marcar (qu) *to mark 4r; to score 7r*
la marcha *march 1r*
la margarina *margarine* 10
el mariachi *Mexican band 8r*
el marido *husband* 4
la marinera *typical Peruvian music 12r*
marino/a *adj sea 10r*
el marisco *seafood 3r,* 10
marrón *brown* 2

martes *Tuesday* B
marzo *March* B
más *more* B; más o menos *more or less* B; más... que *more...than* 8
la masa *dough* 10
masticar (qu) *to chew 5r*
matar *to kill* 8
el mate *tealike beverage 2r*
las matemáticas *mathematics Br*
la materia *subject of study 9r*
el material *material 8r*
materialista *materialist Br*
materno/a *maternal 2r; adj. mother, 4r*
matricularse *to register 1r*
el matrimonio *marriage, wedding 4r*
el mausoleo *mausoleum 10r*
máximo/a *maximum 7r*
mayo *May* B
la mayonesa *mayonnaise* 10
mayor *old* 2; el/la mayor *the oldest* 4; *greater 4r;* la mayor parte *most 1r*
la mayoría *the majority 5r,* 14
mayoritario/a *majority 13r*
me *me* 5 ; me llamo *my name is* B
la medalla *medal 7r*
el médano *slope 7r*
la media *half* B; *stocking, sock* 6; *average 12r,* 14; *adj. middle 4r*
mediano; a mediados *in the middle 13r*
la medialuna *type of croissant 2r*
mediano/a *average, medium* 2
la medianoche *midnight* B
mediante *through 10r*
la medicina *medicine* 1; *medication 11r*
el/la médico/a *medical doctor 4r,* 9
la medida *meassurement 10r;* en la medida posible *as much as possible 10r;* a medida que *at the same time as 10r;*
el medio *means 2r,* 12; medio ambiente *environment* 15; medio/a hermano/a *half-brother/sister* 4
el mediodía *noon* B
medir (i) *to measure 5r*
meditar *to meditate 10r*
la megatienda *superstore 6r*
la mejilla *cheek* 11
mejor *best 1r,* 7; *better, 2r,* 8
la mejora *improvement 5r*
mejorar *to improve* 9
melancólico/a *melancholic 12r*
la melodía *melody 4r,* 8
la memoria *memory 4r*
mencionar *to mention 1r*
el/la menor *the youngest* 4; *younger* 8
menos *minus (for telling time)* B;

más o menos *more or less* B;
menos... que *less/fewer than* 8;
a menos que *unless* 14; por lo
menos *at least* 1r
el mensaje *message* 4r
la menta *mint* 3r
la mentira *lie* 13r
el/la mentiroso/a *liar* 4
el menú *menu* 3r
el mercadillo *small open-air market* 4r
el mercado *market* 6r
la mercancía *merchandise, goods* 6r, 13
merecer (zc) *to deserve* 14r
el merengue *typical music of the
Dominican Republic* 11r
el mes *month* B; mes pasado *last
month* 6; mes próximo *next
month* 3
la mesa *table*; mesa de noche *night
stand* 5
el mestizaje *mestization* 2r
mestizo/a *mestizo* 2r
la meta *goal* 11r
metabolizar (c) *metabolize* 10r
el metal *metal* 5r
metódico/a *methodical* 10r
el método *method* 1r
el metro *subway* 6r, 12; *meter* 6r
la metrópoli *metropolis* 2r
metropolitano/a *metropolitan* 13r
mexicano/a *Mexican* 2
mexicoamericano/a *Mexican
American* 13r
la mezcla *mixture, blend* 4r
mezclar *to blend, to mix* 10r
mi/s *my* B, 2
mí *me*, 2r, 3
el micrófono *microphone* 9r
el microondas *microwave* 5
el microscopio *microscope* 9r
el miedo: tener miedo *to be afraid* 5
el miembro *member* 1r
mientras *while, meanwhile* 2r, 3
miércoles *Wednesday* B
el milagro *miracle* 8r
milenario/a *millenary* 10r
el milenio *millennium* 7r
militar *military* 8r
la milla *mile* 3r
el millón *million* 3
el mimbre *wicker* 5r
la mímica *mimicry, imitation* 9r
la mina *mine* 4r
minero/a adj. *mining* 9r
la minería *mining* 15r
el minibus *small bus* 2r
mínimo/a *minimum* 2r
el ministerio (de) *ministry*

(government) 2r, 14
el ministro *minister
(government)* 15r
la minoría *minority* 8r
minoritario/a *minority* 13r
el minuto *minute* 2r
mió (-a, -os, -as) *my (of) mine* 12
la mirada *look* 1r
mirar *to look (at)* 1
la misión *mission* 11r
el/la misionero/a *missionary* 10r
mismo/a *same* 2r; lo mismo *the
same thing* 7r
el misterio *mystery* 1r
misterioso/a *mysterious* 3r
la mitad *half* 8r, 13
el mobiliario *furniture* 5r
la mochila *backpack* B
la moda *fashion* 6; desfile de
moda *fashion show* 6r
el/la modelo *model* 3r
el módem *modem* 9r
moderno/a *modern* Br
modesto/a *modest* 2r
modificar (qu) *to modify* 15r
el modo *way* 4r
el molde *mould* 8r
moler (ue) *to grind* 5r
molestar *to bother, to be bothered by* 11
molido/a *ground* 10r
el momento *moment* 2r
monetario/a *monetary* 5r
el/la monitor/a *camp counselor* 7r
el monstruo *monster* 9r
la montaña *mountain* 4r
el montañismo *mountaineering* 9r
montar *to ride* 1
el monumento *monument* 1r
morado/a *purple* 2
moreno/a *brunet* 2
morir *to die* 10r, 13
el/la moro/a *Moor* 1r
el mortero *mortar* 5r
la mostaza *mustard* 10
el mostrador *counter* 12
mostrar (ue) *to show* 3r, 6
motivado/a *motivitaed* 9r
motivar *to motivate* 9r
el motivo *motive* 8r
la moto(cicleta) *motorcycle* 4r, 12
el motor *motor* 12
mover (ue) *to move* 4r, 8
la movilidad *mobility* 8r
el movimiento *movement* 1r
la muchacha *girl, young woman* 3
el muchacho *boy, young man* 3
mucho/a *much, lot* 1r, 2; mucho
gusto *pleased to meet you* B

muchos/as *many* 1r; muchas veces
often 1
la mudanza *move* 14r
mudarse *to move* 5r
el mueble *furniture* 5
el muelle *dock* 14r
la mueblería *furniture store* 5r
la muerte *death* 10r
muerto/a *dead* 4r, 8; Día de los
muertos *All Saints/All Souls Day* 8
la muestra *sample* 3r
la mujer *woman* 2r, 9; mujer de
negocios *business woman* 9
multiplicar (qu) *multiply* 7
la multa *ticket (fine)* 13r
la multitud *crowd* 14r
mundial *world-wide* 3r, 7
el mundo *world* Br, 15
la muñeca *wrist* 11
el músculo *muscle* 11
el museo *museum* 1r, 12
la música *music* 1r, 3; música
ambiental *background music* 4r
el/la músico/a *musician* 9r
el muslo *thigh* 9r
muy *very* B

N

nacer (zc) *to be born* 4r, 13
el nacimiento *birth* 2r
la nación *nation* 3r
nacional *national* 1r
la nacionalidad *nationality* 2r
nacionalizado/a *nationalized* 9r
nada adv. *nothing* 12;
de nada *you're welcome* B
nadar *to swim* 3
nadie *no one, nobody* 12
la naranja *orange* 3; adj *orange* 2r
el narcotráfico *drug traffic* 14r
la nariz *nose* 11
la narración *narration* 6r
el/la narrador/a *narrator* 15r
narrar *to narrate* 2r
la natación *swimming* 7r
la natalidad *birth* 14r
nativo/a *native* 1r
la naturaleza *nature* 7r
la náusea *nausea* 11r
la nave espacial *space ship* 9r, 15
navegable *navigable* 10r
la navegación *navegation* 14r
navegar *to navigate* 1r
la Navidad *Christmas* 3r, 8
naviero/a *shipping* 15r
Nazareno *Nazarene* 8r

necesario/a *necessary* 1r, 10
la necesidad *need, necessity* 5r, 14
necesitar *to need* 1
negativo/a *negative* 4r
el negocio *business* 9
negro/a *black* 2
la nena *baby, infant girl* 14r
el nene *baby, infant boy* 14r
el nervio *nerve* 11
nervioso/a *nervous* 2
la neurosis *neurosis* 10r
neutro *neuter* 10r
nevar (ie) *to snow* 7
ni *neither, nor* 2; ni… ni *neither… nor* 2; ni siquiera *not even* 15r
nicaragüense *Nicaraguan* 2
la nieta *granddaughter* 4
el nieto *grandson* 4
la nieve *snow* 7
ningún *not, not any* 10r, 12
ninguno/a *not any, none* 7r, 12
la niñera *nanny* 9r
la niñez *childhood* 7r
el/la niño/a *child* 1r, 4
el nivel *level* 1r, 14
no *no, not* B; no sé *I don't know* Br
la noche *evening, night* B; de la noche *P.M.* B; esta noche *tonight* 3; por la noche *at night* 1
la Nochebuena *Christmas Eve* 8
la Nochevieja *New Year's Eve* 8
nocturno/a adj. *night* 8r
nombrar *to name* 13r
el nombre *name* Br
nominado/a *nominated* 8r
normalmente *normally* 4
el noreste *northeast* 1r
el noroeste *northwest* 1r
el norte *north* 1r
Norteamérica *North America* 3r
norteamericano/a *North American* 1
nos *us*
nosotros/as *we* 1
la nota *grade* 1; tomar notas *take notes* 1r
notable *notable, noteworthy* 14
notablemente *notably* 9r
notar *to notice* 5r
la noticia *news* 4
novedoso/a *novel, new* 6r
la novela *novel* 1r
el/la novelista *novelist* 13
noveno/a *ninth* 5
la novia *girlfriend, fiancée* 2r, 4
noviembre *November* B
el novio *boyfriend, fiancé* 2r, 4
nublado/a *cloudy* 7
el núcleo *nucleus* 4r

nuestro/a(s) *our* 1r, 2
nuevamente *newly, again* 4r
nuevo/a *new* 1r, 2; nuevo sol *monetary unit of Peru* 1r
la nuez *nut* 2r
el número *number* B
numeroso/a *numerous* 2r, 3r
nunca *never* 1
la nutrición *nutrition* 10r
nutrido/a *full, busy* 14r

O

o *or* B
el objetivo *objective* 1r
el objeto *object* 3r
la obligación *obligation, duty* 4r
obligar *to force, to oblige* 12r
obligatorio/a *obligatory* 8r
la obra *work* 1r, 13; obra de teatro *play* 3r
el/la obrero/a *worker* 9
la observación *observation* 2r
el/la observador/a *observer* 2r
observar *to observe* 4r
obtener (g, ie) *to obtain, to get* 3r
obtenido/a *obtained* 4r
obvio *obvious* 10
ocasionar *to cause* 7r
octavo/a *eighth* 5
octubre *October* B
oculto/a adj *hidden* Br
la ocupación *occupation* 2r,
ocupado/a *busy, occupied* 4
ocupar *to occupy* 10r, 13; ocuparse *to be in charge of* 4r
ocurrir *to happen, to occur* 3r
odiar *to hate* 13
el odio *hate* 14
el oeste *west* 10r
la oferta *offer* 6r
oficial *official* 1r
la oficina *office* 1
el oficio *occupation* 9
ofrecer (zc) *to offer* 1r, 9
el oído *(inner) ear* 4r, 11
oír (g) *to hear* 4
ojalá *I/we hope* 10
el ojo *eye* 2
la ola *wave* 7r
las Olimpiadas *Olympic Games* 5r
oliva: de oliva *olive* 10r
olvidar *to forget* 4r, 15
la opción *option* 7r
la ópera *opera* 3r
la operación *operation* 11r
operar *to operate* 11r

opinar *to think* 2r
la opinión *opinion* 1r
opíparamente *in grand style* 11r
la oportunidad *opportunity* 9
optativo/a *optional* 15r
óptico/a *optician* 2r
el optimismo *optimism* 2r
optimista adj. *optimistic* Br
óptimo/a *optimum* 10r
opuesto/a *opposite* 2r
la oración *sentence* 4r
el orden *order* 4r; el orden público *law and order* 9r; la orden *order, command* 9r; a sus órdenes *at your service* 12
ordenado/a *tidy* 5
el ordenador *computer* 1r
ordenar *to tidy up* 5
la oreja *(outer) ear* 11
el organismo *organism* 9r
organizado/a *organized* 12r
el/la organizador/a *organizer* 10r
organizar (c) *to organize* 1r
el órgano *organ* 15r
oriental *eastern* 2r
el origen *origin* 2r
originar *to originate, to start* 13r
la orilla; a orillas de *on the coast, beside* 2r
el oro *gold* 3r
la orquesta *orchestra* 4r, 8
la ortografía *orthography* 4r
os *you*
oscuro/a *dark, obscure* 2r
el/la oso/a *bear* 2
otavaleño/a *from Otavalo, Ecuador* 10r
el otoño *autumn, fall* 6
otro/a *other, another* 1r; otra vez *again* Br
oxígeno *oxigen* 11r

P

el/la paciente *patient* 9r; adj. *patient* Br
pacifista *pacifist* 15r
el padrastro *stepfather* 4
el padre *father* 3r, 4
los padres *parents* 4
el padrino *godfather* 4
pagado/a *paid* 5r
pagar *to pay* 3r, 6
la página *page* Br
el pago *payment* 6r
el país *country* 1r, 3
el pájaro *bird* 14r
la palabra *word* Br

el palacio *palace 1r*
la palma *palm 4r*
el palo *golf club 7*
la paloma *dove 14r*
palpable *tangible 13r*
la pampa *pampa 2r*
el pan *bread 3*
la panadería *bakery 6r*
panameño/a *Panamanian 2*
la pandilla *gang 14r*
el pánico *panic 12r*
la pantalla *screen 13r*
los pantalones *pants 6;*
    pantalones cortos *shorts 6*
el panteón *pantheon 10r*
las pantimedias *pantyhose 6*
el pañuelo *handkerchief 6*
la papa *potato 3;*
    papas fritas *French fries 3;* papa
    a la huancaína *Peruvian typical
    dish;* papas chorreadas
    Colombian typical dish 4r
el papá *dad 1r, 4*
la papada *double chin 9r*
la papaya *papaya 10r*
el papel *paper 1r;* cambiar de papel
    switch roles Br; hacer el papel
    play the part 6r
la papelería *stationery shop 6r*
el paquete *package 12*
el par *pair 7r;* sin par *without equal 1r*
para *for, to 1;* para mí *for me 3;*
    towards, in order to 11;
    para que *so that 14*
el parabrisas *windshield 12*
el paracaídas *parachute 15*
el parachoques *bumper 12*
la parada *parade 8; stop 12*
el paraguas *umbrella 6*
paraguayo/a *Paraguayan 10r*
parar *to stop 6r*
parcial *partial Br*
pardo *brown 2r*
parecer (zc) *to seem 1r, 6*
parecido/a *similar 5r*
la pared *wall 4r*
la pareja *partner/couple 2r*
el parentesco *kinship 4r*
el pariente *relative 4*
el parque *park 1r, 5*
el párrafo *paragraph 4r*
la parte *part 1r;* por otra parte *on
    the other hand 3r, 14;* en todas
    partes *everywhere 8r*
la participación *participation 8r*
el/la participante *participant 8r*
participar *to participate 1r, 7*
particular: en particular *especially 3r*

el partido *game Br, 7*
partir: a partir de *beginning in 10r*
la partitura *musical score 4r*
la pasa *raisin 10r*
el pasado *past 4r;* adj. *last 6;*
    pasado mañana *the day after
    tomorrow 3*
el pasaje *ticket 3r, 12; passage 9r;*
    pasaje de ida y vuelta *round trip 12*
el/la pasajero/a *passenger 12*
el pasaporte *passport 2r, 12*
pasar *to spend (time) 2r, 4; to go
    through 4r; pour 5r; to happen 6r;
    to come in 9r;* pasarlo bien *to
    have fun 3r;* pasar la aspiradora
    to vacuum 5; pasar lista *to call
    roll Br;* ¿Qué pasa? *What's going
    on? 9r;* ¿Qué te/le(s) pasa? *What's
    wrong with you? 11*
el pasatiempo *pastime 15r*
la Pascua *Easter 8*
pasear *to stroll 1r, 4*
el paseo *walk 4r*
el pasillo *hall 5;* asiento de pasillo
    aile seat 12
la pasión *passion Br*
pasional *passional 9r*
pasivo/a *passive Br*
el paso *step 1r; passing 8r*
el pastel *pie, cake 8r*
la pastelería *pastry shop 10*
la pastilla *pill 3r, 11*
patear *to kick 7r*
paterno/a *paternal 2r*
patinar *to skate 7*
el patrimonio *patrimony 8r*
paulatinamente *gradually 15r*
el pavo *turkey 10*
la paz *peace 5r*
el pecho *chest 11*
la peculiaridad *peculiarity 4r*
el/la pediatra *pediatrician 11r*
pedir (i) *to ask for 4*
peinar (se) *to comb 4*
pelado/a *peeled 10r*
la pelea *argument 4r*
pelear *to fight 13*
la película *film 3*
el peligro *danger 5r*
peligroso/a *dangerous 10r*
el pelo *hair 2*
la pelota *ball 7*
la peluquería *beauty salon,
    barbershop 9r*
el/la peluquero/a *hairdresser 9*
pena: ¡Qué pena! *What a pity! 8*
pendiente *pending 10r*
la península *peninsula 7r*

pensar (ie) *to think 1r, 4;* pensar +
    inf. *to plan to + verb 4*
peor *worse, worst 6r, 8*
el pepino *cucumber 10*
pequeño/a *small 1*
peor *worse, worst 5r*
la pepa *seed 10r*
la pera *pear 10*
el/la perdedor/a *loser 7r*
perder (ie) *to loose 7;* perderse *to
    get lost 12*
la pérdida *loss 11r, 15*
perdido/a *lost 12r*
perdón *excuse me B*
el peregrinaje *peregrination 8r*
perezoso/a *lazy 2*
perfeccionista *perfectionist Br*
perfectamente *perfectly 4*
el perfil *profile 14*
el perfume *perfume 4r*
el periódico *newspaper 3*
el/la periodista *journalist,
    newspaperman/woman 7r, 9*
el período *period 5r*
permanecer (zc) *to stay 1r*
permanente *permanent 13r*
permitir *to permit, to allow 9r, 10*
pero *but 1*
el/la perro/a *dog 4r, 5*
perseguir *to chase 8r*
la perseverancia *perseverance 4r*
persistir *to persist 5r*
la persona *person Br, 2*
el personaje *character 8r; person 9r*
el personal *personnel 2r*
la personalidad *personality 2r*
la perspectiva *perspective 9r*
pertenecer (zc) *to belong 2r*
peruano/a *Peruvian 2*
pesar; a pesar de *in spite of 12r*
la pesca *fishing 15r*
el pescado *fish 3:* harina de pescado
    fishmeal 15r
pescar (qu) *to fish 10r*
la peseta *monetary unit of Spain until
    2001 1r*
pesimista *pessimist Br*
el peso *weight 3r*
pesquero/a *fishing 15r*
la pestaña *eyelash 11*
el petróleo *petroleum, oil 6r*
petrolero/a adj. *petroleum 6r*
el/la pianista *pianist 8r*
picado/a *chopped, ground 10r*
picar (qu) *to chop 5r*
el pie *foot 10r, 11;* a pie *on foot 10r*
la piedra *stone 6r*
la piel *skin 11r*

la pierna *leg 3r, 11*
la pieza *piece, object 5r*
pilotear *to pilot, to fly 12r*
el/la piloto *pilot 9r*
la pimienta *pepper 10*
el pimiento *green pepper 10*
el pino *pine 8r*
pintado/a *painted 12r*
el pintor *painter 5r*
pintoresco/a *colourful, picturesque 8r*
la pintura *painting 9r*
la piña *pineapple 10*
la piñata *pottery filled with candies 8r*
la pirámide *pyramid 12*
pisar *to step on 14r*
la piscina *swimming pool 5*
el piso *floor, apartment (in Spain) 5*
la pista *clue 1r; slope, court, track 7*
el/la piyama *pajama 6r*
la pizarra *chalkboard B*
la pizzería *pizza place 4r*
la placa *license plate 12*
el placer *pleasure 8r, 14*
el plan *plan 3r*
planchar *to iron 5*
planear *to plan 12r*
el planeta *planet 5r, 15*
el planetario *planetarium 3r*
planificar (qu) *to plan 3r*
el plano/a *plan 5r; level 10r*
la planta *plant 5; planta baja first floor 5*
plantear *to plan out 4r*
plástico/a *plastic 9r*
la plata *silver 10r*
el plátano *banana 10*
el plato *dish, 2r 5; plato principal main dish 3; plate 10*
la playa *beach 1*
la plaza *plaza 1; plaza de toros bullring 3r, 8*
el pliegue *fold 10r*
el/la plomero/a *plumber 9*
el plomo *lead 15r*
la pluma *feather 8r*
poblado/a *inhabited 8r*
el/la poblador/a *settler 13*
la población *population, people 2r, 13*
pobre *poor 2*
la pobreza *poverty 4r*
poco/a: un poco *a little 2r, 4; pocos/as few 1r*
poder (ue) *to be able to, can 1r, 4; el poder power 14*
poderoso/a *powerful 14r*
el poema *poem 1r*
el/la poeta *poet 9r*
la polémica *polemic 7r*

el policía *policeman 9;* la mujer policía *policewoman 9;* la policía *police 2r*
el poliéster: de poliéster *polyester (made of) 6*
la política *politics 2r, 13*
el/la político/a *politician 13r; political adj. 1r*
la pollera *typical Panamanian dress 12r*
el pollo *chicken 3*
el polo *pole 5r*
el pomelo *grapefruit 10*
poner (g) *to put, to turn on 4;* ponerse *to put on 5r,7;* poner la mesa *to set the table 4;* poner una inyección *to give a shot/injection 11;* ponerse al día *to keep up to date 9r*
popular *popular Br*
popularidad *popularity 7r*
por *by, 1r; for 2r; about, through 3; because of 2r, 6;* por favor *please B;* por eso *that's why 1r, 3;* por fin *finally, at last 3;* por lo menos *at least 3;* por supuesto *of course 3;* por ciento *per cent 3;* por cierto *by the way 9;* por ejemplo *for instance 1r, 3;* por correo *by mail 9;* por la mañana/tarde *in the morning/afternoon 1;* por la noche *at night 1;* por lo menos *at least 1r;* por lo tanto *therefore 10r;* por otra parte *on the other hand 14;* por qué *why 1*
el porcentaje *percentage 5r, 14*
la porción *portion 10r*
porque *because 1*
la portada *cover (magazine) 13*
el portadocumentos *briefcase 5r*
portador: al portador *cash (in checks) 9r*
el portal *website 13r*
portátil *portable 2r, 15*
el/a porteño/a *resident of Buenos Aires*
el portón *gate 5r*
portugués/a *Portuguese 1r*
el porvenir *future 9r*
las Posadas *Hispanic festivities 8r*
el/la posadero/a *participant in* las Posadas
la posesión *possession 12r*
el/la posgraduado/a *postgraduate 14r*
la posibilidad *possibility 1r*
posible *possible 2r, 10*
positivo/a *positive 5r*
el postre *dessert 3r, 10*
la postura *posture 10r*

el potasio *potassium 10r*
la práctica *practice 1r; adj. practical 9r*
practicar (qu) *to practice 1*
el precio *price Br, 6*
precioso/a *beautiful 6; precious 6r*
precisamente *precisely 7r*
la precisión *precision 4r*
precolombino/a *pre-Columbian 1r*
predilecto/a *favorite 7r*
predominar *to predominate 2r*
la preferencia *preference 2r*
preferir (ie) *to prefer 1r, 4*
la pregunta *question Br*
preguntar *to ask (a question) Br*
prehispánico/a *pre-Hispanic 8r*
la preinscripción *preregistration 1r*
preliminar *preliminary 3r*
el premio *award, prize 6r, 13*
preocupado/a *preoccupied*
preocupar(se) *to worry 10r*
la preparación *preparation 1r*
preparar *to prepare 1r, 5*
el preparativo *preparation 5r, 8*
prescindir *to do without 11r*
la presencia *aspect 9r, presence 13r*
la presentación *presentation Br*
presentar *to present 3r,*
presente *present, here Br*
la preservación *preservation 8r*
el/la presidente/a *president 2r*
la presión *pressure 10r*
prestar *to lend 6r*
la pretensión *pretension 9r*
preventivo/a *preventive 10r*
previo/a *prior, previous 2r*
primario/a *elementary 5r*
la primavera *spring 6*
primer *first 5*
primero/a *first 1r, 5; primera clase first class 12*
el/la primo/la prima *cousin 4*
la princesa *princess 2r*
principal *main, principal 1r*
principalmente *mainly 2r*
el príncipe *prince 5r*
el principio *beginning 4r; a principios at the beginning 14*
la prioridad *priority 7r*
la prisa: tener prisa *to be in a hurry 5*
privado/a *private Br*
privilegiado/a *exceptional 7r*
probablemente *probably 3r*
probado/a *proved 4r*
probar(se) (ue) *to try (on) 6*
el problema *problem Br*
procedente de *to come from 13r*
proceder *to come from 14*
procesado/a *processed 6r*

la procesión *procession* 8
el proceso *process* 8r
proclamar *to proclaim* 10r
el prodigio *prodigy* 4r
la producción *production* 6r
la productividad *productivity* 15r
el producto *product* 2r
el/la productor/a *producer* 9r
la profesión *profession* 2r, 9
el/la profesional *professional* 2r
el profesionalismo *professionalism* 3r
el/la profesor/a *professor* B
profundo/a *deep* 14r
el/la progenitor/a *progenitor,
    direct ancestor* 4r
el programa *program* 1r
el/la programador/a *programmer* 9r
programar *to program* 12r
la prohibición *prohibition* 7r
prohibido/a *forbidden* 1
prohibir *to prohibit, to forbid* 10
prolífico/a *prolific* 9r
prolongado/a *lengthy* 10r
el promedio *average* 1r, 14
la promesa *promise* 7r
prometor/a *promising* 9r
prometer *to promise* 2r
la promoción *promotion* 9r
promover (ue) *to promote* 7r
el pronombre *pronoun* 1r
el pronóstico *(weather) forecast* 7
la prontitud *promptness* 2r
pronto *soon* 1; tan pronto *as soon
    as* 11r, 14
la propaganda *publicity,
    advertising* 7r
la propiedad *property* 5r
propio/a *own* 2r, 9
proponer (g) *to propose* 8r
proporcionar *to provide* 4r
el propósito *purpose* 2r
la propuesta *proposition, suggestion* 10r
la protección *protection* 15r
proteger (j) *to protect* 11r
la proteína *protein* 10r
la protesta *protest* 1r
provenzal *Provance style* 5r
la provincia *province* 8r
provocar (qu) *to provoke* 14r
próximamente *soon, shortly* 9r
próximo/a *next, next to* 3
la proyección *projection* 1r
el proyecto *project* 3r
la prueba *test* 9r
el/la psicólogo/a *psychologist* 9
la psicología *psychology* 1
el/la psiquiatra *psychiatrist* 9r
la publicación *publication* 13r

publicar (qu) *to publish* 6r
la publicidad *advertisement* 9r
público/a *public* 1r
el pueblo *town* 3r, 8; *people* 7r
el puente *bridge* 9r
la puerta *door* B; puerta de salida
    gate 12
el puerto *port, harbor* 9r
el puré *purée* 9r; puré de papas
    mashed potatoes
puertorriqueño/a *Puerto Rican* 2
pues *well* 3r
el puesto *position* 2r, 9; *stall* 6r
el pulmón *lung* 11
la pulsera *bracelet* 6
el punto *period* 3r; *point* 4r; punto y
    coma *semi colon* 3r; en punto
    sharp (time)
la puntuación *punctuation* 6r
puntual *punctual* 7r
el pupitre *student's desk* B
la pureza *purity* 10r
la purificación *purification* 8r
purificar (qu) *to purify, to cleanse* 10r
puro/a *pure* 14

Q

que *that* 1r, 2; lo que *what* 1r
qué *what* B; ¿Qué tal? *How's it
    going?* B; ¡Qué lástima! *What a
    pity!* 1; ¡Qué pena! *What a pity!*
    8; ¡Qué va! *nothing of the sort,
    no way* 11
quedar *to be left over* 6; *to be* 3r;
    quedar bien *to fit* 6; quedarse *to
    stay* 5r; queda de usted *I remain* 2r
el quehacer *chore* 4r
la queja *complaint* 14r
quejarse *to complain* 14
la quema *burning* 8r
querer (ie) *to want* 1r, 4;
    Quisiera ... *I would like ...* 6
querido/a *dear* 1r
la quesadilla *Mexican dish* 5r
el queso *cheese* 3
quién *interrog. who* B;
    de quién/es *whose* 2
la química *chemistry* 1r
químico/a *chemical* 9r
quinto/a *fifth* 5
quitar *to take away, to remove* 7;
    quitarse *to take off* 7
el quitasol *sunshade, parasol* 5r
quizá(s) *maybe* 10

R

el radiador *radiator* 12r
el/la radio *radio* 5
la raíz *root* 1r
el rallador *kitchen grater* 5r
rallar *to grate* 5r
el Ramadán *Ramadan* 3r
rápidamente *rapidly, fast* 4
rápido/a *fast* 3
la raqueta *racket* 6r, 7
raro/a *odd* 7r
el rascacielos *skyscraper* 2r
el rasgo *trait, feature* 3r
la raspadura *scratching* 2r
el rato *time* 3r
el ratón *mouse* 15
la raya: de rayas *striped* 6
la raza *race* 2r
la razón *reason* 4r; tener razón *to
    be right* 2r, 5
la reacción *reaction* 1r
reaccionar *to react* 11r
reactivar *to reactivate* 15r
real *royal* 1r
la realidad *reality, truth* 5r; en
    realidad *in fact, really* 9
realista *realistic* 13r
la realización *realization* 7r
realizar (c) *to carry out* 4r, 14r; *to
    take place* 5r
realmente *really* 4r, 9
la rebaja *sale, reduction* 6
rebajado/a *marked down* 6
rebelde *rebellious* Br
recaudar *to raise, to collect* 10r
la recepción *reception* 6r; *front
    desk* 12
el/la recepcionista *receptionist* 9r
el receso *recess* Br
la receta *recipe* 10; *prescription* 11
recetar *to prescribe* 11
el rechazo *rebuff* 14r
recibir *to receive* 5r
el recibo *receipt* 9r
reciclar *recycle* 14r
recién *adv. recently* 11r
reciente *adj. recent* 5r
el recipiente *receptacle* 5r
reclamar *to claim* 2r
recolectar *to gather, collect* 13r
recomendable *advisable* 10r
la recomendación *recommendation* 4r
recomendar (ie) *to recommend* 6r, 10
la recompensa *reward* 5r
el reconocimiento *recognition* 5r
recopilar *to gather* 14

recordar (ue) *to remember* 1r, 8
recorrer *to travel* 7r
el/la rector/a *president (of a university)* 5r
el recuerdo *memory* 8r
la recuperación *recuperation* 5r
el recurso *resource* 6r, 15
la red *net* 7; *web* 7r
redondo/a *round* Br
reducido/a *reduced* 10r
reducir (zc) *to reduce* 10r
la referencia *reference* 4r
referir(se) (ie, i) *to refer* 5r
refinado/a *refined* 10r
reflejar *reflect* 2r
el refrán *proverb, saying* 3r
el refresco *soda, refreshment* 3
el refrigerador *refrigerator* 5
regalar *to give (a present)* 6
el regalo *present* 5r, 6
regar (ie) *to water* 5
regatear *to bargain* 6r
el régimen *regimen, diet* 10r
la región *region* 1r
la regla *rule* 6r
regresar *to come back* 5
regular *so so, not so good (well)* B
regularidad: con regularidad *regularly* 10r
regularmente *regularly* 4
la reina *queen* 8
reinar *to reign, to prevail* 8r
el reino *kingdom* Br
la reja *iron grill* 5r
rejuvenecer (zc) *to rejuvenate* 10r
la relación *relation* 2r; *relationship* 4r; relaciones exteriores *foreign affairs* 2r
relacionado/a *related* 1r
relacionar *to relate* 1r
relajante *relaxing* 3r
relajarse *to relax* 5r
relatar *to recount* 6r
relativamente *relatively* 2r
religioso/a adj. *religious* Br
el relleno *filling* 10r
el reloj *clock, watch* B
rematar *to auction* 9r
el remedio *remedy* 11r
rendir (i) *to render, to pay* 10r
la reparación *reparation, repair* 7r
reparar *to repair* 9r
repartir *to distribute* 12r
repente: de repente *suddenly* 8r
repetir (i) *to repeat* Br, 4
la réplica *copy* 11r
el/la reportero/a *reporter* 7r
el reposo *rest* 11r

el/la representante *representative* 5r
representar *to represent* 7
la reproducción *reproduction* 15r
la república *republic* 2r
el repuesto *part* 15r
requerido/a *required* 13r
requerir (ie) *to require* 7r
el requisito *requirement* 2r
la res: carne de res *beef* 10
la reserva *reserve* 3r, 15
la reservación *reservation* 3r, 12
reservado/a *reserved* 12r
reservar *to make a reservation* 8r, 12
la residencia *residence* 1r
el/la residente *resident* 5r
resistente *resistant* 5r
la resolución *resolution* 11r
resolver (ue) *to solve* 6r
respectivamente *respectively* 10r
respecto: con respecto a *in relation to* 4r
respetar(se) *to respect* 8
respirar *to breathe* 11
responder *to answer* 1r
la responsabilidad *responsibility* 2r
responsable *responsible* Br, 1
la respuesta *answer* 2r
el restaurante *restaurant* 2r, 3
el resto *rest* 4r; restos *ruins*
la restricción *restriction* 10r
el resultado *result, outcome* 4r
resultar *to result, to be* 8r, *come about* 14r
resumen: el resumen *summary* 14r
en resumen *to summarize* 4r
la resurrección: Domingo de Resurrección *Easter Sunday* 8
retirar *to remove* 10r; el retiro *retirement* 14r
la reunión *reunion, meeting* Br, 3
reunirse *to get together, to meet* 1r, 8
la revelación *revelation* 13r
el reverso *back* 2r
revisar *to revise, to go over* 1; *to inspect* 12
la revisión *revision, inspection* 1r
la revista *magazine* 1r, 3
la revolución *revolution* 13r
revolucionario/a *revolutionary* 4r
el rey *king* 3r, 8; Reyes Magos *Wise Men* 6r, 8
rezar (c) *to pray* 8r
rico/a *rich, wealthy* 2; *good tasting* 10
el riel *rail* 15r
el riesgo *risk, danger* 9r
el rincón *corner* 7r
el rió *river* 15r
la riqueza *wealth* 1r

el ritmo *rhythm* 1r
el rito *rite* 8r
robar *to steal* 8r
el robot *robot* 3r
la roca *rock* 7r
la rodilla *knee* 11; de rodillas *kneeling* 8r
rojo/a *red* 2
el rol *role* 6r
romano/a *Roman* 2r
romántico/a *romantic* B
romper *to break* 13; *to tear* 15
la ropa *clothing* 5r, 6; ropa interior *underwear* 6r
rosa *pink* 2r
rosado/a *pink* 2
rubio/a *blonde* 2
el ruego *plead* 14r
el ruido *noise* 8
las ruinas *ruins* 3r, 12
el ruso *Russian* 13r
rústico/a *rustic* 5r
la ruta *route, road* 3r
la rutina *routine* 3r

§

sábado *Saturday* B
la sabana *savanna, plain* 10r
la sábana *sheet* 5
saber *to know (facts)* Br, 5
el sabor *flavor* 5r
sabroso/a *delicious* 3r
el sacacorchos *corkscrew* 5r
sacar (qu) *to get, to take (out)* 1; sacar fotos *to take photos* 12r
la sacarina *saccharine* 11r
el sacerdote *priest* 8r
el saco *blazer* 6
sacrificar(se) (qu) *to sacrifice*
el sacrificio *sacrifice* 8r
la sal *salt* 4r, 10
la sala *living room* 5; sala de espera *waiting room* 12
el salario *salary* 5r
la salida *departure, exit* 12; hora de salida *dismissal time* 4r, *departure time* 12
salir (g) *to leave* 3r, 4
el salón *room* B
la salsa *sauce* 10; salsa de tomate *tomato sauce* 10; *type of music* 2r
la salsateca *salsa discotheque* 10r
saltar *to jump* 14
la salud *health* 7r, 11
saludable *healthy* 10r
saludar(se) *to greet* 13

el saludo *greeting* Br
la salvación *salvation* 15r
salvadoreño/a *Salvadoran* 5r
salvar *to save (from danger), to rescue* 15r
sanar *to cure* 10r
la sanción *sanction* 14r
la sandalia *sandal* 6
el sándwich *sandwich* 3
sangrar *to bleed* 11r
la sangre *blood* 2r, 11
sano/a *healthy* 10r; sano/a y salvo/a *safe and sound* 15
el/la santo/a *saint* Br; Semana Santa *Holy Week* 8
la sardana *typical Catalonian dance* 1r
satírico/a *satiric* 2r
satisfacer (g) *to satisfy* 6r
sazonar *to season* 10
el secador *hairdryer* 9r
la secadora *drier* 5
secar(se) (qu) *to dry* 4
la sección *section* 3r
seco/a *dry* 5
el/la secretario/a *secretary* 2r
secundario/a *secondary* 1r
la sed: tener sed *to be thirsty* 5
la seda: de seda *silk (made of)* 6
sedentario/a *sedentary* 10r
la segregación *segregation* 15r
segregar *to secrete* 11r
seguido/a *followed* 8r
seguidor/a *follower* 10r
seguir (i) *to follow, to go on* 4; seguir derecho *to go straight ahead* 12
según *according to* 1r, 13
segundo/a *second* 1r, 5
seguramente *for sure, for certain* 5r
la seguridad *safety, security* 5r, 8
el seguro *insurance* 6r; adj. *sure* 5r; n. *safe* 12r,
la selección *selection* 7r
seleccionado/a *selected* 7r
seleccionar *to select* 1r
el sello *stamp* 5r, 12
la selva *jungle* 6r, 15
selvático/a *of the jungle* 15
la semana *week* B; Semana Santa *Holy Week* 1r, 8
semejante *similar* 4r
la semejanza *similarity* 4r
el semestre *semester* 1
la semilla *seed* 8r
el seminario *seminar* 12r
el/la senador/a *senator* 1r
la sencillez *simplicity* 10r
sencillo/a *simple* 9r

sendero *path* 13r
la sensibilidad *sensibility* 4r
sentarse (ie) *to sit down* Br, 7
sentimental *sentimental* Br
el sentimiento *feeling* 5r
sentir(se) (ie, i) *to feel* 2r, 11; *to be sorry* 11; lo siento *I'm sorry* B
la señal *signal* 9
el señor (Sr.) *Mr.* B; *lord* 8r
la señora (Sra.) *Mrs.* B
señorial *aristocratic, stately* 13r
la señorita *Miss* B
la separación *separation* 4r, 14
separado/a *separated* 2r
septiembre *September* B
séptimo/a *seventh* 5
sepultado/a *buried* 8r
ser *to be* Br, 2; el ser humano *human being* 15
la serenata *serenade* 1r
la serie *series* 4r
serio/a *serious* Br, 11
la serpiente *snake* 2
el servicio service 3r
la servilleta *napkin* 10
servir (i) *to serve* 3r, 4; ¿en que puedo servirle? *How may I help you?* 6
severo/a *severe, serious* 12r
la sevillana *typical dance of Andalusia* 12r
el sexo *sex* 2r, 8
sexto/a *sixth* 5
sí *yes* B
si *if* 1r, 3
el sida *AIDS* 11r, 14
siempre *always* 1
la siesta *nap* 4
el siglo *century* 1r
el significado *meaning* 7r
significar (qu) *to mean* 1r; *to signify* 3r
significativamente *significantly* 9r
siguiente adj. *following* 1r
la silla *chair* B
el sillón *armchair* 5r
simbolizar *to symbolize* 8r
el símbolo *symbol* 8r
simpático/a *nice, charming* 2
simplemente *simply* 4r
simultáneamente *simultaneously* 9r
sin *without* 2r, 7; sin embargo *nevertheless* 1r, 9; sin que, *without* 14
la sinagoga *sinagogue* 8r
sincero/a *sincere* Br
el sinfín *an endless number* 6r
sino *but* 1r
el sinónimo *synonym* 3r

el síntoma *symptom* 11
la sirena *siren* 9r
el sistema *system* 4r
el sitio *place* 2r
la situación *situation, location* 4r
situado/a *located* 1r
situar *to place* 15r
el sobre *envelope* 12
sobre *on, above* B; *about* 2r
la sobrina *niece* 4
el sobrino *nephew* 4
sociable *sociable* 2r
la sociedad *society* 5r, 13
la sociología *sociology* 1
el/la sociólogo/a *sociologist* 5r
el sodio *sodium* 10r
el sofá *sofa* 5
el sol *sun* 7
solamente *only* 1r
la soledad *solitude* 8r; *loneliness* 14r
solemne *solemn* 8r
la solemnidad *solemnity* 8r
soler (ue) *use to + inf.* 9r
el/la solicitante *solicitant, applicant* 2r
solicitar *to request, to apply for* 2r, 9
la solicitud *application* 9
sólo adv. *only* 1r, 3, 4
solo/a adj. *alone* 2r, 14; *one* 6r; de un solo color *solid color* 6
soltar *to let go* 14r
el/la soltero/a *single, bachelor* 2
la solución *solution* 6r
el sombrero *hat* 6
el somnífero *sleeping pill* 11r
sonar (ue) *to ring* 7r
el sonido *sound* 4r
la sopa *soup* 3
sordo/a *deaf* 15r
sorprendido/a *surprised* 9r
la sorpresa *surprise* 2r
sopresivo/a *surprising* 8r
sospechar *to suspect* 14r
el sostén *brassiere* 6
sostener (g, ie) *to hold* 4r
su(s) *your (formal), his, her, its* B; *theirs* 2
suave *soft* 8
subir *to go up* 8r, 12; *to increase* 10r; subir de peso *gain weight* 3r
subrayar *to underline* 4r
el subtítulo *subtitle* 3r
el suburbio *suburb* 5r
la sucursal *branch* 14r
sucio/a *dirty* 5
la sudadera *jogging suit, sweat shirt* 6
sudamericano/a *South-American* 7r
sueco/a *Swede* 3r
el sueldo *salary* 9

el sueño *dream 2r;* tener sueño *to be sleepy 5*
la suerte *luck 1;* tener suerte *to be lucky 5;* a la suerte *at random 12r*
el suéter *sweater 6*
suficiente *enough 3r*
la sugerencia *suggestion 3r*
sugerir (ie, i) *to suggest 6r*
suma adj. *much 10r*
sumar *to add 1r*
la superación *improvement 9r overcoming 13r*
superar *to surpass 9r; to overcome 12r*
superdotado/a *gifted*
el supermercado *supermarket 6r, 10*
la súplica *plead 14r*
el sur *south 1r*
suramericano/a *South American 2r*
el sureste *southeast 7r*
el/la surfista *surfer 7r*
el surgimiento *breakout 14r*
surgir (j) *to appear, to arise 14r*
suroeste *southwest 13r*
el surtido *selection 6r*
la suscripción *subscription 6r*
la sustancia *substance 10r*
el sustantivo *noun 10r*
sustentar *to support 5r*
suyo (-a, -os, -as) *(of) yours, his, hers, theirs 5r, 12*

T

la tabla *chart 4r; cutting board 5r*
tal *such 10;* ¿Qué tal? *How's it going? B; tal como such as 8r; tal vez maybe 10;* con tal (de) que *provided that 14*
el talento *talent 8r*
la talla *size 6*
tallado/a *carved 10r*
el tamaño *size 4r*
también adv. *also, too 1*
tampoco adv. *neither, nor, either 5r, 12*
tan adv. *so 1r; as 1r, 8*
el tango *type of music and dance 2r*
tanto/a *as much 1r, 8;* en tanto *meanwhile 9r;* por lo tanto *therefore 10r*
tantos/as *as many 8*
tardar *to take (time) 15r*
tarde *late 1r, 4;* más tarde *later 3;* n. *afternoon B*
la tarea *assignment, homework Br, 1*
la tarjeta *card 2r, 6;* tarjeta de crédito *credit card 3r, 6;* tarjeta

de embarque *boarding pass 12;* tarjeta postal *post card 2r, 12*
la tasa *rate, interest 14r*
la taza *cup 10*
te *you 5;* te llamas *your name is B*
el té *tea 3*
el teatro *theater 3r, 8*
el techo *roof 8r*
la técnica *technique 12r*
el tecnicismo *technicality 9r*
el/la técnico/a *technician 9; adj. technical 9r*
la tecnología *technology 8r*
el tejido *weaving 8r*
la tela *fabric 6r*
telefónico/a adj. *telephone 9r*
el teléfono *telephone Br, 3*
la telenovela *soap opera 11r*
la telepatía *telepathy 3r*
el/la televidente *TV viewer 13*
el televisor *TV set B*
la tele(visión) *television 1*
el tema *topic 2r*
temer *to fear 11*
el temor *fear 7r*
el temperamento *temperament 9r*
la temperatura *temperature 3r*
templado/a *moderate 5r*
temporal *temporary 13r*
temprano *early 4*
tender (ie) *to hang (clothes) 5;* tender la cama *to make the bed 5r*
el tenedor *fork 5r, 10*
tener (g, ie) *to have Br, 4;* tener años *to be...years old 2;* tener deseos de + inf. *to feel like + pres. part. 8;* tener dolor de... *to have a(n)... ache 11;* tener éxito *to be successful 13;* tener mala cara *to look terrible 11;* tener que + inf. *to have to + verb 1r, 5;* tener lugar *to take place 8r*
el tenis *tennis Br, 7*
el/la tenista *tennis player 2r, 7*
la tensión *pressure 11;* tensión arterial *blood pressure 11*
el teñido *dyeing 8r*
la teocracia *theocracy 8r*
el tequila *Mexican liqueur 8r*
la terapia *therapy 12r*
tercer *third 5*
tercero/a *third 5*
la terminación *ending 10r*
terminar *to finish 3*
el termómetro *thermometer 2r, 11*
la terraza *terrace 1r, 5*
el terreno *terrain 14r*

terrestre adj. *land 3r*
terrible *terrible Br*
el territorio *territory 15r*
el/la testigo *witness 13r*
el testimonio *testimony 8r*
el texto *text 1r*
la tía *aunt 4*
tibio/a *lukewarm 10r*
el tiempo *time Br, 3; weather 7;* tiempo libre *free time 1r; 3;* a tiempo *on time 12*
la tienda *store 6*
la Tierra *Earth 15;* tierra *land, soil 2r, 15*
el tigre *tiger 3r*
las tijeras *scissors 5r*
tímido/a *timid Br*
el tinte *shade, overtone 9r*
la tintorería *dry cleaner's 14r*
el tío *uncle 4*
típico/a *typical 1r, 3*
el tipo *type, style, 3r; kind 10r*
titulado/a *entitled 9r*
el/la titular *holder 2r*
el título *title 4r*
la tiza *chalk B*
la toalla *towel 5*
el tobillo *ankle 11*
el tocadiscos *record player 5r*
tocar (qu) *to play an instrument, to touch 3*
todavía adv. *still, yet 4r, 13*
todo *all, everything 12;* todos *everybody, all 12;* todos los días *every day 1*
tolerante *tolerant 1r*
tomar *to take, to drink 1;* tomar el sol *to sunbathe 3*
el tomate *tomato 3*
la tonelada *ton 4r*
el tono *tone 2r*
tonto/a *silly, foolish 2*
torcer(se), (ue, z) *to twist 11*
el torneo *tournament 7r*
la toronja *grapefruit 10*
la torta *cake 5r*
la tortura *torture 10r*
la tos *cough 11*
toser *to cough 11*
la tostada *toast 3*
totalmente *totally 5r*
la totora *cattail (plant) 10r*
trabajador/a *hard working 2*
trabajar *to work 1*
el trabajo *work 1r, 9*
la tradición *tradition 2r, 8*
tradicional *traditional Br*
tradicionalmente *traditionally 4*

traducir (zc) *to translate* 7
traer (g) *to bring* 3r, 4
el tráfico *traffic* 12r
trágico/a *tragic* 8r
el traje *suit* 6; traje de baño *bathing
    suit* 6; traje pantalón *pant suit* 6
tranquilamente *quietly* 4
la tranquilidad *tranquility* 5r
tranquilizante *tranquilizer* 12r
tranquilo/a *calm, tranquil* Br, 2
el transbordador espacial
    space shuttle 15
transformar *to transform* 4r
la transición *transition* 14r
transmitir *transmit* 11r
la transmutación *transmutation* 10r
la transparencia *transparency* 11r
transparente *transparent* 9r
transplantar *to transplant* 11r
el transporte *transportation* 5r
el trapo *cloth, kitchen cloth* 5r
trasladar(se) *to move,
    to transfer* 13
el tratado *treaty* 5r
el tratamiento *treatment* 10r
tratar *to try* 5r; *to deal, to discuss* 9r
través: a través de adv. *through* 13
tremendo/a *tremendous* 9r
el tren *train* 11r, 12
el trigo *wheat* 15r
el/la tripulante *crew member* 14
triste *sad* 2
la tristeza *sadness* 13
el triunfo *victory* 7r
el trofeo *trophy* 7r
tropezar (ie) *to stumble* 15r
tropical *tropical* 10r
el trueque *exchange* 9r
tu/s adj. *your* B, 2
tú pron. *you* (familiar) B
la tumba *tomb* 10r
la tuna *group of student minstrels* 1r
el túnel *tunnel* 3r
la túnica *tunic* 8r
el turismo *tourism* 9r
el/la turista *tourist* 1r; clase turista
    economy class 12
turístico/a adj. *tourist* 7r
turnarse *to take turns* 4r
el turno *turn, shift* 11r
tuyo (-a, -os, -as) *(of) yours, his,
    hers, theirs* 12

U

la ubicación *location* 5r
ubicar (qu) *to place, to locate* 14r

la úlcera *ulcer* 11r
último/a *last* 6r, 8
un/a *a, an, one* B; unos cuantos
    some 1r
único/a *only, unique* 4;
    hijo/a único/a *only child* 4
la unidad *unity* 5r
unido/a *united* 1r
el uniforme *uniform* 3r
la unión *union* 7r
unir *to unite, to join (together)* 2r
la universidad *university* 1
universitario/a adj. *university* 1r
el universo *universe* B, 15
unos/as *some* 1
urbano/a *urban* 12r
urgente *urgent* 1r
urgentemente *urgently* 9r
uruguayo/a *Uruguayan* 7r
usar *to use* 1r, 2; *to wear* 3
el uso *use* 2r
usted *you* (formal sing.) B
ustedes *you* (formal pl.) 1
usualmente *usually* 8r
el/la usuario/a *user* 7r
el utensilio *utensil* 5r
útil *useful* Br
utilizar (c) *to use, utilize* 4r
la uva *grape* 10

V

las vacaciones *vacation* 1r, 3
vacante *vacant, opening* 9
vacío/a *empty* 12
la vacuna *vaccination* 15r
la vainilla *vanilla* 4r, 10
el valenciano *Valencian language*;
    adj. *from Valencia*
valer *to be worth* 6
la validez *validity* 2r
valiente *brave* Br
valioso/a *valuable* 13r
el valle *valley* 9r
el vallenato *typical Colombian
    music* 4r
el valor *value, price* 3r
valorar *to value* 4r
vanagloriarse *to boast* 6r
el vaquero *cowboy* 7r;
    los vaqueros/jeans *jeans* 6;
variable *variable, changeable* 9r
variado/a *varied* 2r
la variante *variant* 7r
variar *to vary* 5r
la variedad *variety* 2r
varios/as *various, several* 1r

el varón *male* 14
el vascuence *Basque language* 1r
el vaso *glass* 3r, 10
el vecindario *neighborhood* 5r
el/la vecino/a *neighbor* 5r, 14
la vegetación *vegetation* 15r
el vegetal *vegetable* 3
vegetariano/a *vegetarian* 3r
la vela *candle* 4r
la velada *evening* 9r
el velero *sailboat* 3r
la velocidad *speed* 12
la vena *vein* 11
el vencimiento *expiration* 3r
el/la vendedor/a *salesman,
    saleswoman* 6r, 9
vender *to sell* 4r, 6
venerar *venerate* 8r
venezolano/a *Venezuelan* 2
venir (g, ie) *to come* 4
la venta *sale* 3r, 9
la ventaja *advantage* 2r, 14
la ventana *window* B
    ventanilla *window (car, plane,
    etc.)* 12
el ventanal *large window* 5r
ver *to see* 1r, 3
el verano *summer* 2r, 6
el verbo *verb* 1r
la verdad: ¿verdad? *truth, right?* 1
verde *green, not ripe* 2
la verdura *vegetable* 3
verificar (qu) *to verify* 4r
versátil *versatile* 7r
el vestido *dress* 3r, 6
vestir(se) (i) *to dress, to get dressed* 4
el vestuario *dressing room* 7r
la vez: a veces *sometimes* 1; dos
    veces *twice* 4; una vez *once* 12;
    muchas veces *often, many
    times* 1; alguna vez *sometimes, on
    occasions* 12; otra vez *again* 7r;
    una vez *once* 12; de vez en
    cuando *now and then* 10r
viajar *to travel* 2r, 12
el viaje *trip* 3r, 12; viaje espacial
    space trip 15
el/la viajero/a *traveller*
la víctima *victim* 8r
la vida *life* 1r, 15
el video *video* 1r
el videocasete *videocassette* 3r
la videocasetera *VCR* B
viejo/a *old* 2
el viento *wind* 7
viernes *Friday* B
vigilar *to watch* 12r
el villancico *Christmas carol* 8r

el vinagre *vinegar* 10
la vinificación *fermentation 9r*
el vino *wine* 3; vino tinto *red wine* 10
el viñedo *vineyard 9r*
la violencia *violence* 8
violeta adj. *violet, 2r*
el violín *violin 4r*
el/la violinista *violinist 8r*
la virgen *virgin 8r*
virtual *virtual 3r*
el virus *virus 15r*
la visa *visa 3r*
la visita *guest 5r*
el/la visitante *visitor 5r*
visitar *to visit 1r*, 4
la vista *view 5r*
la vitalidad *vitality 1r*
la vitamina *vitamin 10r*
la viuda *widow* 14
el viudo *widower* 14
los víveres *food supplies 6r*
la vivienda *housing 13r*
vivir *to live 1r*, 3
vivo/a *alive, living 4r*
el vocabulario *vocabulary* Br
la vocal *vowel* Br
el vocero *spokesman 15r*
volador *flying 15r*
el volante *steering wheel* 12
volar (ue) *to fly 5r*, 12
el volcán *volcano 5r*
el voleibol *volleyball* 7
el volumen *volume 5r*
la voluntad *will, will power 13r*
el/la voluntario/a *volunteer 14r*
volver (ue) *to return* 4
vos *you (familiar) 2r*
vosotros/as pron. *you (familiar plu.)* 1
votar *to vote 12r*
la voz *voice 14r*
el vuelo *flight 3r*, 12
la vuelta: viaje de ida y vuelta *round trip* 12
vuestro/a adj. *your (familiar plural)* 2

Y

y *and B*
ya *already 3r*, 5; ya que *since 8r*; ya sea *whether 9r*
yacente *lying, recumbent 8r*
la yema *egg yolk 10r*
la yerba/hierba *herb 9r*
yo *I B*
el yogur *yogurt* 10
yugoslavo/a *Yugoslavian 2r*

Z

la zanahoria *carrot* 10
la zapatilla *slipper* 6
el zapato *shoe* 6
la zarzuela *Spanish operetta 3r*
la zona *2r*
el zoológico *zoo 3r*

Apéndice 4

English to Spanish Vocabulary

A

a (an) un/a
above sobre
absence la ausencia
absent ausente
academic académico/a
accent el acento
accept aceptar
accessory el accesorio
accident el accidente
accompany acompañar
according según
account: checking account
    la cuenta: cuenta corriente
accountant el/la contador/a,
    el/la contable
accounting la contabilidad
accredit acreditar
ache el dolor
act actuar
active activo/a
activity la actividad
actress la actriz
adapt adaptar(se)
add añadir, sumar
address la dirección
adequate adecuado/a
admiration la admiración
admire admirar
adult adulto/a
advance el adelanto
advantage la ventaja
advertisement el aviso, el anuncio
advertising la publicidad
advice el consejo

advisable recomendable
advise aconsejar
aerobic aeróbico/a
affect afectar
affection el cariño
affiliation la afiliación
affirmatively afirmativamente
African africano/a
after después
afraid: to be afraid (of)
    tener miedo (de)
against contra
age la edad
agency: travel agency la agencia:
    agencia de viajes
agenda la agenda
aggressive agresivo/a
AIDS el sida
air el aire
air conditioning el aire
    acondicionado
airline la aerolínea
airplane el avión
airport el aeropuerto
aisle: aisle seat el pasillo: asiento de
    pasillo
alcoholic alcohólico/a
all todo/a, todos/as
allergic alérgico/a
allergy la alergia
allow dejar, permitir
almost casi
alone solo/a
already ya
also también
altar el altar

alternate alternar
although aunque
always siempre
ambitious ambicioso/a
among entre
amusing divertido/a
analysis el análisis
analyst: systems analyst el/la
    analista: analista de sistemas
analyze analizar
ancestor el/la antepasado/a
and y
anguish la angustia
animal el animal
ankle el tobillo
anniversary el aniversario
announce anunciar
announcement el anuncio
annoyance el fastidio
another otro/a
answer v. contestar; n. la
    contestación, la respuesta
answering machine el contestador
    automático
anthropology la antropología
antibiotic el antibiótico
anticipation la anticipación
antiquity la antigüedad
any algún, alguno/a/s
anyone cualquier/a
apartment el apartamento
appear aparecer, surgir
appearance la apariencia
appetite el apetito
applaud aplaudir
apple la manzana

applicant el/la solicitante
application la solicitud
April abril
architect el/la arquitecto/a
architecture la arquitectura
area el área
Argentinian argentino/a
argue discutir
argument la discusión
arm el brazo (body); el arma (weapon)
armament el armamento
armchair la butaca, el sillón
around alrededor
arrest detener
arrival la llegada
arrive llegar
arrogant arrogante
article el artículo
artifact el artefacto
artist el/la artista
as como
as many tantos/as
as much tanto/a
ascend ascender
Asian asiático/a
ask (a question) preguntar: ask for pedir
aspect el aspecto
asphyxiation la asfixia
aspirin la aspirina
assault el asalto
assembly la asamblea
assignment la tarea
assimilate asimilar/se
assistant el/la asistente, ayudante
associate asociar
assume presumir, asumir
astronaut el/la astronauta
astronomer el/la astrónomo
at a; en
athlete el/la atleta
athletic atlético/a
atrophy atrofiar
attend asistir (a): attend to atender

attendance la asistencia
attention la atención
attraction la atracción
attractive atractivo/a
August agosto
aunt la tía
authoritarian autoritario/a
autobiographical autobiográfico/a
autumn el otoño
available disponible
avenue la avenida
average n. el promedio, adj. mediano/a
avocado el aguacate
avoid evitar
award el premio

B

baby el/la bebé, el/la nene/a
baby-sitter la niñera, el canguro
back la espalda
backpack la mochila
backyard el jardín
bacon el tocino
bad malo/a
bag el/la bolso/a
balance v. equilibrar; n. el equilibrio; el saldo, balance
ball la pelota
ball-point pen el bolígrafo
banana el plátano
band la banda
bank el banco
banquet el banquete
baptism el bautizo
barbecue la barbacoa
barbershop la peluquería, barbería
bargain v. regatear
baseball el béisbol
baseball bat el bate
basic básico/a
basically básicamente
basket el/la cesto/a
basketball el baloncesto, basquetbol

bathe bañar(se)
bathroom el baño
battery el acumulador, la batería
be estar; ser, resultar; be a couple formar pareja; be able poder; be afraid tener miedo; be born nacer; be called llamarse; be careful tener cuidado; be cold tener frío; be hot tener calor; be hungry tener hambre; be in a hurry tener prisa; be in charge estar a cargo; be in love (with) estar enamorado (de); be left over quedar (like gustar); be lucky tener suerte; be missing faltar (like gustar); be necessary hacer falta; be part of formar parte de; be pleasing gustar; be right tener razón; be sleepy tener sueño; be sorry sentir (ie, i); be successful tener éxito; be sure estar seguro/a; be surprised sorprenderse; be thirsty tener sed; be used to estar acostumbrado/a
beach la playa
beat batir
beater la batidora
beautiful bello/a, precioso/a
beauty salon la peluquería
because porque
because of a causa de, por
become convertirse (en), hacerse; become independent independizarse; become impacient impacientarse
bed la cama
beef la carne de res
beeper el buscapersonas
beer la cerveza
begin comenzar, empezar
beginning el principio
behind detrás (de)
belief la creencia
believe creer
belt el cinturón
benefit el beneficio
besides además

best el/la mejor

better mejor

between entre

bicycle la bicicleta

big grande

bilingual bilingüe

bill la cuenta; el billete (*currency*)

biology la biología

biosphere la biosfera (*alt.* biósfera)

birth el nacimiento

birthday el cumpleaños

black negro/a

blanket la manta

blazer el saco

bleed sangrar

blind ciego/a

block bloquear

block (of city street) la cuadra,
    la manzana (*Sp.*)

blond rubio/a

blood la sangre

blood pressure la tensión arterial

blouse la blusa

blue azul

boat bote, barco

body el cuerpo

boil hervir

bone el hueso

book el libro

bookstore la librería

boot la bota

border la frontera

bored aburrido

boring aburrido/a

both ambos/as

bother molestar

bottle la botella

boy el chico, el muchacho

bracelet la pulsera

brain el cerebro

bra (brassiere) el sostén

brave valiente

bread el pan

break romper

breakfast el desayuno

breathe respirar

bridge el puente

briefcase el maletín,
    el portadocumentos

bring traer

brother el hermano

brother-in-law el cuñado

brown café, castaño, marrón

brunet moreno/a

brush *v.* cepillar(se), *n.* el cepillo:
    brush one's teeth
    cepillarse/lavarse los dientes

build construir

building el edificio

bullfight la corrida de toros

bullfighter el torero/a

bullfighting el toreo

bumper el parachoques

bus el autobús, bus

business el negocio

businessman el hombre de negocios

businesswoman la mujer de negocios

busy ocupado/a

but pero

butter la mantequilla

buy comprar

C

cabin la cabina

cabin (on a boat) el camarote

cabinet (presidential) el gabinete

cafeteria la cafetería

caffeine la cafeína

cake el pastel, el bizcocho,
    la tarta (*Sp.*)

calculator la calculadora

calculus el cálculo

call llamar

calm tranquilo/a

calorie la caloría

camera la cámara

camouflage camuflar

can opener el abrelatas

cancel cancelar

cancer el cáncer

candidate el/la candidato/a

candy el caramelo, el dulce

cap la gorra

capacity la capacidad

capital la capital (*city*), el capital
    (*money*)

capture capturar

car el coche, carro, auto(móvil)

car hood el capó

cardboard el cartón

care el cuidado

career la carrera

carpenter el/la carpintero/a

carpet la alfombra

carrot la zanahoria

carry out llevar a cabo, realizar

cash el efectivo

cash register la caja

cashier el/la cajero/a

cassette el/la casete

Castilian el castellano

catalog el catálogo

catastrophic catastrófico/a

catch (an illness) contagiarse

category la categoría

cathedral la catedral

cause causar, ocasionar

celebrate celebrar

celebration la celebración

cell la célula

cemetery el cementerio

census el censo

center el centro

cereal el cereal

certain cierto/a

certified certificado/a

chair la silla

chalk la tiza

chalkboard la pizarra

champagne el champán, champaña

champion el/la campeón/a

championship el campeonato

change cambiar

charming encantador/a, simpático/a

chart la tabla

chat charlar

check (luggage) facturar
cheek la mejilla
cheese el queso
chemistry la química
cherry la cereza
chest el pecho
chest cold el catarro
chicken el pollo
child el/la niño/a
childhood la niñez
Chilean chileno/a
chocolate el chocolate
choose escoger
chop picar: **pork chop** la chuleta
Christmas la Navidad
Christmas Eve la Nochebuena
church la iglesia
citizen el/la ciudadano/a
city la ciudad
civil civil
claim reclamar
claro clear, of course
class la clase
classic clásico/a
classified clasificado/a
classify clasificar (qu)
classroom el aula, el salón de clase
clean *v.* limpiar; *adj.* limpio/a
cleaning la limpieza
clear claro/a, despejado/a (*weather*)
client el/la cliente/a
climate el clima
clinic la clínica
clock el reloj
close cerrar
closet el armario, el clóset
cloth el trapo
clothing la ropa
cloudy nublado/a
club el club
coach el/la entrenador/a
coat el abrigo
cocaine la cocaína
cockpit la cabina
coffee el café
cognate el cognado

coincide coincidir
colander el colador, escurridor
cold frío/a
collect recaudar
college universidad
Colombian colombiano/a
colonial colonial
color el color
column la columna
comb peinar(se)
combine combinar
come venir
come from *v.* proceder; *adv.*
    procedente de
come in pasar, entrar
comical cómico/a
comment el comentario
commerce el comercio
common común
communicate comunicar(se)
communication la comunicación
community la comunidad
company la compañía, empresa
compare comparar
competent competente
competition la competencia
complain quejarse
complaint la queja
complete *v.* completar; *adj.*
    completo/a
computer la computadora, el
    ordenador (*Sp.*)
computer science la informática
concert el concierto
concierge el/la conserje
conclusion la conclusión
condominium el condominio
conference la conferencia
confiscate confiscar
confront enfrentar
confuse confundir(se)
congenital congénito/a
congress el congreso
consequence la consecuencia
conservative conservador/a
consider considerar(se)

construct construir
construction la construcción
consul el/la cónsul
consulate el consulado
consult consultar
consume consumir
contact lenses lentes de contacto
contagion el contagio
contain contener
contamination la contaminación
contemporary contemporáneo/a
contents el contenido
contest el concurso
context el contexto
contraband el alijo, contrabando
contract *v.* contraer; *n.* el contrato
contribution la contribución
control controlar
convention el congreso
conversation la conversación
cook *v.* cocinar; *n.* el/la cocinero/a
cookie la galleta, galletita
cool fresco/a
cooperate cooperar
co-op (cooperative society)
    la cooperativa
copy la copia
cork el corcho
corkscrew el sacacorchos
corn el maíz, el elote (*on the cob*)
corner el rincón, la esquina (*street*)
correct correcto/a
correspondence
    la correspondencia
corresponding correspondiente
cost *v.* costar, *n.* el costo
cotton el algodón
cough la tos
cough toser
counselor el/la consejero/a
counter el mostrador
country el país
countryside el campo
course el curso
court la corte (*law*), la cancha
    (*sports*)

courtesy la cortesía
cousin el/la primo/a
cover cubrir
crash chocar
crazy loco/a
cream la crema
creation la creación
creative creativo/a
credit card la tarjeta (de crédito)
crew member el/la tripulante
crime el crimen, la delincuencia
crisis la crisis
critic el/la crítico/a
crowd la multitud
crucial crucial
crucifix el crucifijo
cruise el crucero
crumb la migaja
crush majar
cry llorar
Cuban cubano/a
cucumber el pepino
cultivate cultivar
cultivation el cultivo
culture la cultura
cup la taza
cure v. curar(se), n. la cura
currency la moneda
current actual
curtain la cortina
custom la costumbre
customs la aduana
cut v. cortar, n. el corte
cyberspace el ciberespacio
cycling el ciclismo
cyclist el/la ciclista

D

dad el papá
daily diariamente
daily diario/a
dairy (product), lácteo/a
damage v. dañar; n. el daño
dance bailar, el baile

dancer el bailarín/la bailarina
data el dato, la información
date la fecha
daughter la hija
daughter-in-law la nuera
dawn la madrugada
day el día
dead muerto/a
deaf sordo/a
death la muerte
deceased difunto/a, muerto
December diciembre
decide decidir
decision la decisión
decisive decisivo/a
declare declarar
decrease disminuir
dedicate dedicar
defend defender
defense la defensa
deforestation la deforestación
delight encantar
delighted encantado/a
deliver entregar
demand la demanda
demonstrate demostrar
demonstration la manifestación
    (political)
denomination la denominación
dense denso/a
dentist el/la dentista
department el departamento
department store el almacén
departure la salida
depend depender
depressed deprimido/a
descendant el/la descendiente
description la descripción
deserve merecer
design el diseño
designer el/la diseñador/a
desk el escritorio: student desk
    el pupitre
desperate desesperado/a
dessert el postre
destiny el destino

destroy destruir
detective el detective
detest detestar(se)
develop desarrollar
diabetic el/la diabético/a
dialog el diálogo
dictator el dictador
dictatorship la dictadura
dictionary el diccionario
diet la dieta
difficult difícil
digest digerir
digestion la digestión
dining room el comedor
dinner la cena
diplomacy la diplomacia
diplomatic diplomático/a
director el/la director/a
dirty ensuciar
disadvantage la desventaja
disarrange desordenar
discipline la disciplina
discotheque la discoteca
discover descubrir
discrimination la discriminación
dish el plato
dishwasher el lavaplatos
dismantle desmontar
disquette el disquete
distance la distancia
distant lejano/a
distribute repartir, distribuir
distribution la distribución
diverse diverso/a
diversity la diversidad
diving el buceo
divorce v. divorciarse,
    n. el divorcio
divorced divorciado/a
do hacer
doctor el/la doctor/a: medical doctor
    el/la médico/a
doctor's office el consultorio
document el documento
dollar el dólar
domestic doméstico/a

door la puerta
dormitory el dormitorio
double doble: **double/single room** la habitación doble/sencilla
doubt dudar
drain escurrir
drawing el dibujo
dress *v.* vestir(se); el *n.* vestido
dresser la cómoda
drink *v.* beber, *n.* la bebida
drive manejar, conducir
driver el chofer, conductor
drug la droga
drug traffic el narcotráfico
drug trafficker el narcotraficante
dry secar(se)
dryer la secadora
due debido a
duplicate duplicar
during durante
dynamic dinámico/a

E

e-mail el correo electrónico
each cada
early temprano
ear la oreja, el oído (*inner*)
earring el arete
earth la tierra
easy fácil
eat comer
ecologist el/la ecólogo/a
economic económico/a
economics la economía
economy class clase turista
educated educado/a
effect el efecto
efficient eficiente
egg el huevo
eighth octavo/a
elbow el codo
electric eléctrico/a
electrical appliance el electrodoméstico

electrician el/la electricista
electronic electrónico/a
elegant elegante
element el elemento
embassy la embajada
embrace abrazar(se)
emergency la emergencia
emigrant el/la emigrante
emigrate emigrar
emotional emocional
employee el/la empleado/a
empty vacío/a
encounter el encuentro
end el final
energy la energía
engineer el/la ingeniero/a
English el inglés
enjoy disfrutar
enough bastante
ensemble el conjunto
entertainment la diversión
envelope el sobre
equal igual
equality la igualdad
equilibrium el equilibrio
equipment el equipo
equivalent equivalente
eraser el borrador
error el error
eternal eterno/a
ethnic étnico/a
European europeo/a
evening la noche
event el evento, acontecimiento, suceso
every cada, todos/as
everything todo
evidence la evidencia
examination el examen
examine examinar
excellent excelente
except excepto
exception la excepción
exceptional excepcional
exchange *v.* cambiar, *n.* el intercambio: **stock exchange** la bolsa de valores

excited emocionado/a
exclusive exclusivo/a
Excuse me. Perdón.
executive el/la ejecutivo/a
exhaustive exhaustivo
expectation la expectativa
expensive caro/a
experience la experiencia
experiment el experimento
explain explicar
explosion la explosión
express expresar
expression la expresión
extension la extensión
exterior el exterior
extinction la extinción
extremely extremadamente
extrovert extrovertido/a
eye el ojo
eyebrow la ceja
eyelash la pestaña

F

fabric la tela
fabulous fabuloso/a
face la cara
fact el hecho
factual factual
fall caer(se)
false falso/a
fame la fama
family la familia
famous famoso/a, conocido/a
fan el abanico, el ventilador; el/la aficionado/a (*sports, etc.*)
fanatic fanático/a
fantasy la fantasía
far lejos (de)
farewell la despedida
fascinate fascinar
fashion la moda
fashion show el desfile de modas
fast rápido/a

fat gordo/a

father-in-law el suegro

fatigue el cansancio, la fatiga

fatigued cansado/a, fatigado/a

favorite favorito/a

fear *v.* temer; *n.* el miedo;
 be afraid tener miedo

February febrero

feed alimentar

feel sentir(se)

festival el festival

festive festivo

fiancé/e el/la novio/a

fiber la fibra

fifth quinto/a

fight pelear, luchar

file el archivo

fill llenar

film la película

financed financiado/a

find encontrar: find out averiguar

finger el dedo

finish acabar, terminar

fire *n.* el incendio, el fuego; *v.* despedir
 (*an employee*), disparar (*a weapon*)

firefighter el/la bombero/a

fireplace la chimenea

first primer, primero/a

fish el pescado

fishing (boat) pesquero/a

fit caber, quedar(le) bien a uno
 (*clothing*)

fix arreglar

flat plano/a

flavor el sabor

flexible flexible

flight el vuelo

float (in a parade) la carroza

floor el piso: first floor la planta baja

flour la harina

flow *v.* fluir, *n.* el flujo

flower la flor

flu la gripe

fly volar

fold doblar

follow seguir

following siguiente

food la comida, el alimento

foot el pie

footwear el calzado

for por; para

forbidden prohibido/a

force obligar, forzar

forehead la frente

foreign extranjero/a: foreign affairs
 las relaciones exteriores

foreigner el/la extranjero/a

forget olvidar

fork el tenedor

form *v.* formar, *n.* la forma,
 el formulario (*to fill out*)

formal formal

formula la fórmula

found fundar

fowl (poultry) el ave

fracture fracturar(se)

free libre: free of charge gratis

frequency la frecuencia

frequently frecuentemente

Friday viernes

fried frito/a

friend el/la amigo/a

friendship la amistad

from de

front desk la recepción

fruit la fruta

fry freír

full lleno/a

function *v.* funcionar, *n.* el uso,
 la función

fund el fondo

funnel el embudo

furious furioso/a

furniture el mueble

G

game el juego, el partido

gang la pandilla

garage el garaje

garbage la basura

garden el jardín

garlic el ajo

gasoline la gasolina

gather recolectar

gelatin la gelatina

gene el gene (*alt.* el gen)

genealogical genealógico/a

generally generalmente

generation la generación

generous generoso/a

genetic genético/a

geography la geografía

German alemán

gesture el gesto, el ademán

get conseguir, obtener, adquirir,
 sacar (qu); get dressed vestirse;
 get married casarse: get ready
 arreglarse, prepararse; get old
 envejecer: get together reunirse;
 get up levantarse

together juntos/as

ghetto el gueto

giant gigante

girl la chica, la muchacha

give dar, regalar (*as a gift*)

glad contento/a

glass el cristal, el vaso; la copa
 (*stemmed glass*)

glove el guante

go ir

godchild el/la ahijado/a

godfather el padrino

godmother la madrina

golf-club el palo (*wood*), el hierro
 (*iron*)

good bueno/a

good-bye adiós

good-looking guapo/a

goods los bienes

government el gobierno

grade la nota

gradually gradualmente

graduate graduado/a

graduation la graduación

grain el grano

granddaughter la nieta

grandfather el abuelo

grandmother la abuela

grandson el nieto

grape la uva

grapefruit la toronja

grate rallar

grater el rallador

gray gris

green verde

greet saludar(se)

greeting el saludo

grind moler

ground molido/a

group el grupo

Guatemalan guatemalteco/a

guess adivinar

guitar la guitarra

gymnasium el gimnasio

H

habit el hábito

hair el cabello, el pelo

hairdresser el/la peluquero/a

hairdryer el secador

half la mitad, la media

hall el pasillo

ham el jamón

hamburger la hamburguesa

hand la mano

handicrafts la artesanía

handkerchief el pañuelo

hang tender, colgar

happen ocurrir

happiness la felicidad

happy feliz, alegre

hard duro/a: hard-working
    trabajador/a

harvest la cosecha

hat el sombrero

hate odiar, el odio

have tener (g) (ie), poseer, disponer de
    (g); haber (aux.); have a good time
    divertirse, pasarlo bien; have
    breakfast desayunar; have
    dinner/supper cenar; have just +
    past. part. acabar de + inf. have

lunch almorzar; have to + verb
    tener que + inf.

he él

head la cabeza

health la salud

healthy sano/a

hear oír

heart el corazón

heat el calor

heater la calefacción

hello hola

helmet el casco

help v. ayudar, n. la ayuda

hemisphere el hemisferio

here aquí, acá

highway la carretera

hip la cadera

Hispanic hispano/a

home el hogar

homework la tarea

honeymoon la luna de miel

hope esperar; I/We hope ojalá

horizontal horizontal

hospital el hospital

host/hostess el/la anfitrión/a

hot caliente

hotel el hotel`

house la casa

housewife el ama de casa

housing la vivienda

human humano/a; human being ser
    humano

humanities las humanidades

humid húmedo/a

humidity la humedad

hurt doler (ue) (like gustar)

husband el marido, el esposo

hysteria la histeria

I

I yo

I/we hope ojalá

ice cream el helado

ideal ideal

idealist idealista

identification la identificación;
    identification card la cédula,
    el carnet

identify identificar

identity la identidad

if si

illiteracy el analfabetismo

illogical ilógico/a

imaginary imaginario/a

imagination la imaginación

imitate imitar

immediately enseguida,
    inmediatamente

immigrant el/la inmigrante

impartial imparcial

implant el implante

importance la importancia

important importante

improve mejorar

impulsive impulsivo/a

in en: in front of enfrente (de)

inauguration la inauguración

incentive el incentivo

include incluir

income el ingreso

incorrect incorrecto/a

increase v. aumentar, subir; n. el
    aumento (de sueldo, etc.)

independent independiente

index el índice

indicate indicar

indicated indicado/a

individual el individuo

inequality la desigualdad

inexpensive barato/a

infect infectar

infection la infección

infectious infeccioso/a

inflammation la inflamación

influence la influencia

inform v. informar; n. el informe

informal informal

information la información

ingredient el ingrediente

inhabitant el/la habitante

injection la inyección

inspector el/la inspector/a
insult insultar(se)
insurance el seguro
intelligent inteligente
intention la intención
intercept interceptar
intercepted intervenido
interest *v.* interesar; *n.* el interés
interested interesado/a
interesting interesante
interior el interior
international internacional
interpreter el/la intérprete
interrogative interrogativo/a
interrupt interrumpir
interview *v.* entrevistar; *n.* la
  entrevista
intervene intervenir
intimate íntimo/a
introvert introvertido/a
investigation la investigación
invitation la invitación
invite invitar
involve implicar
iron *v.* planchar; *n.* el hierro (*metal*);
  la plancha (*clothes*)
ironic irónico/a
irrational irracional
irreparable irreparable
irritated irritado/a
isolate aislar
Italian italiano/a
itinerary el itinerario

J

jacket la chaqueta
January enero
Japanese japonés/a
jar el tarro, la jarra
jeans los vaqueros/jeans
jewel, jewelry la joya
jogging suit la sudadera
journalist el/la periodista
joy la alegría

judge el/la juez/a
juice el jugo, el zumo (*Sp.*)
juice press el exprimidor
July julio
jump saltar
June junio
jungle la selva, la jungla
justice la justicia

K

keep guardar
key la llave
kick patear
kid el/la niño/a, el/la chaval/a
kill matar
kinship el parentesco
kitchen la cocina
knee la rodilla
knife el cuchillo
know conocer (zc), saber (*facts*)
knowledge el conocimiento

L

lab laboratorio
lack *n.* la falta; *v.* carecer (de), faltar
  (*like* gustar)
lamp la lámpara
language el idioma, la lengua:
  language lab el laboratorio
  de lenguas
lard la manteca
last *v.* durar; ; *adj.* último/a,
  pasado/a: **last night** anoche, **night
  before last** anteanoche
late tarde
law la ley
lawyer el/la abogado/a
lazy perezoso/a
learn aprender
leather el cuero
leave salir, irse
left izquierda

leg la pierna
lemon el limón
lend prestar
Lent la Cuaresma
let dejar
letter la carta
lettuce la lechuga
level el nivel
liar el/la mentiroso/a
liberal liberal
librarian el/la bibliotecario/a
library la biblioteca
lie la mentira
life la vida
likewise igualmente
lion el león
lip el labio
liquid el líquido
list la lista
listen escuchar
literature la literatura
live vivir
living room la sala
load cargar
loaded cargado/a
lobster la langosta
local local
locate localizar
location la localización, ubicación
lock up encerrar
locked up encerrado/a
logical lógico/a
logically lógicamente
loneliness la soledad
long largo/a
look (at) mirar
look for buscar
loose suelto/a
lose perder
loss la pérdida
lottery la lotería
love *v.* amar; *n.* el amor
luggage el equipaje
lunch el almuerzo
lung el pulmón

M

machine la máquina;
  washing machine la lavadora;
  answering machine el contestador
    automático
magazine la revista
magnificent magnífico/a
mail el correo
mailbox el buzón, el casillero
  (in office)
mailman el cartero
main principal
maintenance el mantenimiento
majority la mayoría
make hacer, fabricar;
  make a bed tender la cama; make
  reservations hacer
  reservas/reservaciones
malformation la malformación
manager el/la gerente, director/a
mango el mango
mantain mantener(se)
manual manual
many muchos/as
map el mapa
March marzo
Mardi Gras el Carnaval
margarine la margarina
mark marcar
marked down rebajado/a
marriage el matrimonio
married casado/a
marry casarse
mask la careta
material el material
materialist materialista
maternal materno/a
mathematics las matemáticas
matter v. importar (like gustar);
  n. el asunto, la gestión
maturity la madurez
maximum máximo/a
May mayo
maybe quizá(s)

mayonnaise la mayonesa
mayor el/la alcalde/sa
mean significar, querer decir
meaning el significado
means medios
meat la carne
mechanic el/la mecánico/a
medicine la medicina
meditate meditar
meet encontrar(se), conocer
  (for the first time)
meeting la reunión
melody la melodía
member el miembro
memory la memoria
mention mencionar
menu el menú
merchandise la mercancía
metabolize metabolizar
metal el metal
methodical metódico/a
metropolitan metropolitano/a
Mexican mexicano/a
microphone el micrófono
microscope el microscopio
microwave el microondas
midnight la medianoche
mile la milla
military militar: military coup
  el golpe militar
milk la leche
mineral el mineral
minibomb la minibomba
minimal mínimo/a
minimum el mínimo
minister (government) el ministro
ministry (government)
  el ministerio (de)
minus menos
mirror el espejo
Miss la señorita
mission la misión
mistake la equivocación
mistery el misterio
model el/la modelo

modem el módem
modern moderno/a
modify modificar
mom la mamá
Monday lunes
money dinero
month el mes
motorcycle la moto(cicleta)
more más
morning la mañana
mortal mortal
mortar el mortero
mother la madre
mother-in-law la suegra
motive el motivo
mouse el ratón
moustache el bigote
mouth la boca
move mover
movement el movimiento
movies el cine
Mr. el señor (Sr.)
Mrs. la señora (Sra.)
much mucho/a
murder el asesinato
murderer el/la asesino/a
muscle el músculo
museum el museo
music la música
musical musical
mustard la mostaza
mutual mutuo
my mi, mis

N

name v. nombrar; n. el nombre
napkin la servilleta
narrator el/la narrador/a
narrate narrar
narrow estrecho/a
natal (pertaining to birth) natal
nation la nación
national nacional

nationality la nacionalidad

native nativo/a

navegation la navegación

near cerca (de)

nearby cercano/a

neck el cuello

necessity la necesidad

necklace el collar

need v. necesitar; n. la necesidad

neighbor el/la vecino/a

neighborhood el vecindario,
  el barrio

neither tampoco

nephew el sobrino

nervous nervioso/a

net la red

network la cadena

neurosis la neurosis

never nunca

nevertheless sin embargo

new nuevo/a

New Year's Eve la Nochevieja

news la noticia

newspaper el periódico

next próximo/a, al lado

Nicaraguan nicaragüense

nice agradable

niece la sobrina

night la noche

nightgown el camisón

ninth noveno/a

nobody nadie

no no

noise el ruido

none ninguno/a

noon el mediodía

normally normalmente

North American norteamericano/a

nose la nariz

not no

not any ningún

notably notablemente

note la nota, el apunte

notebook el cuaderno

noteworthy notable

nothing nada

notice v. notar; n. el aviso

novel la novela

novelist el/la novelista

November noviembre

now ahora

nuclear nuclear

number el número

nurse el/la enfermero/a

nursery la guardería

nutrition la nutrición

O

obituary obituario

observation la observación

observe observar

obtain obtener

October octubre

occupation el oficio, la ocupación

occupy ocupar

of de: of the (contraction of de + el)
  del

offer v. ofrecer; n. la oferta

office la oficina

official oficial

offspring el/la descendiente

often a menudo

oil el aceite

old viejo/a

older mayor

Olympic Games las Olimpiadas (alt.
  las Olimpíadas)

on sobre

onion la cebolla

only sólo

only daughter la hija única

only son hijo único

open abrir

open air market el mercado al
  aire libre

operate operar

operation la operación

opinion la opinión

opportunity la oportunidad

opposite opuesto/a, contrario/a

optimist optimista

option la opción

orange n. la naranja, adj.
  anaranjado/a

orchestra la orquesta

order el/la orden

organ el órgano

organism el organismo

organize organizar

organized organizado/a

origen el origen

other otro/a

ought deber

our nuestro/a(s)

outbreak el brote

outcome el resultado

outdoors al aire libre

outskirts las afueras

outstanding destacado/a

overcome superar

own propio/a

oxygen el oxígeno

P

P.O. box el apartado de correos

pacemaker el marcapasos

pacifist pacifista

pack empacar

package el paquete

pain el dolor

painting el cuadro, la pintura

pajama el/la piyama

pamphlet el folleto

Panamanian panameño/a

panic el pánico

pants los pantalones

pantyhose las pantimedias

papaya la papaya

parachute el paracaídas

parade el desfile, la parada

paragraph el párrafo

parents los padres

park el parque

parking lot el estacionamiento
part la parte
partial parcial
participant el/la participante
participate participar
participation la participación
partner el/la compañero/a;
   la pareja
party la fiesta
passive pasivo/a
passenger el/la pasajero/a
passion la pasión
passport el pasaporte
pastime el pasatiempo
pastry shop la pastelería
paternal paterno/a
patient el/la paciente
pay pagar
peace la paz
pear la pera
peasant el/la campesino/a
peeled pelado/a
pencil el lápiz
people la gente
pepper la pimienta
percentage el porcentaje
perfectionist perfeccionista
perfectly perfectamente
performance la actuación
perfume el perfume
period el período
permanent permanente
permit permitir
person la persona
personal personal
personality la personalidad
Peruvian peruano/a
pessimist el/la pesimista: pessimistic
   pesimista
petroleum el petróleo
pharmacist el/la farmacéutico/a
pharmacy la farmacia
phase la fase
phenomenon el fenómeno
photography la fotografía

physical físico/a
physics la física
pill la pastilla
pillow la almohada
pilot el piloto
pin el alfiler
pineapple la piña
pink rosado/a
pinpoint destacar, señalar
place v. colocar; n. el lugar
plan v. planear, n. el plan
planet el planeta
plate el plato
play jugar (game, sport), tocar
   (musical instrument)
player el/la jugador/a
plaza la plaza
pleased complacido/a
pleasure el placer
plumber el/la plomero/a
poem el poema
poet el poeta
police la policía
police officer el policía, la (mujer)
   policía
politician el político
polkadotted de lunares
polyester el poliester
poor pobre
popular popular
population la población
pork el cerdo
port el puerto
portable portátil
Portuguese portugués/portuguesa
position el puesto
positive positivo/a
possession la posesión
postcard la tarjeta postal
post office el correo
posterior posterior
postgraduate el/la posgraduado/a
powerful poderoso/a
practical práctico/a
practice practicar

prefer preferir
preference la preferencia
preliminary preliminar
preparation la preparación
prepare preparar
prescribe recetar
prescription la receta
present v. presentar; n. el regalo; at
   present adv. actualmente, en la
   actualidad
presentation la presentación
preservation la conservación
president el/la presidente/a
pretty bonito/a
previous anterior
price el precio
prince el príncipe
principal el/la director/a
   (of a school); adj. principal
printing la imprenta
prior previo/a
private privado/a
prize el premio
probably probablemente
problem el problema
procession la procesión
product el producto
productivity la productividad
profession la profesión
professor el/la profesor/a
profile el perfil
progenitor el/la progenitor/a
program v. programar;
   n. el programa
programmer el/la programador/a
prohibit prohibir
project el proyecto
promote promover
promotion el ascenso
pronoun el pronombre
protect proteger
protection la protección
protein la proteína
protest la protesta
proverb el refrán

psychiatrist el/la psiquiatra
psychologist el/la psicólogo/a
psychology la psicología
public *n.* el público; *adj.* público/a
publication la publicación
publicity la publicidad,
   la propaganda
Puerto Rican puertorriqueño/a
pure puro/a
purple morado/a
purpose el propósito
purse el/la bolso/a
put poner
put in order ordenar
put on makeup maquillarse
pyramid la pirámide

Q

quantity la cantidad
quarter el cuarto
question la pregunta
quiet callado/a
quietly tranquilamente
quote la cita

R

race la carrera; la raza
racket la raqueta
radiator el radiador
radio el/la radio
radio announcer el/la locutor/a
railroad el ferrocarril
rain *v.* llover; *n.* la lluvia
rain forest el bosque tropical
raincoat el impermeable,
   la gabardina
raise levantar
rapidly rápidamente
rate la tasa
reaction la reacción
reactivate reactivar

read leer
reader el/la lector/a
ready listo/a, dispuesto/a
really realmente
rearview mirror el espejo retrovisor
rebellious rebelde
receipt el recibo
recent reciente
recently recién, recientemente
receptacle el recipiente
receptionist el/la recepcionista
recess el recreo
recipe la receta
recommend recomendar
recommendation recomendación
recording la grabación
recuperation la recuperación
recycle reciclar
red rojo/a
reduced reducido/a
referee el árbitro
reflect reflejar
refreshment el refresco
refrigerator el refrigerador
region la región
regional regional
regularly regularmente
relate relacionar
related relacionado/a
relation(ship) la relación
relative el familiar, el pariente
relatively relativamente
release liberar
released liberado/a
religious religioso/a
remedy el remedio
remember recordar
rent *v.* alquilar; *n.* el alquiler
repair *v.* reparar; *n.* la reparación
repeat repetir
reporter el/la reportero/a
represent representar
representative el/la representante
reprimand regañar
reproduction la reproducción

republic la república
reservation la reservación
reserve la reserva
residence la residencia,
   el domicilio
resident el/la residente
resolution la resolución
resource el recurso
respect respetar(se)
responsibility la responsabilidad
responsible responsable
rest *v.* descansar; *n.* el resto
restaurant el restaurante
restriction la restricción
result *v.* resultar; *n.* el resultado
résumé el currículum vitae
return volver, devolver
reunion la reunión
revelation la revelación
revise revisar
revision la revisión
revolution la revolución
rhythm el ritmo
rib la costilla
rice el arroz
rich rico/a
riddle la adivinanza
right derecho/a
ring el anillo
risk el riesgo
river el río
river basin la cuenca
robe la bata
rocket el cohete
roll la lista
romantic romántico/a
roof el techo
round redondo/a
round trip (el viaje) de ida
   y vuelta
routine la rutina
ruins las ruinas
rule la regla
run correr
runner el corredor/a

S

sad triste
sadness la tristeza
safe la caja fuerte
safety la seguridad
saint el/la santo/a
salad la ensalada
salad dressing el aderezo
salary el sueldo
same mismo/a
sale la venta; la rebaja
salesman el vendedor
salesperson el/la
    dependiente/dependienta
saleswoman la vendedora
salt la sal
salvation la salvación
sanction la sanción
sandal la sandalia
sandwich el sándwich
satiric satírico/a
Saturday sábado
sauce la salsa
save (from danger) salvar
say decir
scarf la bufanda
schedule el horario
School of ... la Facultad de ...
science la ciencia
scientist el/la científico/a
scissors las tijeras
scream gritar
screen la pantalla
sea el mar
seafood el marisco
season v. sazonar, aliñar;
    n. la estación, la temporada
seasoning el aderezo, el aliño
second segundo/a
secretary el/la secretario/a
secretion la secreción
section la sección
security la seguridad
sedentary sedentario/a

see ver
seed la semilla
seem parecer
segregate segregar
segregation la segregación
seize decomisar
seizure el decomiso
select seleccionar
selection la selección
sell vender
semester el semestre
seminar el seminario
send enviar, mandar
senior citizen la tercera edad
sentiment el sentimiento
sentimental sentimental
separation la separación
September septiembre
serious serio/a; grave
seriousness la gravedad
serve servir
service el servicio
settler el/la poblador/a
seventh séptimo/a
severe severo/a
several algunos
sew coser
sex el sexo
shake agitar
sharp afilado/a
shave afeitar(se)
she ella
sheet la sábana
ship v. enviar; n. la nave, el barco:
    space ship la nave espacial
shirt la camisa
shoe el zapato
shopping la compra
shopping center el centro comercial
short bajo/a; corto/a
shorten acortar
shoulder el hombro
shout gritar
show v. mostrar; n. la función
shower v. ducharse, bañarse; n. la ducha

shrimp el camarón
shuttle el transbordador
sick enfermo/a
sickness la enfermedad
sign el letrero
signal la señal
signature la firma
silk la seda
silly tonto
similarity la semejanza
simplicity la sencillez
simply simplemente
sincere sincero/a
sing cantar
singer el/la cantante
single (bachelor) soltero/a
sink el fregadero
sister la hermana
sister-in-law la cuñada
sit down sentarse
situation la situación
sixth sexto/a
size la talla
ski esquiar
skiing el esquí
skimmed descremado/a
skin la piel
skirt la falda
sky el cielo
sleep dormir: fall asleep dormirse
slipper la zapatilla
slope la pista
slowly lentamente
small pequeño/a
smart listo/a
smoke fumar
snow v. nevar; n. la nieve
so tan (degree), entonces, luego: so
    long hasta luego: so-so regular:
    so that para que
soap el jabón
soccer el fútbol
social social
society la sociedad
socioeconomic socioeconómico/a

sociology la sociología

sock el calcetín

soda el refresco

sofa el sofá

soft suave

solemn solemne

solicitant el/la solicitante

solid color de color entero

solution la solución

some alguno/a

somebody alguien

someone alguien

something algo

sometimes a veces

son el hijo

son-in-law el yerno

song la canción

soon pronto

soup la sopa

sour agrio/a

source la fuente

space el espacio

spaghetti el espagueti

Spanish n. el español;
 adj. español/a

speak hablar

specialized especializado/a

specially especialmente

speciality la especialidad

speed la velocidad

spend gastar

spice la especia

spinach las espinacas

spokesman el vocero

spoon la cuchara

sport el deporte

sportive deportivo/a

spot la mancha

stopping point la escala

spring la primavera

store la tienda

store window el escaparate

stability la estabilidad

stadium el estadio

stainless inoxidable

stairs la escalera

stamp el sello

start v. empezar, comenzar;
 n. el comienzo

state el estado

statistic la estadística

statue la estatua

steak el bistec

steal robar

steel el acero

steering wheel el volante

stemmed glass la copa

stepbrother el hermanastro

stepfather el padrastro

stepmother la madrastra

stepsister la hermanastra

stereotyped estereotipado/a

steward el auxiliar de vuelo

stewardess la auxiliar de vuelo

still todavía

stomach el estómago

strategy la estrategia

strawberry la fresa

street la calle

stress el estrés

stripe la raya

striped de rayas

strong fuerte

student el/la estudiante,
 el/la alumno/a

study estudiar

studying el estudio

subject of study la materia

suburb el suburbio

subway el metro

success el éxito

such tal

sugar el azúcar

suggest sugerir

suggestion la sugerencia

suit el traje

suitcase la maleta

summer el verano

sun el sol

sunglasses las gafas de sol

Sunday domingo

sunshade el quitasol

supermarket el supermercado

support apoyo

surprise la sorpresa

survey la encuesta

suspect sospechar

stove la estufa

sweat shirt la sudadera

sweater el suéter

sweep barrer

sweet shop la dulcería

sweet dulce

swim nadar

swimming la natación

swimming pool la piscina,
 la alberca (Mex.)

symptom el síntoma

synonym el sinónimo

system el sistema

T

T-shirt la camiseta

table la mesa

tablecloth el mantel

take place efectuar(se)

take tomar, llevar: take a shower
 ducharse: take advantage of
 aprovechar: take a walk/stroll
 pasear, salir de paseo: take away
 quitar: take care of cuidar: take
 pictures sacar fotos

talk conversar

talkative hablador/a

tall alto/a

tape recorder la grabadora

tardy retrasado/a, moroso/a
 (in payment)

tea el té

teach enseñar

team el equipo deportivo

tear-producing lacrimógeno/a

teaspoon la cucharita

technician el/la técnico/a

tecnocracy la tecnocracia

telephone el teléfono

television la televisión:
    TV set el televisor

tell decir

temperature la temperatura

tennis el tenis: **tennis player**
    el/la tenista

tenth décimo/a

term of office el mandato

terrace la terraza

terrible terrible

territory el territorio

terrorize aterrorizar

textual textual

thanks gracias

that ese, esa, eso, aquel, aquella,
    aquello (*dem.*); que (*rel.*); **that is** o
    sea; **that one** ése, ésa, aquél,
    aquélla; **that which** lo que

the el, la, los, las; lo

theater el teatro

then entonces

therapy la terapia

there is, there are hay: **there was,
    there were** había

thermometer el termómetro

they ellos/as

thin delgado/a

think pensar, creer

third tercer, tercero/a

this este/a

threaten amenazar

throat la garganta

through a través (de), por

throw lanzar

Thursday jueves

ticket el boleto, el billete,
    el pasaje: **ticket for admission** la
    entrada

tie la corbata

time el tiempo, la hora

timid tímido/a

tire cansar: **get tired** cansar(se)

tire la llanta

tired cansado/a

today hoy

toilet el inodoro

tomorrow mañana

tone el tono

tongue la lengua

too también, además

tooth el diente

torture la tortura

toy el juguete

trace el rastro

tradition la tradición

traditional tradicional

traditionally tradicionalmente

train *v.* entrenar; *n.* el tren

trait el rasgo

transfer trasladar(se)

transition la transición

translate traducir

translator traductor/a, intérprete

transmit transmitir

transmutation la transmutación

transparency la transparencia

transplant transplantar

transportation el transporte

travel *v.* viajar, recorrer; *n.* el
    turismo: **travel agent** el/la agente:
    de viajes

traveller's check el cheque de viajero

tray la bandeja

treatment el tratamiento

trip el viaje

tropical tropical

trunk el maletero, el baúl

try tratar

try on probarse

tub la bañadera

Tuesday martes

tuna el atún

tunic la túnica

tourist el/la turista; turístico/a

turkey el pavo, guajolote (*Mex.*)

turn doblar: **turn off** apagar(se)

TV viewer el/la televidente

twin el/la gemelo/a

twist torcer(se)

typewriter la máquina de escribir

U

ugly feo/a

ulcer la úlcera

umbrella el paraguas

umpire el árbitro

uncle el tío

under debajo (de)

underline subrayar

understand entender

underwear ropa interior

unexpected inesperado

unforgettable inolvidable

uniform el uniforme

universe el universo

university la universidad

unnoticed desapercibido/a

unpayable impagable

unpleasant antipático/a

until hasta (que)

urban urbano/a

urgent urgente

use utilizar, usar

utensil el utensilio

V

vacant vacante

vacation la vacación

vaccination la vacuna

vacuum cleaner la aspiradora

valid válido/a

valuable valioso/a

vanilla la vainilla

variable variable

VCR la videocasetera

vegetable el vegetal, la verdura

vegetarian vegetariano/a

vegetation la vegetación

vein la vena

Venezuelan venezolano/a
verb el verbo
verify verificar
vertical vertical
very muy
victory el triunfo
victim la víctima
vinegar el vinagre
violence la violencia
violinist el/la violinista
virus el virus
vitamine la vitamina
vocabulary el vocabulario
volleyball el voleibol
volume el volumen
volunteer el/la voluntario
vote votar
voucher el vale
vowel la vocal

W

waist la cintura
waiter el camarero
waitress la camarera
wake up despertarse
walk caminar
want querer
war la guerra
wardrobe el guardarropa, el
    vestuario
warn advertir
warning el aviso
wash lavar(se)
washbowl el lavabo
washing machine la lavadora
waste desperdiciar
watch v. mirar, vigilar; n. el reloj
water v. regar; n. el agua (f.)
way el camino
we nosotros/as
weak débil
wear llevar, usar
wear a costume disfrazarse

weather report el pronóstico, el
    tiempo
wedding la boda
Wednesday miércoles
week la semana
weight el peso
welcome n. la bienvenida,
    v. dar la bienvenida
welfare el bienestar, asistencia social
well bien
what qué
when interrog. cuándo;
    adv. cuando
where dónde
where (to) adónde
which (one) cuál/es
while mientras
white blanco/a
who quién
why por qué
wide ancho/a
widow la viuda
widower el viudo
wife la esposa
will la voluntad
win ganar
wind el viento
window la ventana, ventanilla
window cleaner el limpiavidrios
windshield el parabrisas
windshield wiper el limpiaparabrisas
wine el vino
winner el/la ganador/a
winter el invierno
Wise Men Reyes Magos
wish desear
with con
without sin
woman la mujer
wood la madera
wool la lana
word la palabra
work v. trabajar; n. el trabajo
worker el/la obrero/a
world el mundo

world-wide mundial, universal
worry preocupar(se)
wrist la muñeca
write escribir
writer el/la escritor/a

Y

year el año
yellow amarillo/a
yes sí
yesterday ayer: day before yesterday
    anteayer
yet todavía
yogurt el yogur
you tú; usted, Ud.; vosotros/as;
    ustedes, Uds.; te, os, lo, la, los,
    las; ti, le, les
young joven

Z

zone la zona
zoo el zoológico

Credits

Index of Language Functions

Greetings and good-byes, *Lección preliminar*
Guessing content of specific texts, *A leer* 1
Guessing meaning of words through context clues, *A leer* 4

H
Hypothesizing about the future, 13, 15
Hypothesizing about the present, 15

I
Identifying associated words, *A leer* 10
Identifying basic aspects of writing, *A escribir* 1
Identifying categories, *A leer* 9
Identifying classroom objects, *Lección preliminar*
Identifying cognates, *A leer* 1
Identifying family members, 4
Identifying people, 4, *Lección preliminar*
Identifying suffixes, *A leer* 4, *A leer* 6, *A leer* 15
Identifying synonyms, *A leer* 3
Identifying the main topic of a text, *A leer* 13
Identifying the narrator of the story, *A leer* 15
Identifying the tone of a text, *A leer* 14
Identifying word endings that indicate places and people, *A leer* 6
Introducing oneself and others, *Lección preliminar*

L
Locating people and objects, 1, *Lección preliminar*
Locating specific information in a text, *A leer* 3, *A leer* 8

M
Making comparisons, 8
Making future plans, 3
Making inferences, *A leer* 8, *A leer* 9
Making requests, 10, 15
Making suggestions, 3, 15, *A escribir* 4
Making travel arrangements, 12

N
Narrating chronologically, *A escribir* 6

O
Ordering in a restaurant, 3

P
Persuading people to do something, *A escribir* 14
Problem solving, *A leer* 6
Projecting conditions, goals, and purposes, 14
Providing information, 1

R
Recognizing nouns derived from verbs, *A leer* 5
Recognizing prefixes and suffixes, *A leer* 4, *A leer* 15
Reporting biographical information, *A escribir* 13
Reporting data taken from a poll, *A escribir* 8
Reporting factual information, *A escribir* 3, *A escribir* 5, *A escribir* 7
Responding to an ad, *A escribir* 2
Revising content and form, *A escribir* 1

S
Scanning a text, *A leer* 2
Softening requests and statements, 15
Speculating about the future, *A escribir* 15
Spelling, *Lección preliminar*
Stating facts, 13, *A escribir* 12
Stating personal information, *A escribir* 7
Summarizing a text, *A leer* 12
Summarizing information, *A escribir* 11

T
Talking about advances in science and technology, 15
Talking about clothing, 6
Talking about holiday activities, 8
Talking about past events, 7, 8, 13, 14
Talking about prices, 6

Talking about shopping, 1, 6, 10
Talking about the body, 11
Talking about the future, 3, 12, 13, 15
Talking about the past from a past perspective, 14
Talking about the past from a present-time perspective, 13
Talking about the present, 15
Talking about the weather, 7
Talking about the workplace, 9
Talking on the phone, 3
Telling prices, 6
Telling time, *Lección preliminar*

U
Using appropriate forms of address, *A escribir* 3
Using classroom expressions, *Lección preliminar*
Using context clues to determine the meaning of words, *A leer* 4
Using numbers, 3, *Lección preliminar*

W
Writing a title, *A leer* 13
Writing questions to elicit information and opinions, *A escribir* 3
Writing to spark interest, *A escribir* 13

Index

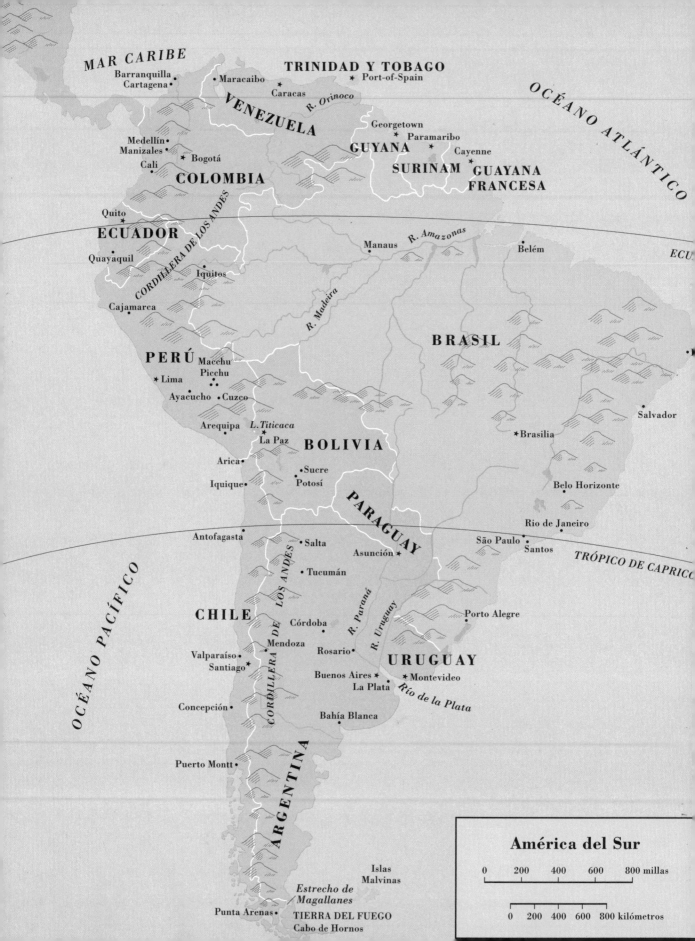